ファンダメンタル音声学

Fundamentals of English Phonetics

今井邦彦
Kunihiko Imai

ひつじ書房

はしがき

この本の最大の目的は、その利用者に「良い英語発音」を獲得する手助けをするところにある。ぜひ本と一体をなしているCDを利用して実技を磨いてほしい。

日本には一種の迷信があるようだ。英語の発音をよくするには、子供のころから英語国に住むか、ネイティヴ・スピーカーにみっちり教えてもらう以外にない、とする考え方である。これは間違った考えだ。この本の著者が英語を習い始めたのは中学一年生のときである。中・高・大学を通じて英語の先生はすべて日本人だった。生まれて初めて日本を離れ、イギリスに留学した時には、大学を卒業していたから歳は23になっていた。ロンドン大学の音声学科で学び、同学科と国際音声学協会(IPA)の実技試験をそれぞれ受けた。合格すると前者からは「英語発音技能証明書」を、後者からは「音声学技能証明書」を貰えるが、証明書は第一級から第三級まで分かれている。著者が得たのは両方とも第一級であった。40人ほどの合格者のうち、第一級証明書を獲得したのは著者のほかに2人いて、その1人はA君という日本人だった。彼もまた日本を離れたのは20歳を優に過ぎてからである。A君はやがてレディング(Reading)大学の英語音声学講師になった。この本の録音資料中、イギリス発音の吹き込みを著者自身が行っている理由の一つは、上記の「迷信」を打破するところにある。

ただし、A君にしても著者にしても、単なる「口まね」で英語発音を獲得したわけではない。bad [bæd] の [æ] と bud [bʌd] の [ʌ] では、舌の使い方がどう違うか、rye の r は「有声」の「母音に似た音」だが、try の r は「無声」の「摩擦音」である――つまりはこの本に書いてある「理屈」――をしっかり学んでいたのである。一定年齢を過ぎてからの「理屈抜きの口まね」は、「日本語用の耳」で解釈した誤った発音を産出する結果になる確率が非常に高い。「理屈」抜きで良い英語発音を自然に獲得するためには、3歳児ぐらいまでに英語国民の家庭に養子にでもなるほかないのだ。

録音資料が付録に付いた教本はたくさんある。だがこの本のCDでは、手本となる模範的発音だけでなく、「良くない発音」の例を随所に上げ、「口まねによって生ずる恐れのある誤った発音」も、それと断って入力してある。

もう一つの特徴は、文強勢と intonation に重点を置いたところにある。日本語にもむろん音の強弱はあるし、メロディーもある。だが、音の強弱やメロディーが英語で果たす役割は、日本語の場合とは比べものにならぬほど大きい。以前勤めていた大学で筆者はつぎのような入試問題を作った。センター試験などでもおなじみのタイプのものである。

問題：つぎの会話の B の発話のうち、最も強く発音される単語を選び、その番号を解答欄にマークしなさい。

A.　What did you find in the drawer?

B.　I　found　a　gun　in　the　drawer.

　　①　②　③　④　⑤　⑥　⑦

正解は言うまでもなく④なのだが、この問題は他の出題委員の中に大げさに言えばパニックを引き起こした。委員の一人は専任の native speakers 何人かに訊いてまわった末、やっと納得したらしく「やはり④でいいそうです」と筆者に「教えて」くれた。文強勢配置に原則があることなど思いも寄らなかったらしい。まずこれが日本の英文科教師の平均的知識なのだろう。intonation に関しては

I.　lovely

You have　e

yes.　と

II.　l

o　e

v

You have　e

l　es.

y　y

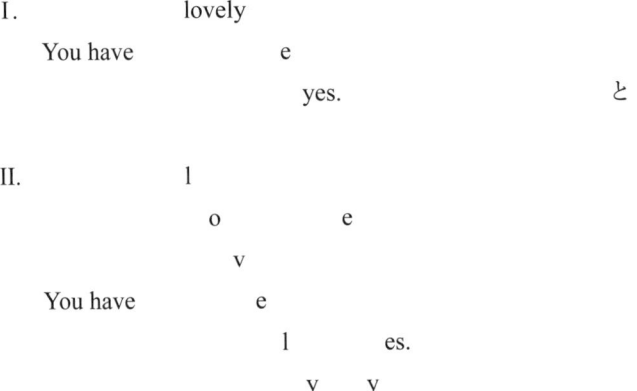

という 2 つの異なる intonation が、天地雲泥の「意味」の差を伝えているこ

とを知っている英語教師がどれだけいるのか不安である。I.、II. はまったく同じ文なわけだが、I. が素直な誉めことばと解しうるのに対し、II. は相手の目以外の顔の造作、スタイル等を言外にけなしている発話だからだ。相手を喜ばせるつもりなのに II. を発してしまったなら、それこそ取り返しのつかない事態となる。文強勢や intonation の使い分けは、伝達の上では l と r、s と th の差以上に重要だとさえ言える。この本でこの面を十分に学び、コミュニケーション力を大いに鍛えてほしい。

さて世界にはいろいろな英語があり、発音の面でもさまざまである。そのどれを較べても――たとえばロンドンの下町英語であるコクニー (Cockney) であれ、アメリカの下層黒人が使うエボニクス (Ebonics) であれ――そのあいだには、言語理論的に言えば何の優劣もない。しかし多くの読者の実用的目的を考えれば、目標とする発音はアメリカの標準英語 (一般的アメリカ英語：General American (GA)) の発音か、イギリスの標準発音 (容認発音：Received Pronunciation (RP)) でなければなるまい。ではその 2 つのうち、どちらを選んだ方が実用目的にかなうか？

簡単に言えば、どちらでも良い。GA を使うと RP 話者に通じなかったり、RP で話すと GA 話者が理解に苦しむ、などということは皆無だからである。ただ、しいて言えば、イギリス人の特に教育程度が高くない人たちがアメリカ英語にどことない反感を持つのに対し、アメリカ人は概して RP を畏敬の心で見るらしい。(アイルランド系のアメリカ女性で、先祖がイングランド人に迫害されたということで未だにイギリス嫌いの人が筆者の英語を聞いて「素晴らしいわ。David Niven ――昔のイギリス人二枚目俳優――みたい！」と叫んだのは象徴的である。) それに我々が英語を使うのはアメリカ人に対してだけではない。同じ英語国でもオーストラリア、ニュージーランドのような「イギリス系」の国もあるし、インド、パキスタンなど、前世紀中ごろまでイギリス植民地だった国もある。さらにヨーロッパ大陸の人々にとってはイギリス英語の方がなじみが深い。

しかしもちろん、この本では、日本にとってきわめて重要な国・アメリカの英語発音の習得についても十二分な配慮がなされている。録音材には、特にアメリカ英語に特徴的な発音を持つ単語を選んで、信頼できる GA speaker の発音が収められており、第 6 章の会話者の一方は GA speaker である。そして重要なことは「この本を利用して自分の音声器官を自在に動かす能力を身につければ、GAであろうとアメリカ南部方言であろうと、あるいは必要とあればコクニーであろうと、その発音ができるようになる」という事実である。

本書の刊行に当たっては、ロンドン大学音声学科での恩師、とりわけ故A.C.Gimson, 故J.D. O'Connor, G.F. Arnoldの三先生から受けた学恩に深謝を捧げたい。Gimson: *An Introduction to the Pronunciation of English*（Edward Arnold, 1962）、O'Connor and Arnold: *Intonation of Colloquial English*（Longman, 1961）が刊行されたのは筆者帰国後のことであった。一読して、三先生がロンドンで教えてくださったのは当時執筆中であったと察せられる最新の内容であったのだということが判り、改めて感謝の念を深めた。

アメリカの学者としては、音声学を幅広い見地から見ることを教えてくださった故K.L. Pike教授の恩を記したい。同教授の*Phonetics: A Critical Analysis of Phonetic Theory and a Technic for the Practical Description of Sounds*（University of Michigan Press, 1943）を筆者が訳出中、わざわざ日本を訪れ、筆者が十分に自信を持てなかったズールー語の吸着音、アムハラ語の内破音、言語音としてはまず使われない「打拍音」などを伝授してくださった。もう一人のアメリカ人学者、故D. Bolinger教授の著*Intonation and Its Parts*（Stanford University Press, 1986）からは、特に文強勢付与の原則について大いに学ぶところがあった。一度お目に掛かりたいと思いつつ、遂に果たすことができなかったのは残念である。

ひつじ書房の松本功社長は、本書の構成・分量・録音形式等々、すべての面に亘って筆者の我が儘を受け入れてくださった。ここに敬意と謝意を表したい。GA部分の吹き込みを担当してくださったお茶の水大学の長友ダイアン氏、発音記号の校正を手伝ってくださった青山学院大学非常勤講師・勝山裕之氏に深く感謝する。編集業務の初期を担当されたひつじ書房編集部の松原梓氏、そのあとを引き継いで最後まで面倒を見てくださった吉峰晃一朗氏、三美印刷の山岡裕幸氏に、最終ながら最小ならざるお礼のことばを記す。

2007年1月

今井邦彦

もくじ

第１章　母音の発音

1.1　母音の違いは音色の違い

日本語の母音はアイウエオの５つである。同じ音程でアイウエオのどれを言ってみても、５つのうちどれであるかははっきりわかる。

これはアイウエオそれぞれの「音色（ねいろ）」が異なるからだ。ピアノ、フルート、ヴァイオリン等の楽器を同じ音程で鳴らしてみても、同じ音には聞こえない。これらの楽器の音色が違うからだ。それと同じである。

母音の音色を決めるのは、①舌のどの部分が、②どのくらい持ち上がっているか、そして③唇の形はどうなっているか、の３点である。③についてはあとで述べることにして、下の図を見てほしい。

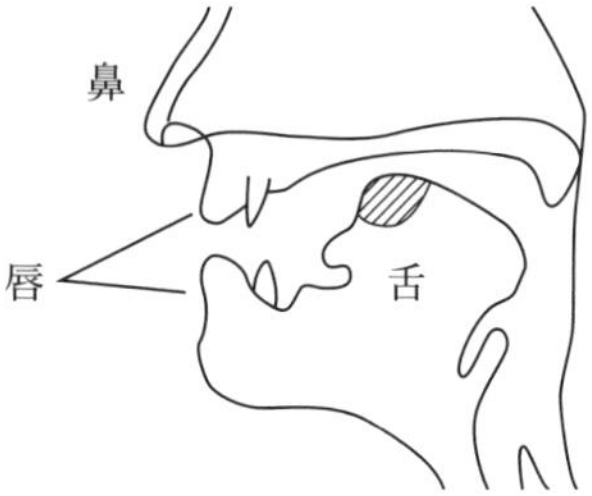

図１　「イ」の舌の位置

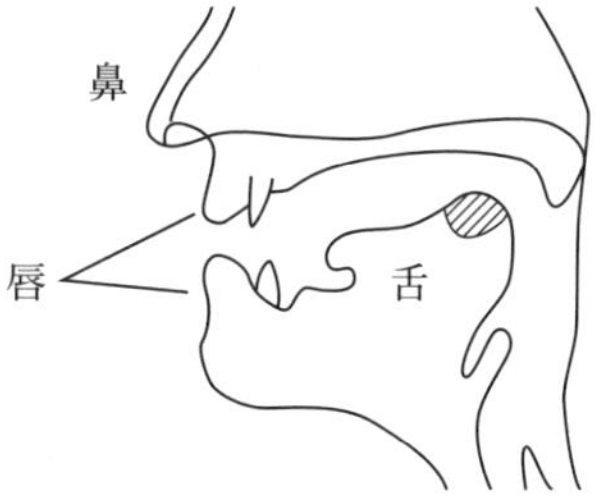

図２　「ウ」の舌の位置

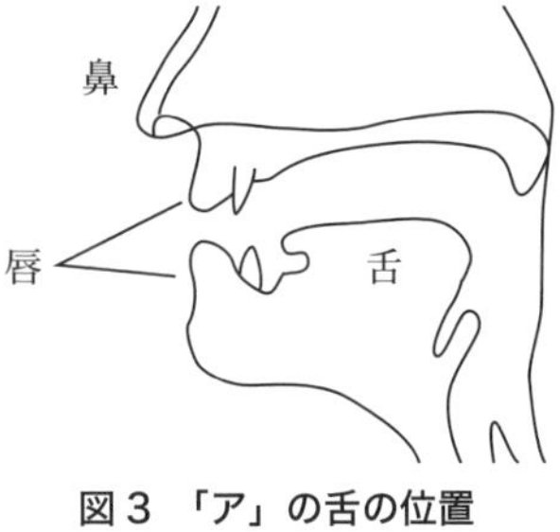

図３　「ア」の舌の位置

図1では前舌部(斜線で示してある)が高くなっている。図2では後舌部(やはり斜線で示してある)が高くなっている。図3では舌はほとんど寝ている。「そんなことを言われても自分の舌がどうなっているかわかるわけがない」と思うかもしれない。だがそれは違う。ためしに「イーウーイーウーイーウー…」とゆっくり繰り返して言ってみるといい。舌が前後に動いているように感じられると思う。つぎに「イーアーイーアーイーアー…」を試してほしい。「アー」で顎が開くのはすぐにわかるが、同時に「イー」のときには左右の上歯に触っていた舌の両側が「アー」では離れることがわかる。「イー」では上がっていた舌が、「アー」では平らになっている証拠である。この段階ではこれだけ確認できればよい。

1.2　英語の母音（短母音と長母音）

母音を発する際の舌の高さや、舌のどの辺が高いかを示すのに1～3のような図をいちいち描いていたのでは非能率である。そこで母音の舌の位置を示すには下の図4のような表示の仕方をする。

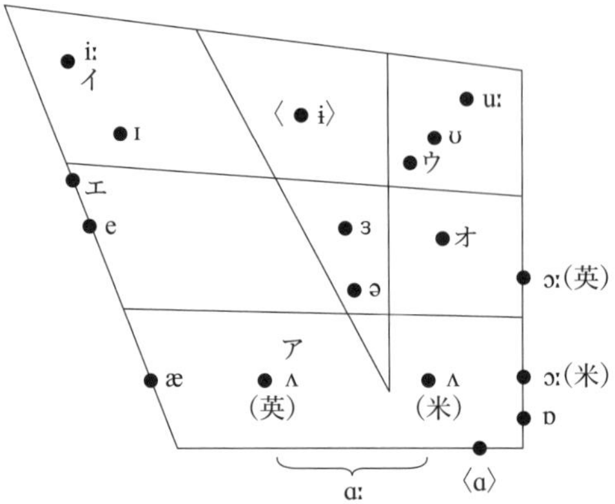

図4　日英語の母音

このタイプの図では左側の方が前舌部を使った「前母音」、右側の方が後舌部を使った他「後母音」、真ん中の逆三角形の中にあるのが前舌部と後舌部の中間を使った「中央母音」であることが示されている。

図4には日本語の母音がカタカナで、英語の母音が発音記号で示してある。これを見れば日本語で「ベッド」というときの「エ」よりも、英語のbed [bed] の [e] の方が同じ前母音でも舌の位置が低いとか、日本語の「ブーツ」の「ウ」と英語の boot [buːt] の [uː] ではずいぶん舌の位置が違うことなどが一目瞭然となる。

下の表1に図4にある英語母音を含む単語をかかげてみよう。

表1　英語の母音

[iː]	bead [biːd]	[ɒ]	box [bɒks]（英）
[ɪ]	bid [bɪd]	[ɔː]	bought [bɔːt]
[e]	bed [bed]	[ʊ]	put [pʊt]
[æ]	bad [bæd]	[uː]	boot [buːt]
[ʌ]	bud [bʌd]	[ɜː]	bird [bɜː*(r)*d]
[ɑː]	bar [bɑː*(r)*]	[ə]	police [pəlíːs]
[ɑ]	box [bɑks]（米）	[ɨ]	commune [kɨmjúːn]（米）

（注1）*(r)* は米音では [r] が加わることを示す。

（注2）[ː] が付いていない母音を「短母音」、付いている母音を「長母音」と呼ぶ。

この表に見るとおり、日本語のアイウエオに比べて約3倍の種類がある。ということは、英語の母音を発音するときには舌の位置についてはるかに多くの区別をしなければならにということだ。しかし心配無用。自分の舌の位置がどうなっているかは、録音教材の模範音と、自分の出す音とを耳で聴いているうちに、自然と体得されるものだからだ。対面授業の際、筆者は「君のbid（の母音の舌の位置）は高すぎる。もっと低く」などと注意を与えるが、学習者の口の中が見えるわけではない。出されている音から判断しているのだ。学習者も（ある段階に達すれば）その指示に応じて舌の位置を高くしたり低くしたり、前舌部と後舌部、あるいはその中間の使い分けができるようになるのである。

では表1の14の英語母音について少し詳しく解説しよう。（以下の説明に登場するRP、GAとは、「はしがき」で述べたとおり、それぞれ Received Pronunciation（イギリスの標準発音）、General American（一般アメリカ英語）の略である。）

★ [iː]

bee [biː], cheese [tʃiːz], sea [siː], field [fiːld], receive [rɪsíːv], machine [məʃíːn] など単語に使われる。(以下、例としてあげてある単語の綴りに十分注意してほしい。英語では同じ母音が異なる綴りで表わされたり、同じ綴りが異なる母音を表すことが多いからである。) この母音の音色、つまり舌の位置については特に気を使う必要はない。英語の中にも方言や個人差があっていろいろな変種もあるが、我々の目的からすると日本語(特に断りのないかぎり標準語を指す)の「イ」を使えば通用する。

ただ注意すべきはその長さである。[iː] は長母音ということになっているが、つぎに何も音が来ないか、有声音が来れば [iː] は長く、無声音が来れば短く発音される。つまり bee [biː], bead [biːd] の [iː] は長く、beat [biːt] の [iː] は短い。その比は実に 2：1 なのである。

なお、Mary, lovely, spaghetti などの最後の母音について一言付け加える。まず GA ではこれは以前から [iː] だった([méəriː] など)。一方、RP では本来 [ɪ]([méərɪ] など)であったが、若い層の間では [iː] が拡がっており、RP の用法として受け入れられつつある。

☆例外的綴りを持つ [iː] 音：quay, people, Beauchamp [bíːtʃəm]

練習 1

A. bee ~ bead ~ beat
B. see ~ seize ~ cease
C. fee ~ feed ~ feet
D. 間違った発音の実演：A の母音を全部同じ長さで発音しています。
さあ、もう 1 度正しい発音を練習しましょう。
bee ~ bead ~ beat
see ~ seize ~ cease
fee ~ feed ~ feet

★ [ɪ]

rich, sit, symbol, e̲xcept, fifth などに使われる母音である。英和辞書の中にはこの母音の音声表記に [i]、つまり [iː] から長音符 [ː] を取り去った記号を使っているものも多い。しかし図4に見るとおり、この音の舌の位置は [iː] や日本語の「イ」よりも低く、かつ少し内寄りである。つまり [iː] とこの音の差は長さでなく「音色」にあるのである。同じ字を使うとどうしてもそれに引きずられて、音色でなく長さの差のような気になってしまう。間もなくやる書取り練習にも [iː] と [ɪ] を区別して使ってほしい。

日本の地方方言の中には [ɪ] に似た音を使うものがあるが、あいにく録音したものがない。しいて言うと、テレビのグルメ番組の中で、タレントなどが食物を口に入れたとたんに叫ぶ「おいしいー！」の「いー」の部分が [ɪ] に似ていなくもない。前舌部に食べ物が乗っているので、「イ」の位置まで上げられないせいだろう。同じ原因から、「し」の子音 [ʃ] が [s] になっている。少々恥ずかしいが、次の練習の録音にこの物まねを入れておこう。

☆例外的綴りを持つ [ɪ] 音：build, b<u>u</u>siness, w<u>o</u>men [wímɪn]

練習 2

A.　物まね：[oɪsɪː]

B.　1. [iː] を引き延ばして言ってみましょう：[iːːːːːː]。

2. [ɪ] を引き延ばして言ってみましょう：[ɪːːːːːː]。

3. 今度は交互に言ってみましょう。[iːːːɪːːːiːːːɪːːːiːːːɪːːːiːːːɪːːː]。

C.　つぎの単語の母音が [iː] か [ɪ] かを書き取りましょう。発音記号を使ってくださいよ。

4. ①　②　③　④　⑤

⑥　⑦　⑧　⑨　⑩

★ [e]

bed [bed], leg [leg], dead [ded], breath [breθ] などに使われる母音である。上で言ったとおり日本語の「エ」よりも舌の位置が低い。舌の位置が高すぎると [ɪ] と区別が付かなくなる（sit と set など）し、逆に低くしすぎるとこの次に習う [æ] との混同が起こる。[e] の発音は独立に練習するよりも、[æ] を学んだあと、［練習 3］で bead ~ bid ~ bed ~ bad ~ bud などを用いて [iː], [ɪ], [e], [æ], [ʌ] の 5 母音の区別を訓練するのが効果的である。

なお、tell, well, sell などのように [e] が「暗い l」(第 2 章で説明する) の前に来ると、舌の高さは said [sed] などの場合に比べて一層低くなる。この音を特に細かく示すには [ɛ] という記号を使うことさえある。said は [sed] だが、sell は [sɛl] だというわけだ。「暗い l」の前の [ɛ] は「暗い l」を正しく習得すれば自然に出せるようになるので特に気に掛けることはないが、[ɛ] を習得しておくと、つぎの [æ] の変種として [ɛə] を使おうという学習者にとって救いとなる。

☆例外的綴りを持つ [e] 音：many, Thames, said, bury, friend

★ [æ]

bag [bæg], sat [sæt], hand [hænd], rash [ræʃ], lamp [læmp] などに使われる母音で、これを表す綴り字はほぼ a に限られている。例外は plaid [plæd] と plait [plæt] の 2 語ぐらいのもので、後者には [pleɪt] という発音もある。綴り字に面倒がないかわり、と言うのも変だが、[æ] は日本人学習者が苦手とする音のひとつである。それもそのはず、図 4 を見れば明らかなように、図の左下あたり、つまり前舌部を前に突き出して少しだけ高くして出すなどという音は日本語にないからである。これを練習するには、口を大きく開け、舌先を下の前歯の内側に当てて (つまり舌先が口の外に出ないようにし)、舌を前方へ思い切って突き出して声を出すのがいい。(あまり人前ではやらない方がいいかもしれない。) もちろんネイティヴ・スピーカーが [æ] を発音するたびにこんな口つきをするわけではない。しかし最初のうちは何でも大げさにやる必要があるのだ。

付随的な性質を利用すると本質的性質が掴めることがある。具体的に言うと、[æ] という音はほぼ必然的にのどの緊張をともなう。「良い声」で [æ] を発するのは困難なのだ。だからポピュラーソングなどは別として、正式の歌曲を歌う人は [æ] を避けて [a] や [ɑ] を使う。そこで学習者は [æ] を発音するときにのどを緊張させた「悪い声」を使ってみるのも一助になるはずである。

それから、[æ] は伝統的に短母音とされているが、実際にはかなり長く発音される。これも付随的性質だが、「[æ] は長母音だ」と思って発音するのも上達のコツの一つだろう。

さて、最近のRPの話し手のうち、若い層の間では、[æ]をほんの少し後ろの方で――図4で言えば[æ]を示している●よりもいくぶん右の方、つまり[ʌ]（英）を示している●にいくぶん寄った位置で――発音する人が増えてきた。そのためこれより年上のRPの話し手からは「近頃の連中はAfrica [ǽfrɪkə]をUfrica [ʌ́frɪkə]のように発音して怪しからん」という声が聞こえる。若い層はやがて壮年層、老年層になるわけだが、この「[ʌ]に近い[æ]」がRPの中で定着するかどうかはわからない。1950年代の終わりから60年代の初めにかけて、上流階級にあこがれる人たちの間でgo, homeなどの母音を[eʊ]のように発音するのが流行った。カタカナで転記すれば「ゲウ」「ヘウム」である。だがこの発音は今ではすたれてしまった。いずれにしても、図4に示してある[æ]の発音位置はRP、GAを通じて標準とされる位置だから、安心してこの位置を目標にすればよい。

★ [ʌ]

cup [kʌp], duck [dʌk], come [kʌm], son [sʌn], country [kʌ́ntrɪ], couple [kʌpl], blood [blʌd], flood [flʌd]などの例に見るとおり、u, o, ou, ooなどで表される母音である。RPの場合は、ほぼ日本語の「ア」で代用できる（図4参照）。違いは「ア」より[ʌ]のときの方が口を多少大きく開く必要があるという点だ。

GAの場合は図4に見るとおり、舌のだいぶ後ろの方が（少しだが）高くなる。ということは、あとで見る[ə]と音色が似ている。そのためもあって辞書のうちあるものはこの本で[ʌ]と表記している音を[ə]で表記している（aboveは本書の表記では[əbʌ́v]だが、その種の辞書では[əbə́v]）。さらにbox [bɑks]などの[ɑ]と混同しないようにせねばならない。

☆ [iː], [ɪ], [e], [æ]はいずれも前舌部が程度の差はあれ高くなるので、「前母音」という。RPの[ʌ]は「準前母音」（この呼び方は一般的ではないが）ということになろうか。

練習３

たとえばbead [biːd] とbid [bɪd] だけを区別して発音するのはそう難しいことではありません。[ɪ] の代わりに日本語の「エ」のような音を使えば何とか違って聞こえます。ところがそうするとbidとbed [bed] の区別に困る。どうにかしようと思ってbedの方にはうんと口を大きく開いて [ɛ] よりもさらに舌の位置の低い音を出す。すると確かにbidとbedの差がつくようになる。でも今度はbedとbad [bæd] の区別に支障が起こります。[e] の舌の位置を下げすぎると、それと区別が付くように [æ] を発音しようにもそれ以上口を大きく開こうとすれば、あごがはずれてしまう。

そこで [iː], [ɪ], [e], [æ]、そして [ʌ] の区別は５つ組み合わせで練習する必要があります。やってみましょう。

A.　bead [biːd] ~ bid [bɪd] ~ bed [bed] ~ bad [bæd] ~ bud [bʌd]

B.　deed [diːd] ~ did [dɪd] ~ dead [ded] ~ dad [dæd] ~ dud [dʌd]

C.　peat [piːt] ~ pit [pɪt] ~ pet [pet] ~ pat [pæt] ~ putt [pʌt]

どうです？　うまく行きましたか？　こちらにはあなたの声は聞こえないので、自分の発音を自分で録音して手本通りかどうかチェックしてください。そのときついでに、終わりの子音のあとに余分な母音を付けていないかどうかも注意してください。*[biːdɯ], *[dɪdɯ], *[petɯ] のような発音は駄目です。([ɯ] は日本語の「ウ」を表す発音記号。) [biːd], [dɪd], [pet] のように発音しましょう。(これからあとは、いちいち言いませんが、発音練習のときは必ず自分の声を録音して手本通りかどうかチェックしましょう。)

D.　では、つぎの単語の母音が [iː, ɪ, e, æ, ʌ] のうち、どれであるか、発音記号を使って書き取ってください。

①　②　③　④　⑤

⑥　⑦　⑧　⑨　⑩

★ [ɑː]/[ɑɚ]

図４を見ると、[ɑː] が日本語の「ア」よりもずっと下に示してある。同じ図４の ――― から判るように「舌の一番高い場所」は前後にかけてかなりの許容度を持っていることもでもあるし、「前後の差」という概念はこの音に

関する限り忘れてしまって、口を大きく開け、ひたすら舌を低く寝かすようにするとよい。耳鼻科医にのどの薬を塗ってもらうときの声と言ってもいいのだが、日本語の「アー」では実はのどの奥はよく見えない。前舌部が少しながら上がっているため邪魔になるのである。鏡に向かって口蓋垂、もっと卑俗なことばを使えばのどチ×コが見えるかどうか確かめてほしい。（音声学を学ぶためには男性読者もぜひ鏡を携帯してほしい。これはこの音だけでなく、他の音を獲得する際にも鏡が大いに役に立つときがある。）またスプーンの柄などを使って舌を押さえて寝かせるのも一案かもしれない。もちろん、他の音の場合と同じく、舌の位置だけに神経を集中せずに、録音教材の音もよく聞き、自分の出す音がどれだけそれに近づいているかの確認と並行した学習が必要である。

これはGA、RPを通じて calm [kɑːm], palm [pɑːm], fa [fɑː], father [fɑ́ːðɚ/fɑ́ːðə], bazaar [bəzɑ́ɚ/bəzɑ́ː] などに現れる母音である。RPでは bath [bɑːθ], cast [kɑːst], last [lɑːst], pass [pɑːs], path [pɑːθ], after [ɑ́ːftə], disaster [dɪzɑ́ːstə] などにこの母音が使われる。これらの語にGAでは [æ] が使われ（[bæθ], [kæst] など）、また after, disaster では終わりの r が発音される（[ǽftɚ], [dɪzǽstɚ]）。

☆ [ə] という記号は、RPの father の下線部に使われるいわゆる「あいまい音」を表わす。この音についての説明は少し後に出てくる。

☆ [ɚ] は [ə] に r の字を小さく斜めにしてつけたもので、[ə] に「r の色合いがついた」母音を示す。「r の色合い」についてはすぐ後に述べる。

GAでは car [kɑɚ], card [kɑɚd], cart [kɑɚt], march [mɑɚtʃ] などの母音は [ɑɚ] と発音される。この母音は、出だしは calm などの [ɑː] と同じだが、途中から舌先が持ち上げられ、かつ舌全体が後へ引かれ第2章の第19図に見る [ɹ] とほぼ同じ舌の位置の母音が発音される。これが「r の色合いがついた母音」、すなわち [ɚ] である。逆の言い方をすれば、[ɚ] は「母音化された [ɹ]」とも呼べる。

☆ [ɑɚ] は表1で [ɑːr] と表記した音にほかならない。理屈の上ではどちらの表記でもいいわけだが、[ɑɚ] の方が母音の一体感をよく意識しやすいので、これからはこちらを採用する。

あと一つ。[ɑː] は [iː] の場合と違って、つぎに何の音も来ないか、有声子音が来るときは長く、無声子音が来るときは短い、ということはない。car [kɑː]/[kɑɚ], card [kɑːd]/[kɑɚd] と cart [kɑːt]/[kɑɚt] の母音の長さは同じであると言っていい。

☆例外的綴りを持つ [ɑː]/[ɑɚ] 音：heart, hearth, sergeant。RP ではこのほか clerk, Derby, aunt, laugh, vase が [ɑː] で発音される（GA ではそれぞれ [klɝːk], [dɝ́ːbiː], [ænt], [læf], [veɪs]）。

練習 4

A.　英米共通：calm [kɑːm]　palm [pɑːm]　fa [fɑː]

B.　RP：bath [bɑːθ]　path [pɑːθ]　pass [pɑːs]　past [pɑːst]
card [kɑːd]　cart [kɑːt]　after [ɑ́ːftə]　disaster [dɪzɑ́ːstə]

C.　GA 1[æ]：bath [bæθ]　path [pæθ]　pass [pæs]　past [pæst]
after [ǽftɚ]　disaster [dɪzǽstɚ]
GA 2[ɑɚ]：card [kɑɚd]　cart [kɑɚd]　march [mɑɚtʃ]

★ [ɑ]

すぐ前の項で見た [ɑː] と同じ舌の位置で発音され、GA の bob [bɑb], bomb [bɑm], box [bɑks], cod [kɑd], cot [kɑt] などで使われる。これを安易に日本語の「ア」で代用させては困る。舌を平らにすること（ということは口を大きく開くこと）を忘れてはいけない。また同じ GA 中の [ʌ] との区別を付けることも重要である。

練習 5

A.　区別して発音できるようにしましょう。
bomb [bɑm] ~ bum [bʌm]　box [bɑks] ~ bucks [bʌks]
cop [kɑp] ~ cup [kʌp]　cod [kɑd] ~ cud [kʌd]

B.　つぎの単語の母音が [ɑ] か [ʌ] か、発音記号を使って書き取りましょう。

①　②　③　④　⑤

⑥　⑦　⑧　⑨　⑩

★ [ɒ]

GA で [ɑ] を使う語には RP ではこの [ɒ] が使われる。bob [bɒb], bomb [bɒm], box [bɒks], cod [kɒd], cot [kɒt], dock [dɒk], swan [swɒn], watch [wɒtʃ] などだ。sausage [sɒ́sɪdʒ], laurel [lɒ́rəl], Austria [ɒ́strɪə], Australia [ɒstréɪljə] の下線部に気を付けよう。これらの語は日本語に入っており、そこでは「ソーセージ」、「オーストリア」などのように一種の長母音が使われるからだ。(GA ではこれらの語には [sɔ́ːsɪdʒ], [sɑ́ːsɪdʒ]; [ɔ́ːstrɪə], [ɑ́ːstrɪə] のように [ɔː] ないし [ɑː] が用いられる。)

図 4 に見るとおり、[ɒ] は日本語の「オ」よりもはるかに低い舌の位置で出される。そこで「オ」との連想を一切断ち切って、[ɑ] や [ɑː] (の特に後舌部を使うもの) を出しながら、それに唇の丸めを加えるとこの音 [ɒ] が得られる。

この章の冒頭で母音の音色の差を決定する要素として①、②、③を挙げたが、このうち③、つまり「唇の形はどうなっているか」についてはここで初めて触れることになる。「唇の形」とはここでは「蠱惑(こわく)的だ」とか「ゆがんでいる」とか「厚ぼったい」といったことを指すのではない。「唇は丸まっているか、丸まっているとすればどのぐらい丸まっているか」を指すのである。唇を丸めることを「円唇(えんしん)化」と呼び、唇が丸まっていることを円唇 (性) という。[ɒ] とそのあとに取り上げる [ɔ] (例：horse [hɔːs]/[hɔɚs])、[ʊ] (例：put [pʊt])、[uː] (例：pool [puːl]) はすべて円唇母音であり、円唇性はこの順に強くなる。日本語の母音では円唇性をほとんど使わないので、英語母音の習得にあたっては円唇化に十分の留意をしてほしい。

[ɒ] の円唇化は「開かれた円唇」という、一見矛盾した呼び方をされるが、これは [ɑ] や [ɑː] と舌の位置を同じに保ちながら――ということは下顎をかなり開いたまま――唇を丸めるからである。[ɒ] の習得の際は、[ɑːːːː] と発音しながら次第に唇を丸めていくわけだが、そのとき、鏡を見ながら「唇を丸めた瞬間に**顎の開きが狭くなってしまわない**」ことを確認してほしい。

なお、RP で [ɒ] が使われる単語のすべてについて GA では [ɑ] が用いられるわけではない。GA でも dog [dɒg], log [lɒg], gloss [glɒs], sorry [sɒ́riː] などでは [ɒ]（RP の [ɒ] よりも舌の位置がいくぶん低く、円唇性が少ないが同じ記号を用いる）が使われる。

練習 6

A. 例にならって発音しましょう。

bob [bɒb]　bomb [bɒm]　box [bɒks]　cod [kɒd]　cot [kɒt]
dock [dɒk]　swan [swɒn]　watch [wɒtʃ]　sausage [sɒ́sɪdʒ]
laurel [lɒ́rəl]　Austria [ɒ́strɪə]　Australia [ɒstréɪljə]

B. 間違った発音をしてみます。

*[bom], *[boks], *[kod], *[dok] ――駄目ですね、これでは。もっと口を開かないと。もう一度正しい発音で言ってみましょう。

[bɒm]　[bɒks]　[kɒd]　[dɒk]

★ [ɔː]/[ɔɚ]

[ɔː] は RP で cord [kɔːd], horse [hɔːs], born [bɔːn], cause [kɔːz], saw [sɔː], lawn [lɔːn], jaw [dʒɔː], bought [bɔːt], caught [kɔːt], daughter [dɔ́ːtə] などの語に使われる母音で、図 4 に見るとおり、舌の高さとしては日本語の「オ」とそう変わらないのだが、舌の最高点が「オ」よりずっと奥にあることと、唇の丸めがあることが大きな違いである。ことに後者には気を付けるべきで、行き過ぎと思えるくらい唇をすぼめる必要がある。舌の最高点をより奥にすることの方は、どういう生理的関連があるのかわからないが、唇の丸めによって自然に達成されるようだ。なお、上記の語のうち -au-, -aw-, -ou- で綴られたものについては、「オウ」のような一種の二重母音で発音するのだと誤解している学習者がときどきある。そういう人はここで認識を改めてほしい。

GA では舌の位置は RP のそれよりずっと低い。図 4 に見るとおりである。[ɔ] に [̞] という補助記号を付けて [ɔ̞] と書くと「[ɔ] よりも舌の位置が低い音」を表すことができるが、あまりに記号を増やすのもよろしくないので、「GA [ɔː] の舌の位置は RP のそれよりずっと低い」むねを読者に記憶してもらい、saw などの語については同じ記号を用い、cord など r を含む語については

[ɔɚ] という記号を使うことにする。[ɚ] は前に説明したとおり、「r の色合いのついた [ə]」である。つまり [ɔɚ] とは「出だしは図 4 の“ɔ(米)”と記された位置で、そのあと [ɚ] の位置に舌が移動する」母音である。この方式で上記の語の GA 発音を示せば次のようになる。cause [kɔːz], saw [sɔː], lawn [lɔːn], jaw [dʒɔː], bought [bɔːt], caught [kɔːt], cord [kɔɚd], horse [hɔɚs], born [bɔɚn]。

また GA の使用者の中には、上記の語のうち -au-, -aw-, -ou- で綴られたものについては [ɔ̞ː] よりも更に舌の頂点が低い、[ɒː] とでも表記すべき母音を使う人もかなり多い。それどころか、唇の丸めのない [ɑː] を使う人も決して少なくない。1950 年代に日本の Chaucer(1340?–1400；英詩の父と称される)研究家がアメリカ人に自分はチョーサーの研究をしていると言ったがなかなか通じない。おや、このアメリカ人はインテリのくせに Chaucer も知らないのかしら、と何遍も繰り返したら、「“ああ、チャーサーか”って、やっとわかってくれたよ」とこの研究者は笑って話してくれた。このアメリカ人は Chaucer を [tʃɑ́ːsɚ] と発音する人だったのだろう。

この逸話からわかるとおり、この傾向は半世紀以上前からあり、現在では cot と caught をまったく同じに [kɑːt] と発音する人がたくさんいる。また、本書 CD の女性の吹込み者のように、すぐ後の練習 7 にあげる語のうち、最初の 6 つのように綴り字に r を含まない単語では舌の位置がきわめて低い音を用い、残りの 3 語のように r を含む語の出だしには RP の [ɔ] とほとんど舌の位置が変わらない母音を用いる GA の使い手もいる。GA 発音を志す人は、[ɔː], [ɒː], [ɑː] のいずれかひとつを自分の発音用に選び、他の二つは「聴き取り専用」の知識として蓄えておくのがよいと思う。

練習 7

A. RP の場合：cord [kɔːd]　horse [hɔːs]　born [bɔːn]　cause [kɔːz]
saw [sɔː]　lawn [lɔːn]　jaw [dʒɔː]　bought [bɔːt]　caught [kɔːt]

B. GA の [ɔː]：cause [kɔːz]　saw [sɔː]　lawn [lɔːn]　jaw [dʒɔː]
bought [bɔːt]　caught [kɔːt]　cord [kɔɚd]　horse [hɔɚs]　born [bɔɚn]

★ [ʊ]

put [pʊt], pull [pʊl], wood [wʊd], book [bʊk], good [gʊd], took [tʊk], could [kʊd], should [ʃʊd] などの母音である。図 4 に見るとおり、[ʊ] と日本語の「ウ」とは舌の位置という点ではそう大きな違いがない。大いに違うのは [ʊ] には強い唇の丸めがあるという点だ。

現代の東京方言の「ウ」には唇の丸めがないどころか、逆に唇を横に引く傾向が見られる。英語で書かれた英語音声学教本などでは「[ʊ] には軽い円唇性がある」と書かれているが、これはドイツ人、フランス人などの学習者を意識したもので（ドイツ語・フランス語の u- 音には非常に強い円唇性がある）、日本人学習者の場合は上に書いたとおり「強い唇の丸めがある」と意識した方がいい。筆者の経験から言うと、「日本語の“オ”を発音するつもりで唇を丸くしなさい」と指示すると効果があった。それと、この母音を獲得するには、最初 put, pull の 2 語を使うといい。おそらく、p が後に述べるように唇を使う音なので、これが母音の円唇化を助けるのだろう。

ところで、この母音を表わすのになぜ小文字の u を使わず「小・大文字」の [ʊ] を用いるかというと、つぎの項で扱う [uː] との音色の差を意識してもらうためだ。ちょうど bead の母音には [iː] を用い、bid のそれには [ɪ] を使って区別するのと同じである。

練習 8

A.　put [pʊt]　pull [pʊl]　book [bʊk]　hook [hʊk]　could [kʊd]

B.　悪い発音をやってみます。

*[pɯt]　*[pɯl]　*[bɯk]　*[hɯk]

駄目ですね、これでは。唇の丸めがありません。悪い発音、正しい音の順に言ってみますから比べてください。

[pɯt] ではなくて [pʊt]、[pɯl] ではなくて [pʊl]、*[bɯk] ではなくて [bʊk]、*[hɯk] ではなくて [hʊk] です。自信のない人はもう一度正しい発音を練習しましょう。

put [pʊt]　pull [pʊl]　book [bʊk]　hook [hʊk]　could [kʊd]

★ [uː]

cool [kuːl], pool [puːl], do [duː], group [gruːp], rude [ruːd] などに使われる母音である。図 4 で見ると、舌の位置は日本語の「ウー」よりもかなり高くかつ後だが、その点はあまり気に掛けなくてよい。RP、GA の使用者の多くは、純粋の [uː] を用いず、出だしを [ʊ] から始めて [u] に移る 1 種の二重母音 [uʊ] を使うからだ。大いに気を付けるべきなのは唇の丸めである。丸めは [ʊ] の場合より一層強い。最初は「口笛が吹けるくらい」唇をすぼめるつもりでやってほしい。

[uː] は長母音と名付けられているが、[iː] の場合と同じように、つぎに何も音が来ないか、有声子音が来る場合は長く、無声子音が来る場合は短い。boo や booed の [uː] の長さと boot の [uː] の長さの比はおよそ 2：1 であり、また boot の [uː] と hood の [ʊ] はほぼ長さが等しい。

練習 9

A.　cool [kuːl]　pool [puːl]　do [duː]　group [gruːp]　rude [ruːd]

B.　悪い見本をやってみましょう。

*[kɯːl]　*[pɯːl]　*[dɯː]

駄目ですね、これは。唇の丸めがありません。自信のない人はもう一度正しい発音を練習しましょう。

cool [kuːl]　pool [puːl]　do [duː]　group [gruːp]　rude [ruːd]

★ [ɜː]/[ɝː]

最初の [ɜː] は RP の bird [bɜːd], serve [sɜːv], nerve [nɜːv], curve [kɜːv], turn [tɜːn], word [wɜːd] などに使われる母音である。[ɝ] の方は同じ語に GA で用いられる母音を表す。[ɝ] は [ɜ] に r の字を小さくして付けたもので、「r の色合いを持つ母音」である。上記の語の GA 発音を示せば、bird [bɝːd], serve [sɝːv], nerve [nɝːv], curve [kɝːv], turn [tɝːn], word [wɝːd] となる。

☆ [ɝː] は表 1 で [ɜːr] と表記した音にほかならない。理屈の上ではどちらの表記でもいいわけだが、[ɝː] の方が母音の一体感をよく意識しやすいので、これからはこちらを採用する。

[ɜː]/[ɝː] は、つぎの項で扱う [ə]/[ɚ] と一緒にして「あいまい母音」と呼ばれることがある。たしかに [ə]/[ɚ] にはすぐ後に述べるとおり「あいまいな」面を持っているが、[ɜː]/[ɝː] はそうではない。違いの第一は、[ɜː]/[ɝː] は長いが [ə]/[ɚ] はごく短いという点だ。foreword [fɔ́ːwɜːd]/[fɔ́ɚwɝːd] と forward [fɔ́ːwəd]/[fɔ́ɚwɚd], commerce [kɔ́mɜːs]/[kɑ́mɝːs] と commas [kɒ́məz]/[kɑ́məz] を比べれば、[ɜː], [ɜ́ː] の方が [ə], [ə́] よりも長いことがわかる。

もっと重要な違いは、[ə], [ɚ] では唇が丸められも横に張られてもいないのに対し、[ɜː], [ɝː] では唇が――[i] の場合と同様――横に張られているという点である。英語の [iː] でも日本語の「イ」でもいいから、これを鏡を見ながら長く発音すると唇が横に張られているのがわかる。そのままの唇の形で日本語の「アー」を出してみようとしてほしい。あくまでもみようとするのである。本当に「アー」という音が出てしまったら、唇の張りはなくなってしまう。顎（あご）が開くからだ。どうしても顎が開いてしまう人は、奥歯をかみしめて同じ試みをすると効果がある。

さて、[ɜː]/[ɝː] を [ɑː]/[ɑɚ] と混同しては困る。dirt [dɜːt]/[dɝːt] と dart [dɑːt]/[dɑɚt] が、あるいは hurt [hɜːt]/[hɝːt] と heart [hɑːt]/[hɑɚt] がそれぞれ同じ発音になってしまっては伝達に支障をきたす。［練習 10］でしっかり確認してほしい。

なお、RP で [ʌ] が使われる hurry, worry, furrow, courage などの語は、GA では [ɝː] で発音される。そのため、RP では韻を踏まない hurry [hʌ́rɪ] と furry [fɜ́ːrɪ] が、GA では [hɝ́ːriː] ～ [fɝ́ːriː] なので韻を踏むことになる。

ここで息抜きにクイズをひとつ。[ɜː]/[ɝː] と発音される母音を持つのに r の字を綴りに含んでいない単語はいくつあるか？　答え：ひとつだけ。colonel [kɜ́ːnl]/[kɝ́ːnl] である。

練習 10

A.　RP の場合：bird [bɜːd]　serve [sɜːv]　nerve [nɜːv]　curve [kɜːv]　turn [tɜːn]　word [wɜːd]

B.　GA の場合：bird [bɝːd]　serve [sɝːv]　nerve [nɝːv]　curve [kɝːv]　turn [tɝːn]　word [wɝːd]

C.　GA の追加：hurry[hɝ́ːriː]　worry [wɝ́ːriː]　furrow [fɝ́ːroʊ]

courage [kɝ́:rɪdʒ]
（参考までに RP での発音は hurry [hʌ́rɪ], worry [wʌ́rɪ], furrow [fʌ́rəʊ], courage [kʌ́rɪdʒ] です。）

D.　[ɜ:] と [ɝ:] を [ɑ:] や [ɑɚ]、それに日本語の「アー」と混同しないようにしましょう。
RP の場合：bird [bɜ:d] ~ barred [bɑ:d], dirt [dɜ:t] ~ dart [dɑ:t], hurt [hɜ:t] ~ heart [hɑ:t]
GA の場合：bird [bɝ:d] ~ barred [bɑɚd], dirt [dɝ:t] ~ dart [dɑɚt], hurt [hɝ:t] ~ heart [hɑɚt]
・[ɑ:] や [ɑɚ] では、口を大きく開いていますか？　これと区別することが大いに大切なわけですが、そのために [ɜ:] や [ɝ:] を「ウー」などのように曖昧な発音にしていないでしょうね？　[ɜ:] や [ɝ:] では唇を横に張るのでしたね。もう一度練習しましょう。
RP の場合：bird [bɜ:d] ~ barred [bɑ:d], dirt [dɜ:t] ~ dart [dɑ:t], hurt [hɜ:t] ~ heart [hɑ:t]
GA の場合：bird [bɝ:d] ~ barred [bɑɚd], dirt [dɝ:t] ~ dart [dɑɚt], hurt [hɝ:t] ~ heart [hɑɚt]

★ [ə]/[ɚ]

[ə]は、RP、GAを通じてabout [əbáʊt], policemen [pəlí:smən], possible [pɔ́səbl]/[pɑ́səbl], obtain [əbtéɪn], support [səpɔ́:t]/[səpɔ́ɚt] の下線部に現れる。この下線部には、ほとんどの母音字が使われており、かつ、強勢がない。これは英語が強勢言語であることと深い関係がある。強勢言語では、強勢のある音節は強く長く発音されるのに対して、強勢のない音節は短く弱く、言ってみればいい加減に発音される。第 3 章で詳しく説明するが、Éng-lish is ver-y éas-y. という 7 音節の文を発音する場合、強勢のある Éng- と éas- は強く長く発音されるが、-lish is ver-y の部分は強勢がないので、いわば手っ取り早く発音される。日本語でやはり 7 音節の「か・わ・ず・と・び・こ・む」（「蛙跳び込む」）と言ってみても、各音節の間に長短・強弱の差がないのとは対照的である。英語では強勢のない母音は「弱化」されて [ə] やそれに類した母音になる傾向がある。上の例でも、英語の歴史のごく古い時代には、それぞれの母音字にふさわしい音価を持っていたはずなのだが、強勢を持たないため

に [ə] になったわけである。現代英語でも explain [ɪkspléɪn] と explanation [eksplənéɪʃn], photograph [fóʊtəgrɑ̀ːf] と photography [fətɑ́grəfɪ] の下線部を比較してほしい。強勢のある環境では [eɪ], [əʊ] であったものが、強勢を失うと [ə] に弱化することが見てとれる。

[ə] の基本的な舌の位置は、つぎの図 5 にみるとおり、上下・前後に関してはまさしく中央部だが、多少の変種もある。

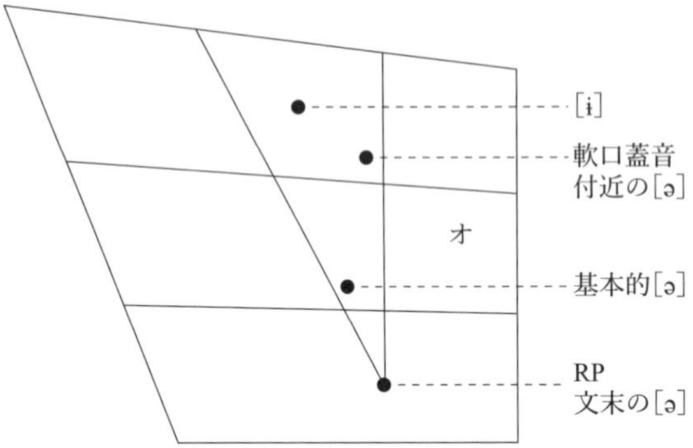

図 5　いろいろな [ə]

まず、[k, g, ŋ] などの軟口蓋音（口の中の「天井」を使う音：後述）の近くでは基本的 [ə] よりも舌の位置がだいぶ高い。long ago [lɑ́ŋ əgə́ʊ]/[lɑ́ŋ əgóʊ] の [ə] がその例である。ただしこれは軟口蓋音の影響で自然に起こる現象だから、発音にあたって意識する必要はない。図 4 と見比べると、この環境の [ə] が日本語の「ウ」に近いことが知れよう。[k, g, ŋ] に隣り合った [ə] は大いばりで「ウ」と発音してよいわけである。「RP 文末の [ə]」としてあるのは、Here is your paper. などの [ə] であり、人によっては [ʌ] ないし [ɑ] に近くなることもある。この発音は一頃は上流階級的な、格好良いものとされたが、今ではあまりはやらなくなった。その原因は、皮肉なことに、下層階級のこの位置での [ə] が、やはり [ʌ] や [ɑ] になってきたからである。

いずれにせよ、英語では舌の中央の領域で、高さの違いが単語の意味弁別の上で大きな差をもたらすことはない。だから読者は [ə] を舌の中央部で発音することを心がければ。その高さをあまり気にする必要はない。重要なのは、この母音を「ごく短く」、つまり「いい加減に」発音することである。だ

からこそ [ə] は第 4 章で扱う「脱落」を起しやすいのだ。たとえば suppose, polite などは、その下線部が脱落し、[spəʊz], [plaɪt] と発音されることが多い。

[ɚ] は GA の father [fɑ́ːðɚ], grammar [grǽmɚ], surprise [sɚpráɪz] などの下線部に生ずる。ただし surprise, governor, caterpillar, thermometer の下線部のように語末以外の音節では [ɚ] でなく [ə] を用いる GA の話し手も多い。

図 5 にある [ɨ]（[i] に横棒を引いた記号）は、GA の話し手のうちかなりの数の人が [ə] の代わりに使うものである（例：sofa [sóʊfɨ], communicate [kɨmjúːnɪkeɪt]）。

練習 11

A.　英米共通の場合を練習しましょう。

about [əbáʊt]　policemen [pəlíːsmən]　possible [pɔ́səbl]

obtain [əbtéɪn]　support [səpɔ́ːt]

大丈夫ですね？ *[abáʊt] とか *[políːsmen] などでは困りますよ。

[ə] は「弱く短く」言うところに特徴があるんでしたね。about だったら、あくまで比喩的な言い方ですが、「[ə] を言うより前に [baʊt] を言ってしまう」ぐらいの気持ちで、もう一度やってみましょう。

about [əbáʊt]　policemen [pəlíːsmən]　possible [pɔ́səbl]

obtain [əbtéɪn]　support [səpɔ́ːt]

B.　GA の場合：father [fɑ́ːðɚ]　mother [mʌ́ðɚ]　grammar [grǽmɚ]

surprise [sɚpráɪz]

☆基本母音

ジョウンズ（Daniel Jones, 1881–1967）という偉大な音声学者がいた。母音の音色を決める舌の位置をことばだけで説明するのは難しい。そこで彼は「基本母音（Cardinal vowels）」というものを考案した。これを表したのが図 6 である。

ジョウンズは前舌部をできるだけ、ただし「ギー」というような摩擦音（第 2 章 5 節以下参照）が出ない範囲で、高くして母音を出し、これを閉母音 C [i]

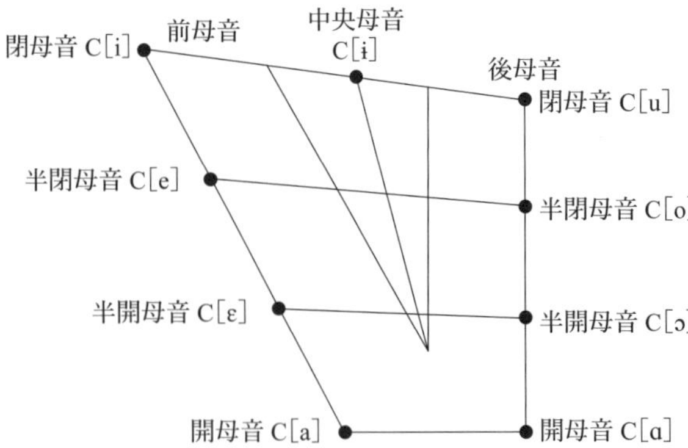

図 6　基本母音

と名付けた（C は cardinal の頭文字）。これが図 6 の左上の隅に示してある。つぎに舌をできるだけ平らに寝かせて母音を発し、これを開母音 C [ɑ] と名付けた。さらに、C [i] から C [ɑ] に向かってだんだんに前舌部を下げながら、その途中ジョウンズが自身の「聴覚印象上、等間隔」と感ぜられる舌の 3 つの位置で出す母音を、それぞれ半閉母音 C [e], 半開母音 C [ɛ], 開母音 [a] 定めた。図 6 に見るとおりである。あとで X 線写真で確かめたところ、舌の高さの点でも等間隔であったという。

図 6 の右上の角にある閉母音 C [u] というのは、後舌部をできるだけ、ただし「グー」というような摩擦音が出ない範囲内で、高く持ち上げて発した母音である。C [u] と C [ɑ] のあいだを等間隔に 3 分する舌の位置で発せられた母音をジョウンズは半閉母音 C [e]、半開母音 [ɔ] と定めた。また図 6 の逆三角形の底辺にある C [ɨ] は前舌部と後舌部の中間部を上あごに（摩擦音の生じない範囲内で）できるだけ近づけた位置で発せられる母音である。

この 9 つの母音を図式的に表したのが図 6 にほかならない。いわば母音の座標軸が得られたわけで、これがあれば、たとえば英語の [iː] は C [i] よりも少し低く、かつほんの少し後の舌の位置で発せられる音である、とか、フランス語の [i] はほぼ C [i] に等しい、などと言うことができる。図 4 が図 6 を利用したものであることはもう断るまでもないところだろう。

ジョウンズはこれを当時の 78 回転のレコードに吹き込んだ。http://www.phonetics.ucla.edu/（UCLA Phonetics Lab Date）というウェブペイジがある。ここからたぐっていくと、ジョウンズの昔の録音、現代音声学の泰斗ラディフォウギッド（Peter Ladefoged [lǽdɪfəʊgɪd], 1925–2006）によって吹き込まれた基本母音、さらにはフランス語やドイツ語の音はもちろん、ズールー語の舌打ち音、アムハラ語（エチオピアの公用語）の「咽頭気音」など、珍しい音声を習得することができる。

1.3　英語の二重母音

日本語の、「差違」「問い」を発音記号で書けば、[sai], [toi] となる。つまり日本語では、言うまでもないが、[ai], [oi] のように母音が連続することがある。だがこの日本語の母音連続と英語の「二重母音」とは大いに違うことを最初に認識してほしい。

日本語の母音連続では、たとえば「差違」[sai] の [a] と [i] がいわば対等の資格で結びついている。ところが英語の sigh [saɪ], toy [tɔɪ] の [aɪ], [ɔɪ] は母音発音記号 2 つで表されているものの、この 2 つは決して対等ではない。第 1 要素の方が断然優位を占めているのである。最初の記号はたしかに舌の位置の「出発点」を示しているが、2 番目の記号は「到着点」を示しているのではなく、その「移動方向」を示しているのである。図 7 を見ると明らかなように、[aɪ], [ɔɪ] の矢尻は bid [bɪd] の [ɪ] の位置（図 4 参照）まで達していない。日本語で「差違」[sai] の [i] が「胃」の [i] と同じ舌の位置をしているのとは異なるわけである。

★英語二重母音の 3 種

英語の二重母音は、「移動方向」がどこであるかによってつぎの 3 種に分かれる。

・移動方向が [ɪ] であるもの：[eɪ], [aɪ], [ɔɪ]
・移動方向が [ʊ] であるもの：[əʊ], [aʊ]
・移動方向が [ə] であるもの：[ɪə], [ɛə], [ʊə], [ɔə]

図 7 に見るとおり、合わせて 9 つの二重母音があるわけである。それぞれについて順次述べよう。

★ [eɪ]

face [feɪs], make [meɪk], rate [reɪt]; rain [reɪn], waist [weɪst], rail [reɪl]; day [deɪ],

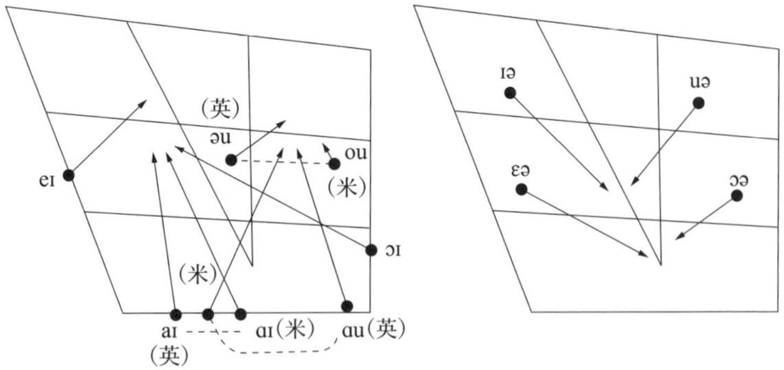

図 7　英語の二重母音

may [meɪ], say [seɪ]; veil [veɪl]; weigh [weɪ], rein [reɪn], freight [freɪt]; great [greɪt], break [breɪk], steak [steɪk] などで用いられる。日本語では「エイ」(もっと一般的にはエ段の文字プラス「イ」)と書かれた音は、通常は「エー」と発音される。「エイゴオンセイガク」の実際の発音は「エーゴオンセーガク」だ。上例の英単語の中には日本語に移入されたものもあるが、それらは「レート、ベール、ステーキ」と発音される。

英語の [eɪ] は「エー」ではないのだということを自覚するのがまず大切である。ただ、これを意識するあまり、[eɪ] の移動方向を「イ」(= [i]) にしてしまったり、もっと困ることに「イ」に「到達」してしまったのでは間違った英語発音になってしまう。移動方向は bid [bɪd] の [ɪ] であることを十分に意識しなければいけない。

[eɪ] も、長母音と同じように、後に何も来ない may, day や、有声子音が来る game, made などでは長く、後に無声子音が来る make, face などでは短い。

☆例外的綴りを持つ [eɪ] 音：bass [beɪs] (音楽用語の「低音域」; 魚の bass は [bæs])、gauge [geɪdʒ] (gage という綴りもある)、gaol [dʒeɪl] (アメリカでは通常 jail という綴りを用いる)、halfpenny [héɪpni] (イギリスで 1984 年まで流通していた半ペニー銅貨; 現代では [hɑ̀ːfpénɪ] という発音の方が優勢になっている)。

練習 12

A. 最初は「良くない発音」をやってみます。真似をしないように。
「メイク」、「レイン」、「フェイス」。
駄目ですね、これは。日本語の「イ」が使われています。つぎの B で正しい発音を練習しましょう。移動方向は [ɪ] ですよ。

B. make [meɪk]　rate [reɪt]　great [greɪt]　break [breɪk]　steak [steɪk]

C. 今度は、長い・短いの違いを練習しましょう。長い方には臨時に [·] というしるしが付けてあります。2 つずつ続けて練習してください。
may [me·ɪ]/make [meɪk]　weigh [we·ɪ]/wait [weɪt]
paid [pe·ɪd]/pace [peɪs]　stayed [ste·ɪd]/state [steɪt]

★ [aɪ]

time [taɪm], bite [baɪt], write [raɪt]; high [haɪ], light [laɪt], fight [faɪt]; die [daɪ], lie [laɪ], tie [taɪ] などで使われる。出発点の [a] は図 4 に見るとおり、舌の位置が日本語の「ア」よりもずっと低い。また、この二重母音の場合も、舌の移動方向が bid [bɪd] の [ɪ] であり、日本語の「イ」ではないことに注意する必要がある。さらに、tie, tide などの長い [a] と tight の短い [a] の区別も身につけてほしい。

練習 13

A. まず「良くない発音」からやってみましょう。
「タイム」、「ファイト」、「パイ」。
駄目ですね、これは。まず、bid [bɪd] の [ɪ] を移動方向にすべきところを、日本語の「イ」を、しかも到着点にしてしまっています。それに、出発点も駄目です。日本語の「ア」を使っています。もっと口を開いて舌を寝かせた [a] でなくてはいけません。「アイ」ではなくて [aɪ] です。つぎの B で正しい発音を練習しましょう。

B. time [taɪm]　bite [baɪt]　write [raɪt]　high [haɪ]　light [laɪt]
fight [faɪt]　die [daɪ]　lie [laɪ]　tie [taɪ]

C. 今度は、長い・短いの違いを練習しましょう。長い方には臨時に [ˑ] というしるしが付けてあります。2 つずつ続けて練習してください。

tie [taˑɪ]/tight [taɪt]　ride [raˑɪd]/right [raɪt]　high [haˑɪ]/height [haɪt]
lied [laˑɪd]/light [laɪt]

★ [ɔɪ]

boy [bɔɪ], toy [tɔɪ], noise [nɔɪz], voice [vɔɪs], point [pɔɪnt], coil [kɔɪl] などに使われる。例外的な綴りを持った語は RP の buoy [bɔɪ] (GA では [buːi] という発音が普通) ぐらいのものだろう。出発点は日本語の「オ」よりも舌の位置が低く、かつ奥深い。RP の bought [bɔːt] などの [ɔː] と同じである。ただ、奥深いかどうかよりも、舌の位置が「オ」よりも低くなる (そのため口を「オ」の場合より大きく開ける) ことと、唇の丸めを忘れないことが大事である。なお [ɔɪ] の発音には RP・GA の間の違いはまったくないと考えてよい。

移動方向が [ɪ] であって「イ」ではない点に注意すること。また [eɪ] や [aɪ] と同じ条件下で [ɔɪ] にも長短の差が出てくる。

練習 14

A. 「良くない発音」をまずやってみます。
「トイ」、「ノイズ」、「ポイント」。
駄目ですね、これは。日本語の「イ」が移動方向どころか到着点になってしまっていますね。出発点の [ɔ] が日本語の「オ」になっています。つぎの B で正しい発音を練習しましょう。

B. boy [bɔˑɪ]　toy [tɔˑɪ]　noise [nɔˑɪz]　voice [vɔɪs]　choice [tʃɔɪs]
Joyce [dʒɔɪs] (人名)

C. 今度は、長い・短いの違いを練習しましょう。長い方には臨時に [ˑ] というしるしが付けてあります。2 つずつ続けて練習してください。

noise [nɔˑɪz]/voice [vɔɪs]　boy [bɔˑɪ]/Boyce [bɔɪs] (人名)
void [vɔˑɪd]/choice [tʃɔɪs]　joys [dʒɔˑɪz]/Joyce [dʒɔɪs]

★ [əʊ]/[oʊ]

so [səʊ/soʊ], home [həʊm/hoʊm], both [bəʊθ/boʊθ]; road [rəʊd/roʊd], toe [təʊ/toʊ], doe [dəʊ/doʊ], foe [fəʊ/foʊ]; soul [səʊl/soʊl], though [ðəʊ/ðoʊ]; show [ʃəʊ/ʃoʊ], know [nəʊ/noʊ] に用いられるこの二重母音は、図 7 に見るとおり、出発点が RP・GA 間でかなり異なるので、違う発音記号を用いる。[əʊ] が RP、[oʊ] が GA である。

まず基本的なこととして、これが「オー」のような長母音ではないことを認識しなくてはいけない。日本語にも「オ」（より一般的はオ段の仮名）と「ウ」で表される音がある。「王（おう）、項（こう）、層（そう）、当（とう）、脳（のう）」がその例だ。しかしこれらは実際には「オー、コー、ソー、トー、ノー」と発音される。これに引きずられてはいけない。so [səʊ] と saw [sɔː] は違う意味を持った別の単語なのである。

RP [əʊ] の出発点は、図 7 と図 4 を比べてみると判るとおり、[ə] であり、移動方向は [ʊ] である。GA [oʊ] では、移動方向は同じく [ʊ] だが、出発点は、これも図 7 と図 4 を比べれば明らかなとおり、日本語の「オ」にほぼ変わらない位置である。この点、GA の方が発音しやすいかもしれない。RP 習得を志す人は、[əʊ] の出発点に日本語の「ア」を使わないように気を付けてほしい。これをやってしまうと so が [sʌʊ] のようになり、コクニー発音に聞こえてしまう。なお RP でも、old, cold, scold のように [l] の前に来ると、この二重母音は GA の場合と同じように、[oʊ] と発音される傾向が近年広まってきた。

show [ʃəʊ/ʃoʊ], home [həʊm/hoʊm] での [əʊ/oʊ] は長く、hope [həʊp/hoʊp], wrote [rəʊt/roʊt] の [əʊ/oʊ] は短い。

練習 15

A.　まず RP の [əʊ] を練習しましょう。

so [səʊ]　home [həʊm]　both [bəʊθ]　road [rəʊd]　toe [təʊ]

doe [dəʊ]　foe [fəʊ]　though [ðəʊ]　show [ʃəʊ]　know [nəʊ]

B.　つぎは GA の [oʊ] の練習です。

so [soʊ]　home [hoʊm]　both [boʊθ]　road [roʊd]　toe [toʊ]

doe [doʊ]　foe [foʊ]　though [ðoʊ]　show [ʃoʊ]　know [noʊ]

C.　では、RP の [əʊ] と長母音 [ɔː] との区別を練習しましょう。
2 つずつ 1 組で発音してください。
boat [bəʊt]/bought [bɔːt]　coat [kəʊt]/court [kɔːt]
choke [tʃəʊk]/chalk [tʃɔːk]　pose [pəʊz]/pause [pɔːz]
so [səʊ]/saw [sɔː]

D.　今度は、GA の [oʊ] と、長母音の [ɔː] または [ɔɚ] との区別です。
boat [boʊt]/bought [bɔːt]　coat [koʊt]/court [kɔɚt]
choke [tʃoʊk]/chalk [tʃɔːk]　pose [poʊz]/pause [pɔːz]
so [soʊ]/saw [sɔː]　bone [boʊn]/born [bɔɚn]

E.　長さの差を練習しましょう。
grow [grəˑʊ]/growth [grəʊθ]　home [həˑʊm]/hope [həʊp]
rode [rəˑʊd] /wrote [rəʊt]　toes [təˑʊz]/toast [təʊst]

F.　二重母音の [əʊ] か長母音の [ɔː] かを判定してください。RP に代表してもらいましょう。発音記号で書いてくださいよ。
①　②　③　④　⑤
⑥　⑦　⑧　⑨　⑩

☆例外的綴りを持つ [əʊ]/[oʊ]: don’t [dəʊnt/doʊn’t], won’t [wəʊnt/woʊnt], mauve [məʊv/moʊv], brooch [brəʊtʃ/broʊtʃ], beau [bəʊ/boʊ], bureau [bjʊ́ərəʊ/bjúːroʊ]

★ [aʊ]

house [haʊs], sound [saʊnd], bound [baʊnd]; cow [kaʊ], town [taʊn], allow [əláʊ] に使われる二重母音である。図 7 では「aʊ (米)、[ɑʊ] (英)」となっているが、これは「どちらかと言えば RP では GA よりも舌の位置がより奥であることが多い」の意味であると解してほしい。[aʊ] を使う RP 話者も、[ɑʊ] を用いる GA 話者も決して少なくない。そこで以下は [aʊ] という表記を RP・GA 共通に用いることとする。

移動方向が [ʊ] であるため、[aʊ] の最初は唇が開いているが、つぎにすぐ唇に丸めを加えることを忘れてはいけない。また、[aʊ] にも長短の区別がある。

練習 16

A.　悪い見本から行きましょう。
「ハウス」、「カウ」、「タウン」
駄目ですね、これは。日本語の「ア」と「ウ」が並んでいます。出発点ではもっと口を大きく開き、その後には唇の丸めを加えなければいけません。B. で正しい発音を学びましょう。

B.　house [haʊs]　sound [saʊnd]　bound [baʊnd]　cow [kaʊ]　town [taʊn]
allow [əláʊ]

C.　今度は長い・短いを練習しましょう。
how [haˑʊ]/house [haʊs]　loud [laˑʊd]/shout [ʃaʊt]
cow [kaˑʊ]/mouth [maʊθ]　town [taˑʊn]/mouse [maʊs]
house（動詞）[haˑʊz]/house（名詞）[haʊs]　mouth（動詞）[maˑʊð]/
mouth（名詞）[maʊθ]

★ [ɪə]

RP/GA を通じて、idea [aɪdíə], ideal [aɪdíəl], museum [mjuːzíəm] などに使われる。ただし GA では [ɪə] でなく、出発点の舌の位置がもっと高い [iə] を用いる人も多い。

deer [dɪə], beard [bɪəd], here [hɪə], weird [wɪəd], fierce [fɪəs] など、r の字を綴りに含む語については、RP では示したように [ɪə] が用いられるが、GA ではそれぞれ deer [dɪɚ], beard [bɪɚd], here [hɪɚ], weird [wɪɚd], fierce [fɪɚs] となるか、[diɚ], [biɚd], [hiɚ], [wiɚd], [fiɚs] となる。つまり GA では、出発点が [ɪ] または [i] で、移動方向が [ɑɚ], [ɔɚ] の場合に等しい二重母音が使われるのである。

[ɪə], [ɪɚ], [iɚ] いずれの場合も長短の区別がある。

練習 17

A.　まず RP の発音から練習しましょう。
idea [aɪdíə]　ideal [aɪdíəl]　museum [mjuːzíəm]　deer [dɪə]
beard [bɪəd]　here [hɪə]　weird [wɪəd]　fierce [fɪəs]

B. つぎは GA の発音です。

deer [diɚ]　beard [biɚd]　here [hiɚ]　weird [wiɚd]　fierce [fiɚs]

C. 長い・短いの練習をしてみましょう。

fears [fɪˑəz]/fierce [fɪəs]　peers [pɪˑəz]/pierce [pɪəs]

★ [ɛə]

air [ɛə], chair [tʃɛə], pair [pɛə]; care [kɛə], rare [rɛə], share [ʃɛə]; bear [bɛə], pear [pɛə], wear [wɛə] に使われる二重母音である。RP では上記のように発音されるが、綴りを見ると判るとおり、いずれも r の字が含まれている。そこで GA では air [ɛɚ], chair [tʃɛɚ], pair [pɛɚ]; care [kɛɚ], rare [rɛɚ], share [ʃɛɚ]; bear [bɛɚ], pear [pɛɚ], wear [wɛɚ] と、移動方向が「r の色合いを持つ母音」となる。[ɛ] という記号を使うのは、この二重母音の出発点が、bed [bed] の [e] よりも舌の位置が低いことを意識してもらうためである。この音を習得するには、前項の [ɪə]・[ɪɚ]・[iɚ] との対比を通じて練習するのが効果的である。

練習 18

A. RP の [ɪə] と [ɛə] の区別を練習しましょう。

beer [bɪə]/bear [bɛə]　cheer [tʃɪə]/chair [tʃɛə]　peer [pɪə]/pair [pɛə]

sheer [ʃɪə]/share [ʃɛə]　rear [rɪə]/rare [rɛə]　here [hɪə]/hair [hɛə]

B. つぎは GA の [ɪɚ] と [ɛɚ] の区別です。

beer [bɪɚ]/bear [bɛɚ]　cheer [tʃɪɚ]/chair [tʃɛɚ]　peer [pɪɚ]/pair [pɛɚ]

rear [rɪɚ]/rare [rɛɚ]　sheer [ʃɪɚ]/share [ʃɛɚ]　here [hɪɚ]/hair [hɛɚ]

C. RP の [ɪə] と [ɛə] の判別をしてください。発音記号を使って書き取りましょう。

①　②　③　④　⑤

⑥　⑦　⑧　⑨　⑩

★ [ɔə]

[ɔə] という二重母音は一応図 7 に記してあり、事実古い時代のイギリス英語では core, door, floor, four, more, roar, soar などの語に使われた。しかし RP ではやがてこれらの語は [ɔː] を用いて発音されるようになり、前世紀半ばに

出た RP 教本でさえもすでに [ɔə] は独立の項目としては取り上げていないほどである。しかし上の語の中には「ドア」、「フロア」、「フォア」などの形で日本語化されているものもあるため、RP 習得を志す人々に確認の目的も含めて下の「練習 19」を設ける。

一方 GA では、上の語は [ɔɚ] を用いて発音される。これは既習の cord [kɔɚd], horse [hɔɚs] の場合と全く同じわけだから改めて「練習 19」に含めるにも及ぶまい。

練習 19

RP の core, door その他の発音を練習しましょう。

core [kɔː]　door [dɔː]　floor [flɔː]　four [fɔː]　more [mɔː]　roar [rɔː]　soar [sɔː]

★ [ʊə]/[ʊɚ]

poor, moor, boor; pure, cure, sure; tour, gourd などの語に RP では [ʊə] が使われ、GA では [ʊɚ] が用いられる。しかし RP では上記のうち、poor, sure、さらに curious, secure, endure、また your および you are の縮約形である you're などは [ɔː] を用いて [pɔː], [ʃɔː], [kjɔ́ːrɪəs], [sekjɔ́ː], [ɪndjɔ́ː], [jɔː], [jɔː] と発音するのがむしろ普通である。だからこの人たちに場合は、Shaw（人名）、sure, shore の発音がいずれも [ʃɔː] であり、この 3 語はいわゆる「同音異義語」となる。ただ、moor, boor, tour, gourd などでは [mʊə], [bʊə], [dʊə], [tʊə], [gʊəd] のように [ʊə] を用いる人の方が多い。なお GA にもこのようなばらつきがある。次の練習 20B で確認してほしい。

[ʊə], [ʊɚ] のいずれをターゲットにする場合も、出発点は put [pʊt] の [ʊ] であること、つまり唇の丸めがあることに注意すること。[ɔː] の場合にも「軽い円唇化」があることを忘れてはいけない。

練習 20

A. RP の場合です。最初の 3 つの例では [ʊə]、残りの 7 つの例では [ɔː] が使われています。気を付けましょう。

moor [mʊə] tour [tʊə] gourd [gʊəd] ／poor [pɔː] sure [ʃɔː]
curious [kjɔ́ːrɪəs] secure [sɪkjɔ́ː] endure [ɪndjɔ́ː] your [jɔː]
you're [jɔː]

B. 今度は GA の場合です。最初の 5 つの例では [ʊɚ] が、残りの 5 つの例では [ɔɚ] が使われています。

tour [tʊɚ] sure [ʃʊɚ] curious [kjʊ́ɚrɪəs] secure [sɪkjʊ́ɚ]
endure [ɪndjʊ́ɚ] ／moor [mɔɚ] gourd [gɔɚd] poor [pɔɚ]
your [jɔɚ] you're [jɔɚ]

1.4 英語の“三重”母音

fire [faɪə] の [aɪə]、flower [flaʊə] の [aʊə] のように、3 つの母音発音記号を使って表される母音がある。ただこれらは、よほど慎重に発音する場合を除けば、fire [faːə]、flower [flaːə] のように、実際には [aːə] という二重母音（示したとおり、出発点の [a] はかなり長い）で発音される。そこで表題では「三重」に“ ”を付けた。

このタイプの母音が現れるのは、いずれも母音の後に r の字が使われる語である。そこで GA では fire [faɪɚ]/[faːɚ], flower [flaʊɚ]/[flaːɚ] のように、移動方向が [ɚ] である母音が使われる。なお GA では [ɪ] や [ʊ] を「省略」する傾向は RP よりも少ないようである。しかし、日本人学習者が [ɪ] や [ʊ] を発音しようとすると、[j] や [w] の「半母音」（第 2 章参照）が「侵入」してくる恐れが多分にある。「ファイヤー（← fire）」、「タイヤ（← tyre: tire）」、「フラワー（← flower）」、「タワー（← tower）」など英語起源の日本語単語に [j], [w] が起こっているのはおそらくそのせいだろう。そこで「慎重な」発音の [aɪə], [aʊə] は聴き取り用にとっておき、自分では [aːə] を使うことを勧めたい。

なお、[aɪə], [aʊə] の後に [l] が来る場合は、「省略」されるのは [ɪ], [ʊ] ではなく [ə] である。つまり、慎重な発音での trial [traɪəl], towel [taʊəl] の「省略形」は、それぞれ [traɪl], [taʊl] である。

また、player [pleɪə]/[pleɪɚ], slower [sləʊə]/[sloʊɚ], employer [ɪmplɔ́ɪə]/[ɪmplɔ́ɪɚ] でも、慎重な発音では示したような“三重”母音が起こる。これらの語についても、[plɛə]/[plɛɚ], [slɜː]/[slɝː], [ɪmplɔ́ːə] /[ɪmplɔ́ːɚ] の二重母音

ないし長母音の使用を勧める。この場合も、[eɪə]/[eɪɚ], [əʊə]/[oʊɚ], [ɔɪə]/[ɔɪɚ] の後に [l] が来ると、「省略」されるのは [ə] である。betrayal [bɪtréɪəl], knowable [nə́ʊəbl], royal [rɔ́ɪəl] の「省略形」は [bɪtréɪl], [nə́ʊbl], royal [rɔ́ɪl] である。ただしこれらの省略も GA では RP ほど多くは起こらないようだ。slower と slur を等しく [slɜː] にし、knowable と noble を [nə́ʊbl] に統一してしまう RP 話者を「だらしのない発音をする連中だ」と思うアメリカ人もいることだろう

練習 21

RPの場合です。

fire [faɪə]　fire [faːə]　hire [haɪə]　hire[haːə]　wire [waɪə]　wire [waːə]; hour [aʊə]　hour [aːə]　flower [flaʊə]　floer [flaːə]　tower [taʊə] tower [taːə]; player [pleɪə]　player [plɛə]　slower [sləʊə]　slower [slɜː] employer [ɪmplɔ́ɪə]　imployer [ɪmplɔ́ːə]　trial [traɪəl]　trial [traɪl] towel [taʊəl]　towel [taʊl]　betrayal [bɪtréɪəl]　betrayal [bɪtréɪl] knowable [nə́ʊəbl]　knowable [nə́ʊbl]　royal [rɔ́ɪəl]　royal [rɔ́ɪl]

第２章　子音の発音

2.1　音声器官と調音点

ことばの音声を出すのに使われる体の部分を音声器官という。大きく区分すると、Ⅰ．口（口腔）、Ⅱ．鼻（鼻腔）、そして「のど」をⅢ．咽頭とⅣ．喉頭に分けた４つの部分からなる。各部分、ことに口腔はさらにたくさんの部位に分けてそれぞれ名称が与えられている。下の図ではこれらの部位が○で囲んだ数字で示されている。たとえば母音のところで出てきた前舌部は⑨であり、後舌部は⑩だ。（⑫の下には気管・気管支・肺が続いており、これも重要な音声器官なのだが、図示の必要はない。）

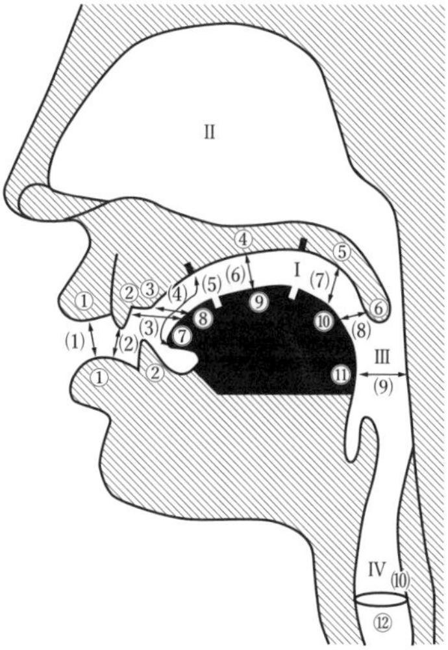

Ⅰ口腔（oral cavity）
Ⅱ鼻腔（nasal cavity）
Ⅲ咽頭（pharynx; pharyngeal cavity）
Ⅳ喉頭（larynx）

器官各部名称

①唇（lips）
②歯（teeth）
③歯茎部（alveolar ridge）
④硬口蓋（hard palate）
⑤軟口蓋（soft palate）
　［または口蓋帆（velum）］
⑥のどひこ［または懸壅垂；
　口蓋垂］（uvula）
⑦舌先（tip of tongue）
⑧舌葉（blade of the tongue）
⑨前舌部（front of the tongue）
⑩後舌部（back of the tongue）
⑪舌根（root of the tongue）
⑫声帯（vocal cords）

調音点

⑴両唇（bilabial）
⑵唇歯（labiodental）
⑶歯（dental）
⑷歯茎部（alveolar）
⑸そり舌（retroflex）
　［または反転］
⑹（硬）口蓋（palatal）
⑺軟口蓋（velar）
⑻のどひこ（uvular）
⑼咽頭（pharyngeal）
⑽声門（glottal）

図８　音声器官の各部と調音点

図8には（　）で示した数字が出ている。これは「調音点」を示したものだ。調音点とは各部位の組み合わせを指す。どことどこが組み合わせられているかが⟷で示されている。(1)の隣にある⟷は二つの①、つまり上下の唇を結んでいる。この調音点を「両唇（りょうしん）」と呼ぶ。パピプペポと言ってほしい。このとき上下の唇が何回か閉じるのがわかる。パピプペポの子音、つまり[p]は両唇音（りょうしんおん）と呼ばれる。(2)の⟷は②と下の①を結んでいる。[f]という音が上の前歯と下唇を使って出されることは英語学習の初期に習ったことと思う。[f]は「唇歯音（しんしおん）」なのである。

各部位や調音点の名称を今ここで暗記する必要はない。読み進み、練習をこなしていくうちにいつの間にか記憶に定着する。

2.2　調音法

上で述べたように、[p]を出すときは唇を一旦閉じる。同じような出し方で、これを有声（後述）にすると[b]、つまりバビブベボの子音ができる。唇を閉じっぱなしにして声を出すと[m]、つまりマミムメモの子音が出てくる。唇を完全に閉じず、せまい隙間をあけておいて息を出すと「フジ（富士）」、「フトン（布団）」などの最初の子音[ɸ]ができる（これはいわゆるローマ字表記ではhかfを使うが、発音記号は[ɸ]なのである）。

このように、同じ「両唇」という調音点を使っても、「それをどのように用いるか」によって出される音が違ってくる。この「用い方」を「調音法」と呼ぶ。

調音法に基づくと、子音は破裂音・摩擦音・破擦音（はさつおん）・流音・半母音の6種に分類され、それぞれに有声・無声の別がある。

普通のことばでは、喋るときに口や鼻から出てくる音をすべて「声」と言うが、音声学では声帯（図8⑫）が振動しているときの音を有声音、振動していないときの音を無声音と呼ぶ。有声・無声の差は日本語にもあるから、この区別には困難はなかろう。[p]は無声音であり、[b], [m]は有声音である。

2.3　子音の分類と日英語子音

子音は調音点、調音法、有声・無声の差という3つの観点から分類することができる。それを示したのが表1である。

表1　子音分類表

		両唇音	唇歯音	歯音、歯茎音または歯茎後部音	そり舌音	硬口蓋歯茎音	硬口蓋音	軟口蓋音	口蓋垂音	両唇兼硬口蓋音	両唇兼軟口蓋音	咽頭音	声門音
（肺流気による）	鼻音	m	ɱ	n	ɳ		ɲ	ŋ	ɴ				
	破裂音	p b		t d	ʈ ɖ		c ɟ	k ɡ	q ɢ		k͡p ɡ͡b		
	(中央音)摩擦音	ɸ β	f v	θ ð s z	ʂ ʐ	ʃ ʒ	ç ʝ	x ɣ	χ ʁ		ʍ	ħ ʕ	h ɦ
	(中央音)接近音		ʋ	ɹ	ɻ		j	ɰ		ɥ	w		
	側面摩擦音			ɬ ɮ									
	側面音(接近音)			l	ɭ								
	ふるえ音			r					ʀ				
	弾き音			ɾ	ɽ				ʀ				
（肺流気以外の流気による）	放出音	p'		t'				k'					
	入破音	ɓ		ɗ				ɠ					
	(中央音)吸着音	ʘ		ʇ ʗ									
	側面吸着音			ʖ									

数の多さに圧倒されないでほしい。この図に入っているのは世界のあらゆる言語で使われる子音を網羅したもので、英語の子音はごく一部にすぎない。ただ他の外国語の音に興味のある人は、第1章で触れたUCLA Phonetics Lab Dateと照らし合わせれば、日本にいたのではなかなか聞けない珍しい音について学ぶことができる。

さて英語の子音を日本語の子音と比べると、母音の場合と違い、数の上では両者にさほどの差はない。下に列挙しよう。

破裂音	日	p	t	k	b	d	g				
	英	p	t	k	b	d	g				
破擦音	日	ts		tʃ	dz		dʒ				
	英		tr	tʃ		dr	dʒ				
摩擦音	日	(ɸ)		s	ʃ					(ç)	h
	英	f	θ	s	ʃ	v	ð	z	ʒ	h	
鼻　音	日	m	n	(ŋ)	ɴ						
	英	m	n	ŋ							
流　音	日	r									
	英	l	r								
半母音	日	j	w								
	英	j	w								

表２　日英語の子音

英語の子音全般についてひとこと言っておかなければならない。それは日本語の子音に比べて、英語子音は「強く発音される」ということである。「強く」と言っただけではなはだ漠然としているが、実際どのように「強く」なのかは、以下の話でおいおい明らかにしていく。

2.4　破裂音

図９を見てほしい。

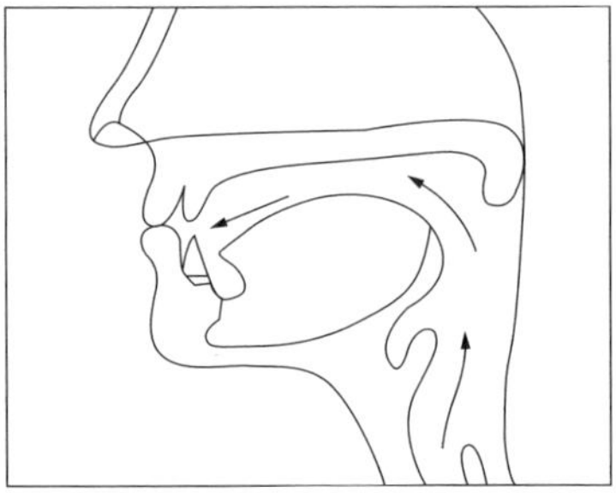

図９　[p] と [b]

図 8 では垂れ下がっている軟口蓋と口蓋垂は、図 9 では持ち上げられて、鼻への空気の通路をふさいでいる。また唇も図 8 とは違い閉じている（これを「閉鎖」と呼ぶ）。矢印は肺から来る空気の流れを示している。空気の出所はないのだから、ここに肺から唇に至る密室ができる。肺からはどんどん空気が送られてくるので、この密室内の空気圧は外の気圧より高くなる。この状態で唇をパッと開けば（つまり、「閉鎖」を「解放」すれば）、風船に針を刺したのと同じ理屈で、密室の空気は急激に外へ飛び出す。こうした調音法で出される音を一般に「破裂音」と呼ぶ。図 9 の状態で唇を開けば、声帯（図 8 ⑫）が振動していなければ無声音の [p] が、振動していれば有声音の [b] が出てくる。[p, b] は「両唇破裂音」なのである。[p, b] の場合、密室のいわば「栓」になっているのは上下の唇だが、唇でなしに舌先（図 8 ⑦）を歯茎部（図 8 ③）に密着させてこれを栓として用いた場合だと、声帯の振動いかんによって、無声音 [t] か有声音 [d] が出る。[t, d] は「歯茎部破裂音」なのである。また後舌部が持ち上げられて軟口蓋（図 8 ⑤）に密着し栓の働きをすれば、声帯の振動いかんによって、無声音 [k] か有声音 [g] が出る。[k, g] は「軟口蓋破裂音」と呼ばれる。

★ [p]

[p] の出し方はパ行音の子音と基本的に同じなのだが、細かい点で重要な違いがある。まず、強勢のある音節の最初にあるときは「気息」が伴う。気息とは閉鎖の開放とつぎに続く母音との間に起こる、短いが強い息のことである。この気息を [^{h}] で表すと、pin, pen, point はそれぞれ [p^{h}ɪn], [p^{h}en], [p^{h}ɔɪnt] と表記される。（普通の辞書にはこのような細かい表記がされていないが、それは「強勢のある音節の最初にあるときは「気息」が伴う」ということが決まり切ったことだからである。また、辞書では、通常、pin, pen, point などの語の発音表記には強勢のしるしである [´] が付いていない。これも、こうした単音節語――その中に母音（二重母音・“三重” 母音も含む）が 1 つしか含まれていない語――ではその母音が強勢を持つことが決まりになっているからである。paper [péɪpə], Peter [píːtə] などのように 2 音節以上の語になると強勢のしるしが必ず付く。）

強勢がない母音の前では気息が弱い。これにはパ行音の子音をそのまま使えばよい。upper [ʌ́pə], capable [kéɪpəbl] などの [p] がその例である。

さらに、spin, Spain などのように、[s] が前に来ると [p] には気息がまったくなくなってしまう。

[p] の気息は、[l], [r], [j], [w] の前では「無声化」として実現される。つまりこの 4 つの音は本来有声音なのだが、この環境では無声音になるのである。有声音が無声化した場合には、記号に [̥] か [̊] を付ける。

英語の [p] が日本語のパ行音子音よりも「強く」聞こえるのは、気息や、気息による [l], [r], [j], [w] の無声化があるためである。

練習 22

A. 英語から日本語になった「ピン」、「ペン」、「ポイント」の [p] の気息は弱いので、これを英語に逆輸出しないようにしましょう。

pin [p^{h}ɪn]　pen [p^{h}en]　pan [p^{h}æn]　point [p^{h}ɔɪnt]　pain [p^{h}eɪn]
patient [p^{h}éɪʃənt]　appendix [əp^{h}éndɪks]　appoint [əp^{h}ɔ́ɪnt]

B. 今度は [s] が前にあるため、[p] に気息がない場合です。気息がないため、[p] が、無声音なのに、有声音の [b] のように聞こえるかもしれません。それでいいのです。

spin [spɪn]　Spain [speɪn]　spill [spɪl]　speed [spiːd]　splay [spleɪ]
spray [spreɪ]

さて、破裂音一般について言えることは、それが 3 つの段階を踏んで出されるということである。下の図を見てほしい。

閉鎖 → 保持 → 解放
1　　2　　3

図 10　破裂音の 3 段階

[p] を例にとれば、段階 1 で上下の唇によって閉鎖が造られる。つぎにこの閉鎖が短い間だが保持される。これが段階 2 である。最後に段階 3 で閉鎖の開放が行われる。ところが hop picker のように [p] で終わる語のすぐ後に [p] で始まる語が続くとどうなるか？　最初の [p] の段階 3 を行って（つまり上下の唇を離して）、またつぎの [p] の段階 1 を踏む（つまり再び唇を閉じる）

というのはまことに非能率だ。そこでネイティヴの人々は第２の [p] の段階１を省略する。つまり hop picker の [p]+[p] は、「閉鎖→保持→保持→解放」、言い換えれば 1+2+2+3 という手順になる。最初の [p] が解放されない代わりに「保持」の時間が２倍になるわけだ。top boy のように [p] のあとに同じく両唇音である [b] が来た場合も同じことが起こる。ネイティヴの人々は大げさに言えばエネルギー節約のためにこれを無意識に行うのだが、英語から見た外国人にとっては意識的に練習する必要がある。これをやらないと英語らしく聞こえないのだ。

練習 23

A.　まず駄目な発音をしてみます。[hɒ́p^h p^{h}ìkə], [tɒ́p^h bɔ́ɪ]。
これはいけません。最初の破裂音が解放されていますね。正しい発音を練習しましょう。
hop picker [hɒ́p pìkə]　sleep peacefully [slìːp píːsflɪ]
deep pond [dìːp pɒ́nd]　top boy [tɒ́p bɔ́ɪ]　weep bitterly [wìːp bítəlɪ]
cope better [kə̀ʊp bétə]

破裂音の閉鎖の「解放」にもいくつかの種類がある。まず、破裂音のあとに何も続かない場合、典型的には文末では「不完全解放」が起こる。It'a map. の [p] を例にとると、特に慎重な、あるいは格式張った言い方でない限り、この音は [p^h] のようにではなく、不完全に解放される。この場合は、唇による閉鎖の背後の気圧を次第に下げた後に唇をゆっくり開くか、あるいは図９では鼻への通路をふさいでいる軟口蓋と口蓋垂を下げて鼻から空気が静かに出ていくようにする。こうすると破裂の音が聞こえず、耳で聴くと解放がなかったように感ぜられる。

[p] が [p] や [b] ではなく、調音点の異なる破裂音の前に来たときも一種の不完全解放が起こる。たとえば apt [æpt] では、[p] の唇が解放されるより前に [t] の発音のために舌先が歯茎部に密着してしまうため、唇を開いても「破裂」の音は聞こえない。

[p] の直後に [m] が来た場合はどうだろう？　[m] は [p] と同じ両唇音である。だから [p] から [m] に移るときに唇は閉じられたままで、代わりに軟口

蓋が下がって[m]のために鼻への空気の通路を開ける。そこで[p]の「破裂」の音はやはり聞こえない。

練習 24

A. 文末の [p] が不完全解放を示す場合の練習です。唇はちゃんと閉じるのですよ。ただ、それを [mæp^{h}] のように破裂させないで、[mæp̚] と、鼻からゆっくり息を出すのです。([̚] はこの種の不完全解放を示す記号です。) ついでですが、It's a map. [ɪts ə mæp̚] などの [ɪts ə] の部分は非常に速く、簡単に言われます。これはこの本であとの方に出てくる「英語のリズム」と大いに関係があります。今から先回りして練習しておきましょう。

It's a map. [ɪts ə mǽp̚]　It's a cap. [ɪts ə kǽp̚]　It's a ship. [ɪts ə ʃíp̚]
They're sheep. [ðɛə ʃíːp̚]　There's a shop. [ðəz ə ʃɒ́p̚]

B. [p] の後に調音点の異なる破裂音が来た場合です。

apt [æpt]　prompt [prɒmpt]　attempt [ətémpt]　top-dog [tɒ̀pdɒ́g]
sheepdog [ʃíːpdɒ̀g]　keep digging [kìːp dígɪŋ]　cupcake [kʌ́pkèɪk]
cap cloud [kǽpklàʊd] cap gun [kǽpgʌ̀n]　keep going　[kìːp gə́ʊɪŋ]

うまくいかない場合は、たとえば apt ならば [æp] まで言って唇を開かないようにし、1, 2 秒してから [t] を発音すればいいわけです。[æp:::t] ですね。

C. [p] の後に [m] が来た場合です。

topmost [tɒ́pmə̀ʊst]　topmast [tɒ́pmɑ̀ːst]　keep moving [kìːp múːvɪŋ]
sheepman [ʃíːpmən]　shopman [ʃɒ́pmən]

うまく行かない場合は、[pm, pm, pm, pm…] という発音を練習するといいでしょう。途中で唇が開かないように注意しながら [pm, pm, pm, pm…] とやってください。

★ [b]

これは [p] の有声音版である。有声だから「気息」は伴わない。その点はバビブベボの子音と同じである。ところが注意すべきは、英語の [b] は、語頭と語末で無声化するという性質を持っていることだ。bob という単語の発音をくわしく表記すれば [b̥bɒbb̥]、つまり最初の b は無声で始まって途中から有声になり、おわりの b は有声で始まってやがて無声で終わるという次第なのである。無声化は特に語末で著しい。[b] が完全に有声なのは labour [léɪbə], neighbour [néɪbə], double [dʌbl] のように、語中で、しかも両脇を有声音で挟まれている場合か、あるいは語末だがその後に母音で始まる単語が来る bob around, grab it の下線を引いた b の場合だけである。

[b] も、文末に来た場合は、不完全解放を起こすのが通常であるという点で [p] に等しい。また、Rob parted, sob bitterly のようにつぎに [p], [b] が来ると図 10 の段階 3 が失われる。また調音点の異なる破裂音がつぎに来た場合には不完全解放が起こる。そして直後に [m] が来た場合に「鼻への解放」が起こるのも [p] の場合と共通している。

練習 25

A.　語頭と語末、特に語末が無声化する点に気を配って練習してください。

bob [b̥bɒbb̥]　cab [kæbb̥]　mob [mɒbb̥]　robe [rəʊbb̥]　babe [b̥beɪbb̥]
bribe [b̥braɪbb̥]

B.　[b] が文末に来た場合の不完全解放です。

It's a cab. [ɪts ə kǽb˺]　It's a robe. [ɪts ə rə́ʊb˺]　It's a rib. [ɪts ə ríb˺]
It's a curb. [ɪts ə kə́ːb˺]　There's a babe. [ðəz ə béɪb˺]

C.　[b] のすぐ後に破裂音が来た場合の不完全解放です。

Bob parted. [bɒ̀b pɑ́ːtɪd]　web page [wéb pèɪdʒ]
sob bitterly [sɒ̀b bítəlɪ]　web browser [wéb bràʊzə]　lab test [lǽb tèst]
rub down [rʌ̀b dáʊn]　job creation [dʒɒ́b krɪèɪʃn]
The celeb got it. [ðə səléb gɒ̀t ɪt]

D.　[b] のすぐ後に [m] が来た場合です。

submarine [sʌ̀bmərίːn]　submerge [səbmə́ːdʒ]　submit [səbmít]
うまくいかない場合は、[bm, bm, bm, bm…] と唇が開かないように気を付けながら練習しましょう。

★ [t]

[t] なら日本語にもある、と思いがちだ。ある意味では正しいのだが、細かい、しかし重要な点で日英語の [t] には違いがある。その 1 は調音点の違いだ。日本語の [t] が「歯音（しおん）」つまり舌先と上の前歯の裏側とで閉鎖を作る音（図 8 (3)）であるのに対し、英語の [t] は歯茎部音（図 8 (4)）、つまり舌先と歯茎部で閉鎖を作る音である。歯茎部（しけいぶ）とは、歯茎（はぐき）全体を指すのではない。舌先で上の前歯の裏側から始めて、ゆっくりといわば「舐めあげて」いってほしい。舌が歯裏を通り越して歯茎に移ると小さな「出っ張り」があって、そこを過ぎるとまた凹（くぼ）んでいるのが判ると思う。この出っ張りが音声学で言う歯茎部（しけいぶ）なのである。（解剖学ではこの部分を「歯槽突起」と言うらしい。だからこれを「歯槽部（しそうぶ）」と名付ける方が合理的なのだが、「歯茎部」という名称が定着してしまったので仕方がない。）

日本語のタチツテトを発音してみて舌先が歯の裏側に付くこと確認し、それより上の「はぐきの出っ張り」に舌先を当てて英語の [t] を発音するよう練習してほしい。

第 2 の違いは、英語の [t] は日本語のそれと違い、純粋の破裂音ではなく、「破擦音」的であるという点だ。破擦音についてはまだ詳しく説明していないが、英語の [t] は日本語の「ツ」の子音に似ていると思えばよい。「突く」をヘボン式ローマ字で書けば tsuku だし、cats を発音記号で書けば [kæts] だ。英語の [t] はこの [ts] ほど明瞭に破擦音ではないので、細かい表記ではたとえば take, time を [t^{s}eɪk], [t^{s}aɪm] と書く。

第 3 の違いは「気息」である。[p] の場合と同様、強勢のある音節の先頭にある [t] には強い気息が伴い、したがって take, time は細かい表記では [t^{sh}eɪk], [t^{sh}aɪm] である。また、[s] に先行されると気息はまったくなくなる。steak や stay の [t] には気息はない。

文末では不完全解放が起こるのが普通で、直後に閉鎖音が来ると必ず不完全解放になる点も [p] や [b] と同じであり、また、[n] の前に来ると「鼻への解放」が起こる。

さらに、battle, bottle のように直後に [l] が来ると [t] は「側面解放」をする。[l] という音では、舌先が歯茎部に密着する。そこまでは [t] と同じなのだが、[t] では、詳しく言えば、舌の脇の方も上の歯全体と密着している。だから空気の流れを一時とは言え「閉鎖」できるのだ。だが [l] では舌の両脇または片脇（これは話し手によって異なる）が開いている。そこで [tl] という音連続（音のつながり）では、[t] か [l] に移るときに、舌先は歯茎部と密着したままで、舌の両脇または片脇が解放される。これが「側面解放」なのである。

さて GA の [t] には、RP のそれとは異なるいくつかの特徴がある。まず、atom, better, getting などのように、[t] の前に母音があり、うしろに強勢のない母音が来ると、[t] は日本人の耳には（そして RP 話者を含むイギリス人の耳にも）[d] のように聞こえる音になる。だがこの音は [d] ではなく、「べらんめえ」と言うときの「ら」の子音のように、舌先で歯茎部より少し後の部分をいわば弾（はじ）く「弾音（だんおん）」なのである。これは伝統的に「有声の t」と呼ばれ、[t̬] または [ᴅ] と表記される。この本では [ᴅ] を使うこととしよう。

また GA では、sentence, hunting のように [n] が先行すると、その [n] が失われて代わりに [ᴅ] が鼻音化して（= 軟口蓋が下げられて）[ᴅ̃] となり（[˜] は鼻音化を表す記号）、[séᴅ̃n̩s], [hʌ́ᴅ̃ɪŋ] という発音が現れるか、母音が鼻音化されて「声門閉鎖音」（記号は [ʔ]）という、声門を閉じる音が使われ [sẽ́ʔn̩s], [hʌ̃́ʔnɪŋ] として実現される。さらに battle, bottle など、後に [l] が来る場合も [ᴅ] が使われる。表記は面倒かもしれないが、練習によって音を会得すれば表記の意味も判ってくることだろう。

練習 26

[t] が「歯茎部音」で、「破擦音的」であることを忘れずに練習しましょう。

A.　最初は強い気息を持つ場合です。

take [t^{sh}eɪk]　attack [ət^{sh}ǽk]　talk [t^{sh}ɔːk]　took [t^{sh}ʊk]　tool [t^{sh}uːl]

B.　[s] がすぐ前にあるので気息がない場合です。

steak [steɪk]　stand [stænd]　stop [stɒp]　start [stɑːt]　stool [stuːl]

C.　文末で不完全解放をする場合です。

It's a pocket. [ɪts ə pɒ́kɪt˺]　It's a cat. [ɪts ə kǽt˺]　It's a mat. [ɪts ə mǽt˺]

It's neat. [ɪts níːt˺]　It's a newt. [ɪts ə njúːt˺]

D.　すぐ後に破裂音が来るため不完全解放が起こる場合です。

white towel [wàɪt táʊl]　chat together [tʃæ̀t təgéðə]

white dog [wàɪt dɒ́g]　correct deed [kərèkt díːd]　right post [ràɪt pə́ʊst]
flat party [flæ̀t pɑ́ːtɪ]　bat boy [bǽt bɔ̀ɪ]　meatball [míːtbɔ̀ːl]
fat king [fæ̀t kíŋ]　pleasant gift [plèzənt gíft]

E.　すぐ後に [n] が来るため「鼻への解放」が起こる場合です。
cotton [kɒ́tn̩]　chutney [tʃʌ́tnɪ]　eaten [íːtn̩]　button [bʌ́tn̩]
mitton [mítn̩]
うまくいきましたか？　鼻への解放を忘れて [kɒ́tən] とか [bʌ́tən] とか言ってしまう人は、[tn, tn, tn, tn…] という練習をしてください。つまり [t] から [n] へ移るときに、舌が歯茎部から離れないことを確認しましょう。

F.　すぐ後に [l] が来る場合の「側面解放」を練習してください。
battle [bǽtl]　bottle [bɒ́tl]　kettle [kétl]　shuttle [ʃʌ́tl]　little [lítl]

G.　GA の「有声の t」を練習しましょう。
butter [bʌ́ᴅɚ]　letter [léᴅɚ]　water [wɑ́ːᴅɚ]　getting [géᴅɪŋ]
atom [ǽᴅm̩]

H.　GA の [n+t] を含んだ語を練習しましょう。
sentence [séᴅ̃n̩s]　hunting [hʌ́ᴅ̃ɪŋ]　quantity [kwɑ́ᴅ̃ɪᴅiː]
seventy [sévᴅ̃iː]　winter [wɪ́ᴅ̃ɚ]　（cf. winner [wínɚ]）

I.　GA の [t+l] を含んだ語を練習しましょう。
battle [bǽᴅl]　bottle [bɑ́ᴅl]　kettle [kéᴅl]　shuttle [ʃʌ́ᴅl]　little [líᴅl]

★ [d]

日本語のダ行音子音と違い、歯茎部音である。[t] の場合と同様、破擦音的である。つまり日本語の「ヅ／ズ」の子音である [dz] に似ている。また [b] の場合と同様、語頭では無声で始まり、やがて有声になり、語末では最後がほとんど無声になる。また文末では不完全解放をし、直後に破裂音が来た場合も不完全解放になる。[n] が直後に来ると「鼻への解放」が起こり、[l] が直後に来ると「側面解放」がおこる。

GAでは、[t] が [ᴅ] となるのと同じ環境で [d] も [ᴅ] になる。ということは、RP では writer [ráɪtə]/rider [ráɪdə] として明瞭に区別される 2 語の判別が GA では困難になるということだ。学者の中には両者は [ráɪᴅɚ]/[ráːɪᴅɚ] と、母音の長さによって、あるいは [rʌ́ɪᴅɚ]/[ráɪᴅɚ] という母音の種類によって区別されると説く人もいるが、普通のアメリカ人は、両者を単独に、つまり前後関係なしに聴かされると判別に迷うらしい。(われわれも「ハナ」を単独で聴かされると「鼻」か「花」か判定できないのと同様である。) そこでわれわれとしては writer も rider も一律に [ráɪɒɚ] として捉え、聴き取り・使用どちらの場合も前後関係に頼ることにすればよい。

練習 27

A.　[d] が歯茎部音で、「破擦音」的であることを忘れずに練習しましょう。先に悪い例を示すと、「デイ」ですね。これは歯音で、しかも破擦音的でもありません。これから聞く良い例を手本にしてください。

day [d^{z}eɪ]　date [d^{z}eɪt]　doom [d^{z}uːm]　dice [d^{z}aɪs]　dark [d^{z}ɑːk]

B.　語頭・語末で無声化するのを練習します。

deed [d̥diːdd̥]　dude [d̥djuːdd̥]　rude [ruːdd̥]　hold [həʊldd̥]
dad [d̥dædd̥]

C.　文末で不完全解放をする場合を練習しましょう。

seed [siːd˺]　road [rəʊd˺]　card [kɑːd˺]　mood [muːd˺]　stayed [steɪd˺]

D.　今度は、うしろに破裂音が来た場合の不完全解放です。

good deal [gʊ̀d díːl]　red deer [rèd díə]　bedtime [béd tàɪm]
head table [hèd téɪbl]　headpiece [hédpìːs]　card punch [kɑ́ːd pʌ̀ntʃ]
third base [θɜ̀ːd béɪs]　birdcage [bɜ́ːdkèɪdʒ]　bald king [bɔ̀ːld kíŋ]
broad gauge [brɔ̀ːd géɪdʒ]

E.　うしろに [n] が来た場合です。

sudden [sʌ́dn̩]　sadden [sǽdn̩]　forbidden [fəbídn̩]　ridden [rídn̩]
hidden [hídn̩]

どうしても [hídən] のような発音になってしまう人は、[dn, dn, dn, dn…] と、舌先が歯茎部から離れないことを確認しながら練習してください。

F.　うしろに [l] が来た場合です。

saddle [sǽdl̩]　middle [mídl̩]　cradle [kréɪdl̩]　hurdle [hɜ́ːdl̩]
medal [médl̩]

G.　GA でうしろに [n] が来た場合です。

sudden [sʌ́ᴅn̩]　sadden [sǽᴅn̩]　forbidden [fəbíᴅn̩]　ridden [ríᴅn̩]
hidden [híᴅn̩]

H.　GA でうしろに [l] が来た場合です。

saddle [sǽᴅl̩]　middle [míᴅl̩]　cradle [kréɪᴅl̩]　hurdle [hə́ːᴅl̩]
medal [méᴅl̩]

★ [k]

後舌部（図 8 ⑩）が持ち上げられて軟口蓋（同⑤）に密着して閉鎖を作る無声の「軟口蓋破裂音」である。つまり調音点はカ行音のそれと変わりがない。ただし、[p], [t] と同じように、強勢のある音節の先頭にあるときは cat [kʰæt] ののように強い気息を持ち、scat [skæt] のように s の後にあるときは気息を失う。baker [béɪkə] のように強勢のある母音の後で、かつ強勢のない母音の前という位置では、ほぼカ行音の子音と同程度の気息を持つ。

文末では不完全解放を起こす方が通常であり、また後に破裂音が来ると必ず不完全解放が使われる。また bacon [béɪkən] の [ə] が後に述べる「省略」によって消失すると、[n] がこれまた後述する「同化」によって [ŋ] に変わり、[béɪkŋ] が出現する。[kŋ] の [k] は「鼻への解放」を行う。

[k] に関しては、RP、GA 間の差はないと言ってよい。

練習 28

A.　最初は強い気息を持つ場合です。

cake [kʰeɪk]　cat [kʰǽt]　call [kʰɔːl]　took [kʰʊk]　cool [kʰuːl]

B.　[s] がすぐ前にあるので気息がない場合です。

scale [skeɪl]　scat [skæt]　skoop [skuːp]　scar [skɑː]　school [skuːl]

C.　文末で不完全解放をする場合です。

It's a rock. [ɪts ə rɒ́k˺]　It's a book. [ɪts ə bʊ́k˺]　It's a mac. [ɪts ə mǽk˺]
It's a creek. [ɪts ə kríːk˺]　It's dark. [ɪts dɑ́ːk˺]

D.　すぐ後に破裂音が来るため不完全解放が起こる場合です。

rock climbing [rɒ́k klàɪmɪŋ]　book keeper [bʊ́k kìːpə]
dark glasses [dɑ̀ːk glɑ́ːsɪz]　background [bǽkgràʊnd]

shark pilot [ʃɑ́:k pàɪlət]　black pepper [blæ̀k pépə]
black book [blæ̀k bʊ́k]　act [ækt]　correct [kərékt]
lock together [flɒ̀k təgéðə]　black dog [blæ̀k dɒ́g]　weekday [wí:kdèɪ]

E. すぐ後に [ŋ] が来るため「鼻への解放」が起こる場合です。
bacon [béɪkŋ]　broken [brə́ʊkŋ]　reckon [rékŋ]　shaken [ʃéɪkŋ]
うまくいきましたか？　まあ、この場合の「鼻への解放」は、p+m、b+m、t+n、d+n の場合のように、絶対必要なわけではありません。[béɪkən], [brə́ʊkən] のように発音しても構わないのですが、こういう発音をしたいのにうまくいかない人は、[kŋ, kŋ, kŋ, kŋ…] という練習をしてください。

★ [g]

〔すでに気付いていると思うが、発音記号では印刷体の g ではなく、筆記体のような g を用いるのが伝統である。〕

有声の「軟口蓋破裂音」である。調音点はガ行音の子音と変わらない。ただ、[b] や [d] の場合と同じく、英語の [g] は語頭と語末、特に語末で無声化する。文末で、また破裂音が後に続く場合に不完全解放を示すことや、鼻音の前で「鼻への解放」を行う点でも、他の破裂音と同じである。

練習 29

A. 語頭・語末で無声化するのを練習します。
glee [g̊gli:]　goat [g̊gəʊt]　league [lí:gg̊]　dog [dɒgg̊]　bag [bægg̊]
vague [veɪgg̊]

B. 文末で不完全解放をする場合を練習しましょう。
It's a bag. [ɪts ə bǽg˺]　It's big. [ɪts bíg˺]　He's a rogue. [hi:z ə rə́ʊg˺]
It's a bulldog. [ɪts ə bʊ́ldɒ̀g˺]　It's rather vague. [ɪts rɑ̀:ðə véɪg˺]

C. 今度は、うしろに破裂音が来た場合の不完全解放です。
big girl [bìg gə́:l]　big game [bìggéɪm]　dogcart [dɒ́gkɑ̀:t]
big king [bìg kíŋ]　Meg parted [mèg pɑ́:tɪd]　hogpen [hɒ́gpèn]
gag bit [gǽg bìt]　tugboat [tʌ́gbə̀ʊt]　ragtime [rǽgtàɪm]
hug tightly [hʌ̀g táɪtlɪ]　big deal [bìg dí:l]　jog daily [dʒɒ̀g déɪlɪ]

E.　すぐ後に [ŋ] が来るため「鼻への解放」が起こる場合です。
Reagan [réɪgŋ] Hogan [hóʊgŋ] slogan [slóʊgŋ]
これも必須ではありませんが、この発音をしたい人は、[gŋ, gŋ, gŋ, gŋ...] を練習するのがよいでしょう。

★ [ʔ]

図8の⑫は声帯である。声帯とは1対の靭帯（じんたい）で、この靭帯の間の空間を声門（図8（10））と呼ぶ。普通に呼吸をしているときは声門は開いているが、息を止めるとき、たとえば胸部レントゲン撮影の時などに「息を止めて」と言われたときには声門を閉じる。[ʔ] はまさしく声門を閉じ息を止めた音なのである。「音」とはいうものの、言語に使われるときは図10の段階1（＝閉鎖）に特徴を持つのであって、解放の際の破裂は聞こえない。そこで [ʔ] は通常「声門閉鎖音」と呼ばれる。

[ʔ] は、ほかでもない、われわれが驚愕して「アッ！」と叫んだり、「エッ！」と絶句するときの音声をを描写する「ッ」、つまり促音の一種である。「痛（いて）ッ！」[ʔiteʔ] とか、「熱（あつ）ッ！」[ʔatsu̥ʔ] などの反射的叫びでは語頭・語末の双方に現れる。英語でも母音で始まる語を強調的に言うときに語頭に使われることがある。Everything [ʔévrɪθɪŋ] went wrong today! などがその例である。Ouch! [ʔaʊtʃ] もそうだ。

英語での [ʔ] は、このほか [t] のあとに他の子音が来たときに、[t] の代用をすることがある。that table [ðǽʔ tèɪbl], great joke [grèɪʔ dʒóʊk], witness [wíʔnɪs] などがそれだ。1960年代のRPで、[ʔ] による [t] の代用が許されたのはこの辺ぐらいまでであって、Scotland [skɒ́ʔlənd], at least [əʔ líːst], football [fʊ́ʔbɔ̀ːl], soappowder [sə́ʊʔpàʊdə], bookcase [bʊ́ʔkèɪs] などのように、語中の [t] や、さらには [p], [k] までをも [ʔ] で代用することは、「近頃の若者の嘆かわしい発音」と考えられていた。しかしそのころの若者が老齢化し、かつRPが「民主化」されつつある今では、[skɒ́ʔlənd] 以下の例も正しいRP発音と考えていいであろう。

GAは、もともとRPに比べて [ʔ] に対して寛容である。[skɑ́ʔlənd] や [fʊ́ʔbɒ̀ːl] に類する発音は昔から標準的であったし、★ [t] の項であげた sentence [séɒ̃n̩s], hunting [hʌ́ɒ̃ɪŋ] に並んで [sɛ̃́ʔn̩ts], [hʌ̃́ʔnɪŋ] も立派なGA発音である。

練習 30

これは便宜上練習と題しますが、必ずしも使わなくてもいい音なので、例を挙げるのにとどめておきます。興味のある人は練習してください。

A.　that table [ðǽʔ tèɪbl]　great joke [grèɪʔ dʒə́ʊk]　witness [wíʔnɪs]
Scotland [skɒ́ʔlənd]　at least [əʔ líːst]　football [fʊ́ʔbɔ̀ːl]
soappowder [sə́ʊʔpàʊdə]　bookcase [bʊ́ʔkèɪs]

B.　GA の場合です。
cotton [kɑ́ʔn̩]　button [bʌ́ʔn̩]　sentence [sẽ́ʔn̩ts]　hunting [hʌ̃́ʔnɪŋ]

2.5　摩擦音

破裂音というのは、上下の唇とか舌先と歯茎部が互いに密着して完全な閉鎖が作られ、空気の流れが一時的に完全に遮断されるものであった。これに対して「摩擦音」というのは、たとえば [s] の場合のように、舌先が歯茎部に近づくけれども密着はせず、代わりに狭い隙間を作り、そこへ肺からの空気を送るため、隙間を通り抜ける空気が出す音である（図 11 参照）。車の窓を細めに開けておいてスピードを出すとヒューヒュー音が出るのと同じ理屈だ。摩擦音とは音声器官同士、たとえば舌先と歯茎部がこすれあって出す音ではない。英語の摩擦音を、調音点の前の方（つまり図 8 の左の方）から見ていこう。

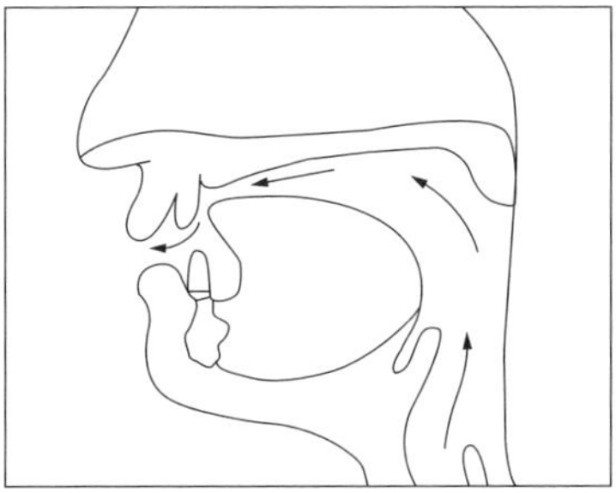

図 11　[s], [z]

★ [f]

調音点が歯唇（図 8 (2)）の摩擦音である。「上の前歯で下唇を噛む」という指導を受けた人がいるかもしれない。だが本当に噛んでしまうと完全な閉鎖ができて、摩擦音が出ない。といって、歯と唇が付いてはいけないという意味ではない。下唇を軽く上の前歯に当てておけばいいのである。

[f] を日本語「フ」の子音で代用する学習者がいる。「フ」の子音は [ɸ] で表される両唇摩擦音である。[ɸ] が癖になってしまった人の場合、[f] を出そうとしてせっかく下唇を上の前歯に触れておきながら、それに加えて無意識のうちに下唇を上唇に付けてしまうことがある。これを防ぐには、下唇が動きすぎないように軽く指で抑えておくか、上唇を持ち上げて避難（？）させる練習をすると効果があるだろう。

下唇のどの辺に前歯を当てるか？　あまり前の方でなく、むしろ下唇の「内側」と感じられるようなところに当てるとよい。厳密に言うと、fox [fɒks] のように後に後母音が続く場合は、feet [fiːt] のように後に前母音が来る場合よりもさらに奥というか下の方に調音点があるのだが、そこまで区別の必要は（少なくとも最初のうちは）なかろう。ともかく「下唇の内側」を意識して練習することが勧められる。下唇を「噛んでしまう」癖も、この練習法で除去されると思う。

練習 31

A. 唇を本格的に噛んでしまわないように、下唇の「内側」に上の歯をあてがって発音しましょう。[fːːː] ですよ。[ɸːːː] は間違いです。

feet [fiːt]　fit [fɪt]　felt [felt]　fax[fæks]　far [fɑː]　fool [fuːl]
full [fʊl]　fox [fɒks]　foul [faʊl]　fail [feɪl]　photo [fə́ʊtəʊ]
philosophy [fɪlɒ́səfɪ]

B. 今度は [f] が語尾に来る場合です。

leaf [liːf]　deaf [def]　laugh [lɑːf]　roof [ruːf]　rough [rʌf]
cough [kɒf]　elf [elf]　puff [pʌf]

★ [v]

有声の歯茎部摩擦音である。[f] の場合以上に唇を噛んで破裂音もどきの誤った発音をしてしまう人が多い。[f] と同様、歯を「下唇の内側に軽く当てがう」ことを心がけてほしい。

有声の破裂音は語頭・語末で無声化が起こることを学んだ。[v] を含む有声摩擦音ではその傾向がさらに強い。

練習 32

A. 語頭の場合です。無声から始まって有声に移ることを忘れないでください。

veal [viːl]　vet [vet]　van [væn]　voice [vɔɪs]　voodoo [vúːduː]

Vauxhall [vɒ́ksɔ̀l]（地名）　view [vjuː]　vary [vέərɪ]

B. 語尾の場合です。語頭よりも無声化の程度がさらに高いので、表記には無声化のしるしの小さな丸を付けました。

leave [liːv̥]　live [lɪv̥]　cave [keɪv̥]　curve [kɜːv̥]　nerve [nɜːv̥]

have [hæv̥]　resolve [rɪzɒ́lv̥]　move [muːv̥]

C. つぎの単語に含まれている音が [v] か [b] かを判定しましょう。

①　②　③　④　⑤　⑥

⑦　⑧　⑨　⑩　⑪　⑫

★ [θ]

無声の摩擦音で調音点は「歯音」（図8(3)）である。「舌先を歯に当てて [s] のような音を出せ」という指導を受けたかもしれない。だが、[θ] と [s] は、下の図12・13に見るとおり、調音点が異なる。英語の [s] は歯茎部音なのだ。

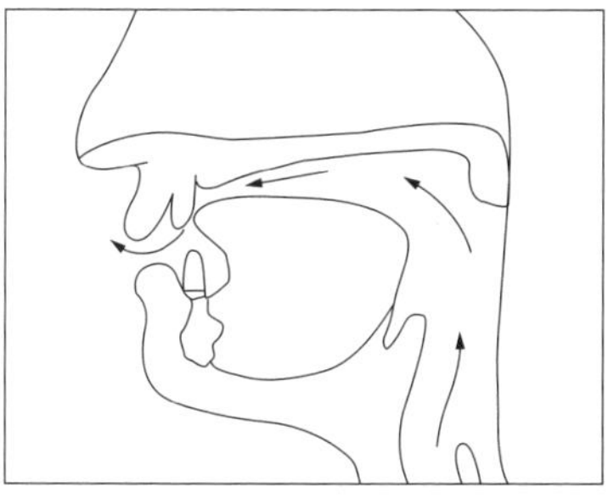

図12　[θ]

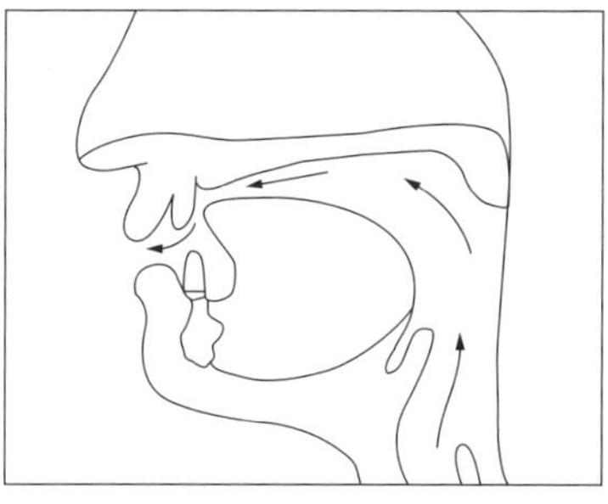

図13　[s]

もう 1 つ知ってもらいたいことは、[θ] が [s] に比べてずっと弱い音だということだ。せっかく舌先を上の前歯に当てがっても、[s] のように強い音を出そうと力を込めてしまうと、舌先が歯に密着して破裂音まがいの妙な音が出てしまう。かぼそい音でいいんだ、と思ってほしい。あと、[θ] が [s] に似てしまうことを防ぐために、舌先を上の前歯より少し先に突き出して [θ:::] とやってみるのも効果があると思う。英語国民が [θ] を出すたびに舌をペロペロ出すというわけではないが、外国人学習者の初期の訓練法としては適切である。

練習 33

A. [s] と [θ] を発音し分けられるように、ペアで練習しましょう。

sin [sɪn]~thin [θɪn]　sing [sɪŋ]~thing [θɪŋ]　sought [sɔːt]~thought [θɔːt]
sink [sɪŋk]~think [θɪŋk]　sank [sæŋk]~thank [θæŋk]
pass [pɑːs]~path [pɑːθ]　burse [bɜːs]~birth [bɜːθ]
mouse [maʊs]~mouth [maʊθ]　miss [mɪs]~myth [mɪθ]
mass [mæs]~math [mæθ]

B. つぎの単語に含まれている音が [θ] か [s] かを判定しましょう。

①　②　③　④　⑤　⑥
⑦　⑧　⑨　⑩　⑪　⑫

C. two months [tùː mʌ́nθs] のように、[θ] で終わる語の後に [s] が来ると [θs] というつながりができます。これは難しいように思えるかもしれませんが、そうでもありません。[θ] のために歯に接触していた舌先を歯茎部のそばへ引っ込めればいいだけです。

[θs] を 1 つの音のように考えて練習しましょう。

months [mʌnθs]　maths [mæθs]　tenths [tenθs]　elevenths [ɪlévnθs]
health centre [hélθ sèntə]　hearthstone [hɑ́ːθstòʊn]
birth certificate [bɜ́ːθ sətìfɪkət]

★ [ð]

[θ] の有声版である。どういうわけか [θ] よりもさらに難度が高いようだ。[θ] の場合と同じように舌先を上の前歯から少しはみだすくらいの位置に置き、

「強い音を出す必要がないのだ」ということを意識して練習してほしい。[θ]を習得したら、それを長く発音しつつ途中から声を加えていくのも一方法かもしれない。

ほかの有声子音と同じように、[ð] にも語頭・語末で無声化する性格がある。また [ðz] という音連続にも習熟するようにしよう。

練習 34

A. [θ] を長く発音しながら、途中で声を加えることにより [ð] に移行する練習をしましょう。
[θ::::::ð:::::]

B. 語頭・語末の無声化を練習しましょう。
those [ðəʊz]　they [ðeɪ]　though [ðəʊ]　this [ðɪs]　that [ðæt]
breathe [bri:ð]　seethe [si:ð]　teethe [ti:ð]　mouth (v.) [maʊð]
bathe [beɪð]

C. つぎの単語に含まれている音が [ð] か [z] かを判定してください。
①　②　③　④　⑤
⑥　⑦　⑧　⑨　⑩

D. clothes [kləʊðz] などの [ðz] を練習しましょう。
paths [pɑ:ðz]　mouths [maʊðz]　clothes [kləʊðz]　breathes [bri:ðz]
baths [bɑ:ðz]

★ [s]

歯茎部無声摩擦音である。この音自体に難しいところはない。ただし、日本人の中には日本語の [s] をかなり強く発音する人とそうでない人がいるので、前者はそれをそのまま英語に持ち込めばいいのだが、後者は意識して英語の [s] を強く発音する必要がある。もう１つ、日本語の「サシスセソ」からの類推で [i:] や [ɪ] の前の [s] を [ʃ] にしてしまう癖のある人は、それを改めなければならない。

練習 35

つぎの単語を練習し、さらに自分の発音を録音して、[s] が弱いと感じたら、「強い [s]」を意識して練習しなおしましょう。

see [siː]　sit [sɪt]　set [set]　sang [sæŋ]　sought　[sɔːt]　saw [sɔː]
soot [sʊt]　side [saɪd]

★ [z]

歯茎部有声摩擦音である。だからといって日本語のザ行音と同じだと早呑みこみしてはいけない。日本語のローマ字表記では「ザジズゼゾ」が za, zi, zu, ze, zo と書かれる（ヘボン式では「ジ」だけ ji）ので、思い違いをする人が多いようだが、ザ行音を発音記号で書けば [dza, dʒi, dzu, dze, dzo] となる。[dz], [dʒ] は 2.6 節であつかう「破擦音」なのだ。そのため、[z] を使うことは日本人にとってそう易しくはない。

[z] は、ほかの有声子音と同じく、語頭・語末で無声化する。

練習 36

A. [dz] や [dʒ] にならないよう、[z] を正しく使いましょう。
zeal [ziːl]　Brazil [brəzíl]　resemble [rɪzémbl]　resolve [rɪzɒ́lv]
zoo [zuː]　toes [təʊz]　cause [kɔːz]　blouse [blaʊz]　breeze [briːz]

B. つぎの語のうち、[z] が正しく発音されているものには○、[dz] や [dʒ] が使われいるものには×を付けてください。
① zeal　② zephyr　③ Brazil　④ zoo　⑤ zeal
⑥ zoo　⑦ rose　⑧ zed　⑨ rose　⑩ zed

C. 語頭・語末の無声化を練習しましょう。語頭の場合、[sːː] から始めて [z] に移る、たとえば [sːːːziːl] などとと言ってみるのもいい方法かもしれません。
zeal [ziːl]　zoo [zuː]　zed [zed]　toes [təʊz]　cause [kɔːz]
blouse [blaʊz]　breeze [briːz]

★ [ʃ]

表 1 に見るとおり「硬口蓋歯茎部」を調音点とする無声摩擦音である。つまり図 14 が示しているように、舌は [s] の場合は歯茎部だけに近づいているのだが、[ʃ] では歯茎部および硬口蓋の前方にも近づいているのだ。こう言うと難しく聞こえるかもしれないが、日本語の「シャ、シュ、ショ」、そして「シ」の子音とほぼ変わりがない。しいて言えば英語の [ʃ] には日本語の [ʃ] にない「唇の軽い丸め」があるが、これにはそれほど気を使う必要はない。なお、[iː] や [ɪ] の前の [s] を [ʃ] と発音して叱られた経験からか「過剰矯正」をしてしまって [ʃ] を使うべきところに [s] を使ってしまう学習者がときどきある。she [ʃiː] と sea [siː]、sheet [ʃiːt] と seat [siːt] とはそれぞれ別の単語なのだから、[ʃ] を使うべきところでは [ʃ] を使わなくてはいけない。

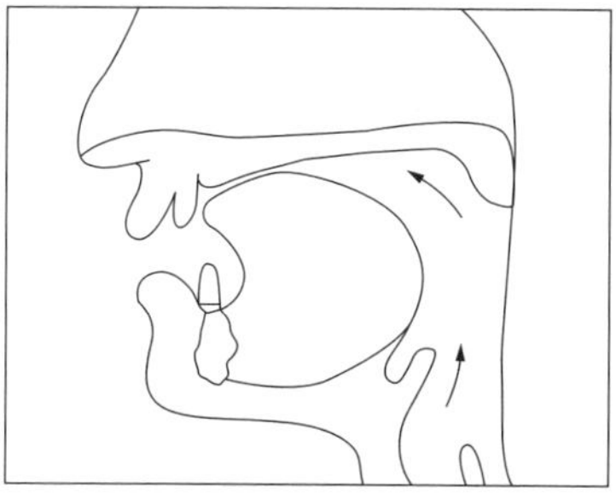

図 14　[ʃ], [ʒ]

練習 37

「過剰矯正」をしてしまった人専用の課題です。

sheet [ʃiːt]~seat [siːt]　ship [ʃɪp]~sip [sɪp]　shingle [ʃíŋgl]~single [síŋgl]
shield [ʃiːld]~cealed [siːld]

★ [ʒ]

[ʃ] の有声版、つまり「硬口蓋歯茎部有声摩擦音」である。ただし、日本語の「ジャ、ジュ、ジョ」や「ジ」の子音と同じだと勘違いしないでほしい。「ジャ、ジュ、ジョ、ジ」の子音は [ʒ] ではなく [dʒ] なのである。このためこの音は日本人学習者にとって少々難しい。もっとも英語でも [ʒ] が現れる

のは pleasure[pléʒə], television [télɪvɪʒn] など、主として語中であり、語頭ではまったく現れないと言ってよく（gigolo が原語のフランス語発音をまねて [ʒígəlòʊ] と発音された時もあったが、今では [dʒígəlòʊ] の方が優勢である）、語末でも beige [beɪʒ], prestige [prestíːʒ] など、比較的近年のフランス語からの借用語で使われるだけである。さらに語末の場合は [beɪdʒ], [prestíːdʒ] といった英語化された発音も聞かれる。

とはいえ、語中の [ʒ] は健在であり、[dʒ] とは区別されなければならない。

練習 38

A. [ʃ] を引き延ばして発音し、途中から有声にする練習です。
[ʃ:::ʒ::::]

B. つぎの単語に使われているのが [ʒ] か [dʒ] かを判定してください。

①	②	③	④	⑤
⑥	⑦	⑧	⑨	⑩

★ [h]

この音には伝統的に「声門摩擦音」という名が付けられているが、実際には空気が声門を通る時に出る音ではない。head [hed] の [h] が出されるときの口の形は [e] を出すときのそれと同様であり、hood [hʊd] の [h] は [ʊ] の口の形で出される。つまり [h] は、つぎに来る母音の舌の位置をいわば予期して、それと同じ舌の位置をとった「口腔全体で起こる空気の振動」で生ずるのだ。

理屈はともかく、日本語のハ行音のうち、「ハ、ヘ、ホ」の子音は英語の [h] としてそのまま使えるが、「ヒ」、「フ」の子音についてはそれぞれ一言する必要がある。

英語の hit [hɪt], hippie [hípɪ] は日本語の「ヒット」「ヒッピー」となった。この日本語を発音して自分の耳で聴いてほしい。多くの人の発音でこれは [çitto], [çippiː] になっているはずである。[ç] は前舌部（図 8 ⑨）を硬口蓋（図 8 ④）に近づけて狭い隙間を作って出す摩擦音である。そう、「ヒ」の子音は「硬口蓋摩擦音」なのだ。これを英語に逆輸出してはならない。ただし、huge, human など少数の語では、[hjuː] の部分が [çuː] と発音されることがある。これは日本人にとってはむしろ発音しやすいのではないかと思われる。

今度は hood [hʊd], hooligan [húːlɪgən] が日本語化した「フード」「フーリガン」を発音して自分の耳で聴いてほしい。[ɸuːdo], [ɸuːrigan] になっているはずだ。聞くだけでなく鏡を見ると唇がいくぶん突き出されるのが見える。[ɸ] は前にも触れた「両唇摩擦音」なのである。これは間投詞 Phew! のさまざまな言い方のうちの 1 つ [ɸː] ぐらいを除いて英語では使われない。

練習 39

A.　[iː] や [ɪ] の前の h が [ç] にならないよう気を付けて練習してください。いいですね、hit は [hɪt] で *[çit] ではないのです。

hit [hɪt]　heat [hiːt]　hymn [hɪm]　heel [hiːl]　hippie [hípɪ]

B.　[uː] や [ʊ] の前の h が [ɸ] にならないよう気を付けて練習しましょう。hooligan は [húːlɪgən] で、*[ɸuːrigan] ではありません。

hooligan [húːlɪgən]　hood [hʊd]　who [huː]　hoop [huːp]　hook [hʊk]

C.　つぎの語は [hjuː] を使って発音してもいいのですが、[çuː] という発音も使われます。[çuː] を使った方を一応聴いておきましょう。

huge [çuːdʒ]　human [çúːmən]　hue [çuː]　humour [çúːmə]
Hume [çuːm]（人名）

2.6　破擦音

破擦音とは「破裂音＋摩擦音」を略したものと考えてよい。その名のとおり、破裂音の後に摩擦音が続く音なのである。church [tʃɜːtʃ], judge [dʒʌdʒ] の語頭・語末にある [tʃ], [dʒ] を例にとろう。図 15, 16 を見てほしい。

図 15 は舌先と舌葉（ぜつよう）（図 8 ⑧）が歯茎部から硬口蓋の前部にかかる位置で閉鎖を作った姿を示している。つぎにこの閉鎖を比較的ゆっくり解放すると、舌は図 16 の位置を少しの間保つことになる。空気は肺から流れ続けているから、図 16 に示された隙間を通り抜け、摩擦音を生ずるのである。

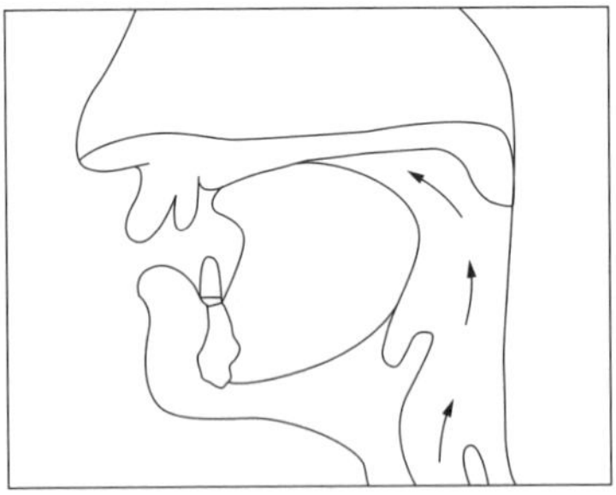
図 15　[tʃ], [dʒ] の段階 1

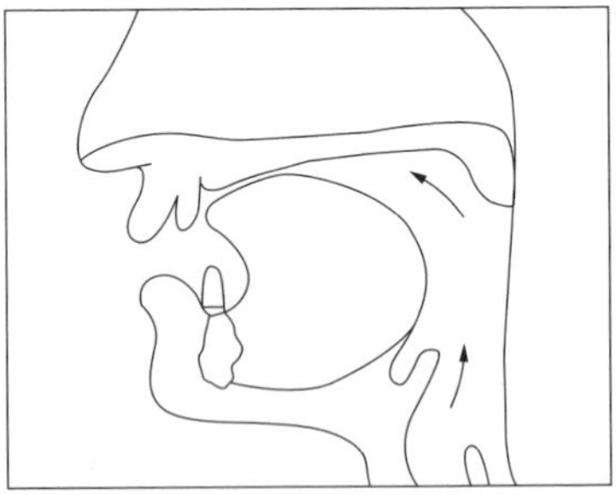
図 16　[tʃ], [dʒ] の段階 2

こう書くといかにも難しそうだが、[tʃ] は日本語の「茶、知、中、チェーン、超」の最初の子音にほかならないし、[dʒ] はまさしく「邪、字、充、ジェット機、序」の最初の子音なのである。しいて言えば、日本語の [tʃ], [dʒ] では舌葉が上の前歯の裏側と歯茎部に密着して閉鎖を作るのに比べて、英語の [tʃ], [dʒ] では上記の通り舌先 + 舌葉が歯茎部 + 硬口蓋との間に閉鎖を作る点に違いがある。大ざっぱな言い方をすれば、前者を「舌を少し奥へずらして」発音すると後者が得られる。また [tʃ], [dʒ] にいくぶん唇の丸めを加えた方が、より英語的な発音になる。

★ [tʃ]

上で説明したとおりの音である。さっそく練習に入ろう。

練習 40

[tʃ] の練習です。舌を日本語の場合より少し後へずらして発音することと、いくぶんかの唇の丸めを加えましょう。

cheese [tʃiːz]　chip [tʃɪp]　chain [tʃeɪn]　church [tʃɜːtʃ]　chalk [tʃɔːk]　choke [tʃəʊk]

★ [dʒ]

[tʃ] に関して言ったことに加え、[dʒ] は、語頭・語末で無声化する程度が、有声破裂音・有声摩擦音の場合よりさらに高いことを付け加えたい。

練習 41

[dʒ] の練習です。舌の位置、唇の丸めについては [tʃ] と同じです。語頭・語末の無声化を学んでください。

judge [dʒʌdʒ]　George [dʒɔːdʒ]　jeep [dʒiːp]　huge [çuːdʒ]
jungle [dʒʌ́ŋgl]　cage [keɪdʒ]　jersey [dʒɜ́ːzɪ]

★ [ts]

「ツ」の子音との差はわずかである。「ツ」の子音の出だしが歯音であるのに対し、英語の [ts] は出だしが歯茎部音であるという点だ。「ツ」の子音が、「津島」「カツ丼」のように、語頭にも語中にも顔を出すのに比べ、英語の [ts] は、まず語頭では外来語を除けば現れないし、事実、英語国民は語頭の [ts] を発音するのが苦手である。2005 年のスマトラ沖津波で多くの英語国民が耳にするようになった [tsʊnáːmɪ] も、多くの人の発音では [sʊnáːmɪ] である。語中でも outset [áʊtsèt], quite safe [kwàɪt seíf] の [-ts-] は、単一の破擦音 [ts] ではなく、破裂音 [t] プラス摩擦音 [s] という 2 音の連続として発音される。

結局、英語で [ts] が多く現れるのは語末である。それもほとんどは cats [kæts], treats [triːts] のような変化形で、厳密な意味での単語（つまりそれ以上分割すると意味をなさなくなるもの）としては quartz [kwɔːts], Katz [kæts]（人名）ぐらいのものである。

練習 42

ほとんど練習の必要もないくらいですが、出だしが歯音ではなく歯茎部音であることと、語末の破擦音 [ts] と語中の [t+s] が明らかに違っていることなどを意識しつつ口慣らしをしてください。

cats [kæts]　quartz [kwɔːts]　treats [triːts]/outset [áʊtsèt]　outside [autsáɪd]
quite safe [kwàɪt séɪf]　left side [léft sáɪd]

★ [dz]

[ts] と同じように出だしが歯茎部閉鎖であることが、日本語の「ズ」の子音と異なる。語頭には dzo [dzəʊ] などという少数の語を除いて現れないし、語

中でも Lindsay [líndzɪ], Pudsey [pʌ́dzɪ] などの人名・地名に使われる程度で、多く使われるのは語末である。また [dz] に関して重要なのは、語末の無声化と [z] との区別である。

練習 43

A. [dz] の出だしを歯茎部音にすることと、語末の無声化に気を配りながら練習してください。

roads [rəʊdz]　adds [ædz]　builds [bɪldz]　cards [kɑːdz]　bids [bɪdz]

B. [dz] と [z] との区別を練習しましょう。

roads [rəʊdz]~rose [rəʊz]　builds [bɪldz]~bills [bɪlz]

cards [kɑːdz]~cars [kɑːz]　seeds [siːdz]~seas [siːz]

cords [kɔːdz]~cause [kɔːz]

★ [tr]

prince [prɪns] とか creep [kriːp] のように、ほかの破裂音のあとに [r] が来ると、[r] が無声化することはすでに述べたが、[p] や [k] は特に [r] の影響を受けることはない。ところが、[tr] という音連続では [r] は単に無声化するだけでなく、摩擦音になり、さらに [t] 自身も [r] に影響されて舌先が歯茎部のずっと後方に密着し、後舌部が持ち上がる。図 17 でこれを確認してほしい。

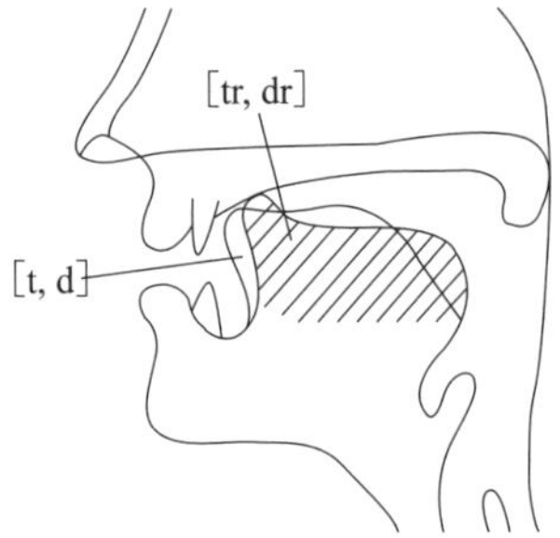

図 17　[tr, dr] と [t, d] の比較

つまり [tr] は、精密に記せば [tř̥] なのであり ([ˇ] は摩擦音のしるし)、2 つの音の連続と言うよりは 1 つの音として捉える方が学習上有効なのである。なお、この音は語末には現れない。

練習 44

まず、正しくない発音をやってみます。*[tɾaɪ]。駄目ですね、これでは。
[tř̥, tř̥, tř̥]、[tř̥::aɪ] です。
try [traɪ]　train [treɪn]　tread [tred]　trespass [tréspəs]　treat [triːt]
attract [ətrǽkt]　mattress [mǽtrɪs]

★ [dr]

舌の位置は図 17 に見るとおりである。[tr] の有声版なわけで、精密に表記すれば [dř] となる。また、語頭では [d] の部分は無声化する。

練習 45

これもまず正しくない発音をしてみます。*[draɪ]。これは駄目ですね。この音の出だしは歯茎部の奥の方の閉鎖で、[r] は摩擦音だということに心を配りましょう。[dř, dř, dř]、[dř::aɪ] です。
dry [draɪ]　drain [dreɪn]　dream [driːm]　dread [dred]　draw [drɔː]
drive [draɪv]　address [ədrés]　adroit [ədrɔ́ɪt]
言ってみればこの音は、「にごった」、あまり綺麗な音ではないわけです。だから、歌では、ポピュラー・ソングでさえ、いわゆるロマンティックなものの場合は避けられます。だって I'll see you in my [dřiːmz]…では、あまり夢のような気分にはなれませんね。だから少しやわらげて…in my [driːmz] とするわけです。

2.7　流音

late [leɪt] などの [l] と rate [reɪt] などの [r] を流音と呼ぶ。日本人学習者にとって苦手な [l] をぜひ習得してほしいのはもちろんだが、[r] も日本語のラ行音とは多少違うことも学んでほしい。

★ [l]

舌先を歯茎部に密着させる。ここまでは [t, d] の閉鎖と同じである。違うのは、[t, d] では舌の側面も上の奥歯に密着して完全な閉鎖を作っているのに対し、[l] では舌の側面が一方あるいは両方とも奥歯についておらず、そのため空気は自由に口から出ていく点である。

学習者の中には、せっかく一旦は舌先を歯茎部に密着させながら、いざ音を出す段になると舌を離してしまう人がいる。これを防ぐには、舌先を歯茎部に押し当てたまま声を出し続けてみるのがよい。「ウ〰〰〰」というような音が出るはずである。この音を出しながら舌先が歯茎部から離れていないことを確認するとよい。別に口の中へ指を突っ込むようなことをしなくても、口内の感覚でわかる。

RP では「明るい l」と「暗い l」の区別がある。前者は leave [liːv], like [laɪk], million [míljən] のように母音と [j] の前に使われ、後者は help [help], cold [kəʊld] のように子音の前や、feel [fiːl], call [kɔːl] のように後に何も来ない場合（= 語末）に使われる。図 18・19 に見るとおり、明るい [l] では前舌部が硬口蓋の方向に向かって膨らみを見せ、暗い [l] では前舌部がいくぶん下がり、後舌部が軟口蓋（図 8 ⑤）の方向にむけて膨らみを見せる。暗い [l] であることを特に示したいときは、[ɫ] という記号を使う。なお、語末にある [l] も、feel it, call out のように後に母音で始まる語が付けば、また語形変化により feeling, caller のように母音の前に来ることになれば、「明るい [l]」になる。

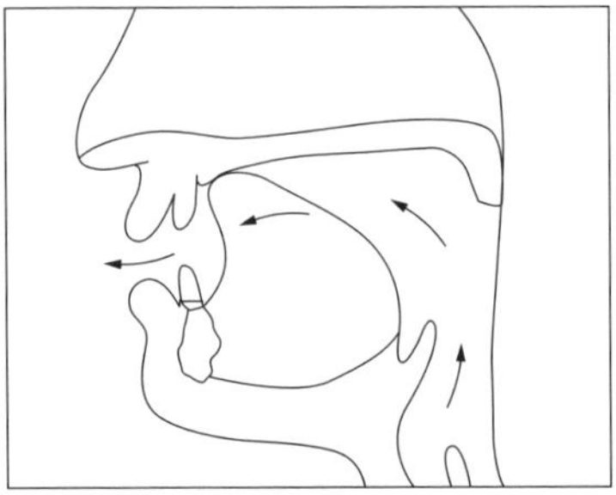

図 18　明るい [l]

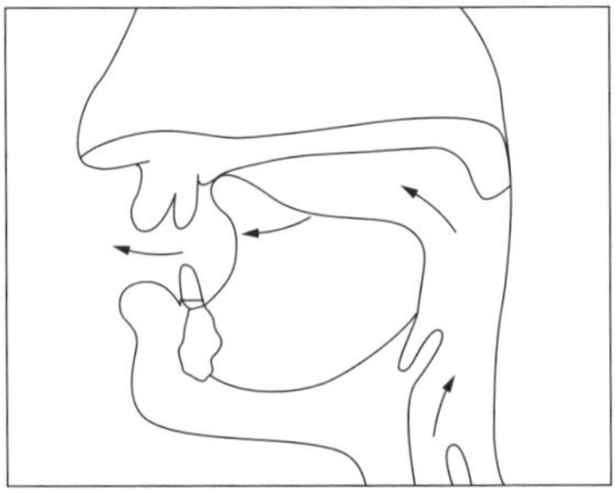

図 19　暗い [l]（= [ɫ]）

上で練習を奨めた「ウ〰〰〰」という音は、まさしく [ɫ] にほかならない。

今度は、舌先を歯茎部に密着させたまま「イ〰〰」と言ってほしい。それが明るい [l] の音である。

GA では「明るい l」と「暗い l」の区別はないといってよい。母音や [j] の前でも [ɫ] に近い音が使われる。

「暗い [l]」は table [téɪbɫ̩], apple [ǽpɫ̩], eagle [íːgɫ̩] などでは音節の中心になる。[̩] は「音節の中心である」を表す記号である。なお、[ɫ] はその響きが日本語の「オ」(= [ö]: [¨] は「中央母音寄り」を示す記号) に似ている。現に方言話者の中にはこれらの語を [téɪbö], [ǽpö], [íːgö] と発音する人々がたくさんおり、この傾向は RP の中にも及んできている。あまり奨めたくない傾向だが、[ɫ] に日本語の「ル」を使ってしまうよりははるかにましだと言えよう。

練習 46

A. RP の「あかるい [l]」の練習です。母音や [j] が始まるまでは舌先を歯茎部にしっかり付けておくように注意してください。それから日本語のラ行音のように舌先がうしろへ反らないようにしてくださいよ。

leave [liːv]　live [lɪv]　letter [létə]　large [lɑːdʒ]　law [lɔː]
loom [luːm]　love [lʌv]　light [laɪt]　loan [ləʊn]

B. RP の暗い [l] の練習です。

meal [miːɫ]　bill [bɪɫ]　bell [beɫ]　ball [bɔːɫ]　help [heɫp]　film [fɪɫm]
elbow [éɫbəʊ]

B'. 暗い [l] の代わりに日本語の「オ」に近い音を使った発音です。

table [téɪbö]　apple [ǽpö]　eagle [íːgö]　beautiful [bjúːtɪfö]
careful [kɛ́əfö]　people [píːpö]

C. GA の [l] の練習をしましょう。

leave [liːv]　live [lɪv]　latter [lǽrɚ]　large [lɑɚdʒ]　law [lɒː]
loom [luːm]　love [lʌv]　light [laɪt]　loan [ləʊn]　meal [miːɫ]
bill [bɪɫ]　bell [beɫ]　ball [bɒːɫ]　help [heɫp]　film [fɪɫm]
elbow [éɫboʊ]

★ [r]

まず日本語のラ行音の子音を考えてみる。これは個々人により、また同一の人でもスタイル次第でさまざまな変種があるが、最も標準的ものは、舌先を少し反らせて歯茎部の後の方を軽く弾(はじ)く音だろう。「ラリルレロ」と言ってほしい。舌先が歯茎部後方に軽く当たっているのが感じられるだろう。

英語の [r] にも 2 つほどの種類があるが、中心的なのは、舌先を歯茎部に近づけるが、摩擦音が出るほどは近づけず、いわんや歯茎部を弾くことはない音である。図 20 のような舌の位置にして声を出すとこの音が出る。これは母音めいた音なので「無摩擦連続音」と呼ばれる。前項の [l] も無摩擦連続音である。無摩擦連続音の [r] を明白に示したいときは [ɹ] という記号が使われる。（日本語でも伝統的芸能の歌曲—謡・清元・長唄など—では弾音でなくこの [ɹ] が使われる。[ɹ] の方が「柔らかい」響きを持つので好まれるためであろう。清元『三千歳』を聴いてみるとよい。「冴え返る春（はる）の寒さに降る雨も暮れて何時しか雪となり…」の下線部には、すべて [ɹ] が使われている。）英語の [ɹ] はまた、軽い唇の丸めを伴う。

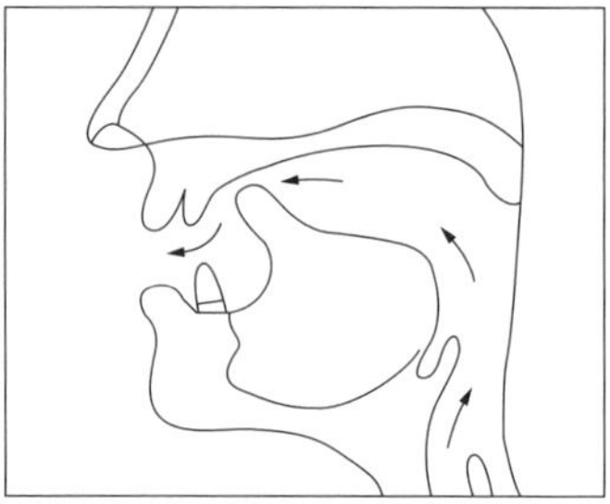

図 20　[r]（= [ɹ]）

[r] のもう一つの種類として、RP で r が母音と母音に挟まれたときにかつては標準的に使われた強い弾音ないし顫動(せんどう)音がある。この音は [ɾ] で表される。母音に挟まれるのは、very [véɾɪ], sorry [sɒ́ɾɪ] のように語の中のときもあるし、pair [pɛə], father [fɑ́:ðə] のように RP では発音されない r の字を持つ語のあとに母音で始まる語が来たとき—a pair of shoes [ə pɛ̀əɾəv ʃú:z], father and mother [fɑ́:ðɾən mʌ́ðə] など—にも起こる。ただ当今では、こうした弾音・顫動音の使用は次第に減りつつあり、代りに [ɹ] が使われる。

すでに説明した [tr], [dr]（精密表記では [tř̥], [dř]）の [r] では、図 20 よりも舌先をもっと歯茎部に近づける。そうするとその隙間を通る空気が摩擦音を起こすようになるわけである。

練習 47

A.　舌先を歯茎部の後の方に近づけて、しかしそこに近づきすぎないないように注意して [ɹːːːː] と言う音を出して下さい。

[ɹːːːː]　[ɹːːːː]　[ɹːːːː]

B.　舌先が歯茎部を弾かないように気を付けて練習しましょう。唇の丸めも忘れないように。

read [ɹiːd]　red [ɹed]　rash [ɹæʃ]　road [ɹəʊd]　right [ɹaɪt]

mirror [míɹə]　arrive [əɹáiv]　diary [dáːəɹɪ]　sorry [sɒ́ɹɪ]

arrow [ǽɹəʊ]

B'.　母音間の弾音も一応練習してみましょう。

very [vérɪ]　Mary [mɛ́ərɪ]　a pair of shoes [ə pɛ̀ərəv ʃúːz]

father and mother [fáːðrən mʌ́ðə]

C.　[l] と [r] の区別を練習しましょう。

late [leɪt]~rate [reɪt]　light [laɪt]~right [raɪt]　load [ləʊd]~road [rəʊd]

lead [liːd]~read [riːd]　law [lɔː]~raw [rɔː]　alive [əláɪv]~arrive [əráɪv]

believe [bɪlíːv]~bereave [bɪríːv]　Allen [ǽlən]（人名）~Aran [ǽrən]（地名）　miller [mílə]~mirror [mírə]　blue [bluː]~brew [bruː]

D.　つぎの語に使われているのは [l] か [r] か、書き取ってください。

①　②　③　④　⑤

⑥　⑦　⑧　⑨　⑩

★ [pl̥], [pr̥], [kl̥], [kr̥]

強勢のある音節の最初に [pl], [pr], [kl], [kr] が立つと、気息の代わりに [l], [r] が無声化して [pl̥], [pr̥], [kl̥], [kr̥] になることはすでに述べた。ここでまとめて練習しよう。

練習 48

A. [p] のうしろで [l] が無声化する場合です。

play [pl̥eɪ]　please [pl̥iːz]　plow [pl̥aʊ]　pleasant [pl̥ézənt]

plastic [pl̥ǽstɪk]　imply [ɪmpl̥áɪ]　complete [kəmpl̥íːt]

employ [ɪmpl̥ɔ́ɪ]　implausible [ɪmpl̥ɔ́ːzɪbl]

B. [p] のうしろで [r] が無声化する場合です。

pray [pr̥eɪ]　price [pr̥aɪs]　proof [pr̥uːf]　present [pr̥éznt]

proud [pr̥aʊd]　improve [ɪmpr̥úːv]　impress [ɪmpr̥és]

deprive [dɪpr̥áɪv]　depress [dɪpr̥és]　compression [kəmpr̥éʃn]

C. [k] のうしろで [l] が無声化する場合です。

clean [kl̥iːn]　clear [kl̥ɪə]　cloud [kl̥aʊd]　claw [kl̥ɔː]　close [kl̥əʊz]

enclosure [ɪnkl̥ə́ʊʒə]　include [ɪnkl̥úːd]　decline [dɪkl̥áɪn]

D. [k] のうしろで [r] が無声化する場合です。

cream [kr̥iːm]　crazy [kr̥éɪzɪ]　cry [kr̥aɪ]　crow [kr̥əʊ]　cruise [kr̥uːz]

increase [ɪnkr̥íːs]　encroach [ɪnkr̥ə́ʊtʃ]　decry [dɪkr̥áɪ]

どうです？　うまく行きましたか？　自分の発音を録音してみて、手本と違うと思ったら、[pl̥:::iːz], [pr̥:::aɪs], [kl̥i:::n], [kr̥:::iːm] のように無声の部分を引き延ばして発音してみると良い練習になるでしょう。

2.8　鼻音

これまで扱ってきた音では、すべて軟口蓋が上へあがって鼻への通路をふさいでおり、肺から来た空気はすべて口だけから出ていた。

鼻音ではそれと反対に、口腔の中に何らかの閉鎖があり、軟口蓋は下へさがって鼻への通路は開いており、空気はもっぱら鼻から出ていく。(例外は、★[t] の項で扱った [séõn̩s], [hʌ́ õɪŋ], [sẽ̃ʔn̩s], [hʌ̃́ʔnɪŋ] など、[˜] の付いた音で、これらの音ではでは空気は口と鼻の両方から出ていく。)

★ [m]

両唇鼻音である。つまり上下の唇が閉鎖を作り、軟口蓋が下がって鼻への通路が確保された状態で声を出す音だ。日本語のマ行音と特に変わったところはない。ただ一つ、直後に [f], [v] が来ると、この音の閉鎖は両唇から [f], [v] のそれと同じく唇歯に変化する。この音を [ɱ] で表す。comfort [kʌ́ɱfət], circumvent [sɜ̀ːkəɱvént] などがその例である。ネイティヴの人たちは、[m] のためにまず両唇に閉鎖を作り、そのあと [f], [v] のために調音点を唇歯に移す、という手間を省くために最初から鼻音の調音点を唇歯に置くわけだが、外国人学習者は意識的にこれを行う必要がある。

練習 49

A. make, mood のように [m] が母音の前に来る場合はほとんど練習の必要はないでしょう。それに対して [m] が語末に来た場合は、たとえば seem [siːm], game [geɪm] などの語で、*[siːmᵚ], *[geɪmᵚ] のように余分な母音を加えないように注意して練習しましょう。

seem [siːm]　game [geɪm]　lamb [læm]　warm [wɔːm]　calm [kɑːm]

B. [f] や [v] の前の唇歯音 [ɱ] の練習です。前歯の当たる場所が下唇の裏側であることを忘れないでください。

comfort [kʌ́ɱfət]　nymph [nɪɱf]　triumph [tráːəɱf]

come first [kʌ̀ɱ fɜ́ːst]　circumvent [sɜ̀ːkəɱvént]

warm vest [wɔ̀ːɱ vést]　calm voice [kɑ̀ːɱ vɔ́ɪs]

★ [n]

日本語のナ行音子音が歯音であるのに対し、英語の [n] のそれは歯茎部音である（日本語の「タ、テ、ト」が歯音であり、英語の [t] が歯茎部音であるのとまったく並行している）。これが第一の注目点である。

もう 1 つ重要なのは [n] が語末や子音の前に来たときである。英語から日本語に入った「チェーン」「チャンス」の発音は [tʃeːɴ], [tʃaɴsɯ̥] である。[ɴ] はいわゆる「お終いの ‘ン’」であって、この音を発するときは舌は歯にも歯茎部にもどこにもついていない。これを英語に持ち込むのは禁物である。つぎの「練習 50」でしっかり獲得してほしい。

なお、歯茎部音である英語の [n] も、つぎに [θ, ð] が来ると歯音になる。この音は [n̪] で表される。

練習 50

A. 語頭の [n] です。舌先が歯ではなく歯茎部に当たっていることに注意しつつ練習しましょう。

knit [nɪt]　net [net]　know [nəʊ]　knight [naɪt]　new [njuː]
knock [nɒk]　need [niːd]　name [neɪm]

B. 語末や、母音の前の [n] です。最初は間違った発音からやってみます。綴りが m-e-a-n の単語ですが、*[miːɴ], *[miːɴ] ——これでは駄目です。正しくは [miːn], [miːn] です。正しい発音では舌先が歯茎部にしっかり付いているのに、間違った方では舌先がどこにも触っていません。これを確かめるために、日本語の「お終いの ‘ン’」と英語の [n] をそれだけで長く発音しましょう。最初はお終いの ‘ン’ です。[ɴːːːːː]。英語の方は [nːːːːː]。初めの方では舌先がどこにも触っていないのに対して、あとの方では歯茎部に付いていることを確かめてください。

この 2 つの音の違いがもっとよく判るのは、[n] で終わる語のあとに母音で始まる語が来るときです。最初に間違った発音をしてみます。I mean it. *[aɪ miːɴ ɪt], on it *[ɒɴ ɪt], in it *[ɪɴ ɪt]。これは駄目です。正しい発音は [aɪ miːn ɪt], on it [ɒn ɪt], in it [ɪn ɪt] です。この違いは耳で聴いても判りますね。さあ練習しましょう。

pin [pɪn]　mean [miːn]　town [taʊn]　cone [kəʊn]　pan [pæn]
I mean it. [aɪ miːn ɪt]　on it [ɒn ɪt]　in it [ɪn ɪt]　turn out [tɜ̀ːn áʊt]
burn up [bɜ̀ːn ʌ́p]

C. [θ, ð] の前では英語の n も、日本語のナ行音子音と同じ歯音（[n̪]）になります。

ninth [naɪn̪θ]　tenth [ten̪θ]　thirteenth [θɜːtíːn̪θ]　in that [ɪn̪ ðǽt]
on the [ɒn̪ ðə̪]　when they [wen̪ ðeɪ]　than that [ðən ðǽt]

★ [ŋ]

後舌部が軟口蓋との間で閉鎖を作り、軟口蓋は下がって空気の通路を確保している。つまり破裂音 [k, ɡ] に対応する鼻音である。日本語で鼻濁音を使う人（「大学」を [daigakɯ] ではなく [daiŋakɯ] と発音する人）にとっては難しくないが、そういう人の数は近年少なくなった。

鼻濁音を通常は使わないが、出せと言われれば出せる、という人はそれを応用すればいい。鼻濁音とガ行音子音との区別がまったく判らない人は、「金額」「関係」の「ン」の部分を引き延ばして「キン――――ガク」「カン――――ケイ」と言ってみてほしい。そのときの発音は多分 [kiŋ:::gakɯ], [kaŋ:::kei] となっているはずである。つまりこのときの「ン」は「お終いの'ン'」とは違って、後舌部が [g, k] の影響で軟口蓋との間で閉鎖を作っていると思われるからだ。この感覚が掴めたらこれを使うといい。

英語の [ŋ] は（日本語と同じように）語頭では用いられない。

練習 51

A. [ŋ] と [n] とを発音し分ける練習です。

sin [sɪn]~sing [sɪŋ]　thin [θɪn]~thing [θɪŋ]　gone [gɒn]~gong [gɒŋ]
ton [tʌn]~tongue [tʌŋ]

B. 語中の [ŋ] の練習です。「歌い手」の singer を *[síŋgə] などと発音しないようにしましょう。

singer [síŋə]　singing [síŋɪŋ]　swinging [swíŋɪŋ]　hanger [hǽŋə]
bringing [bríŋɪŋ]

C. -ng- という綴りを持つ単語がすべて [ŋ] だけ発音して [g] は持たない、というわけではありません。つぎに練習する語では、いずれも [g] が発音されます。

finger [fíŋgə]　linger [líŋgə]　angle [ǽŋgl]　single [síŋgl]
language [lǽŋgwɪdʒ]　hunger [hʌ́ŋgə]　anger [ǽŋgə]

D. long, strong, young の 3 つの形容詞に気を付けましょう。これは原級では [ŋ] で終わりますが、比較級・最上級になると [g] が発音されます。練習してください。

long~[lɒŋ]~longer~[lɔ́ŋgə]~longest[lɔ́ŋgɪst]
strong[strɒŋ]~stronger [strɔ́ŋgə]~strongest [strɔ́ŋgɪst]
young [jʌŋ]~[jʌ́ŋgə]~[jʌ́ŋgɪst]

E. つぎにあげる語では、[ŋ] だけ、あるいは [ŋg] を使う、の両方が見られます。つまり、どちらの発音でもいいわけです。

England: [íŋlənd]/ [íŋglənd]　English: [íŋlɪʃ]/[íŋglɪʃ]
anxiety: [æŋzá:ətɪ]/[æŋgzá:ətɪ]　hangar: [hǽŋə]/[hǽŋgə]

2.9　半母音

[w] と [j] を指す。前者は日本語の「ワ」の子音、後者は「ヤ、ユ、ヨ」の子音と基本的に同じである。(後者はローマ字表記では ya, yu, yo と書かれるが、発音記号では [y] がフランス語などの母音の 1 つを表す記号として使われるので、[j] —— [dʒeɪ] ではなく yod [jɒd] と呼ばれる——が用いられている。)

基本的に同じ、とは言いながら、英語の [w], [j] には日本語のそれにはない特徴がある。その 1 つは、英語の [w], [j] はいろいろな母音の前に現れるが、日本語の [w] は [a] の前にしか現れないし、[j] も日本語では後に続く母音の種類は、後述するように英語の場合より少ない。もう 1 つは、英語の [w], [j] は日本語のそれより「強い」という点である。これも具体的には後で述べる。

半母音の最大の特徴は、その「移行性」にある。こう言っただけでは理解できなくても不思議はない。[w], [j] おのおのの項で説明しよう。

★ [w]

日本語「ワ」の子音では唇の要素がごく弱いのに対して、英語の [w] を発する際の唇の丸めは非常に強い。このため英語の [w] はずっと「強く」聞こえるわけである。日本人学習者は、少なくとも最初のうちは、いわゆる「おちょぼ口」をして練習することを奨める。

ただし、いくら「おちょぼ口」をしても、その状態を固定したまま声を出したのでは、唇の丸めの強い母音が出るだけで、[w] は発音されない。[w] はあくまでもつぎに来る母音の発音に移る時に出てくるのである。上で半母音の特徴はその「移行性」にある、と言ったのはこの意味なのだ。

week [wi:k] と walk [wɔ:k] を例にとろう。どちらも日本語に入っているが、その代表的発音は [ɯi:kɯ̥], [ɯo:kɯ̥]、つまり [ɯ] (=「ウ」) という母音で始まっている。むろん日本語としてはこれでいいわけだが、これを英語に持ち込むことはできない。どうすれば [w] を正しく発音できるか？

まず唇をすぼめてほしい。この段階ではこの状態を固定しておいて構わない。しかし声は出さない（声帯を振動させない）でおく。ただし息は止めないこと。息を止めると声を出す段階になって声門閉鎖音 [ʔ] が生まれてしまう。この状態から [iː] や [ɔː] などの母音に移る。そうすれば [wiː] や [wɔː] などの「w+ 母音」の正しい発音が得られる。つまり正しい [w] の発音が得られる。得られないとすれば、それはせっかくの「おちょぼ口」を母音に移る前に開いてしまうからだ。唇のことは意識せずに母音に移ればいいのである。もし母音が [iː] ならば唇は自然に [iː] のために横に引かれるし、その他の母音でも、その母音用の形に変わってくれる。「おちょぼ口」から母音への移行の際に正しい [w] が生まれるのである。

つぎに来る母音が wood [wʊd], woo [wuː] のように [ʊ], [uː] である場合は、少し難度が増すかもしれない。[ʊ], [uː] が唇の丸めの強い母音であるため、同じく唇の丸めのつよい [w] との間にいわば「近親憎悪」が生ずるためと言えよう。コツは、しかし、他の母音の場合と同じである。「おちょぼ口」を、息は軽く吐きながら声は出さず、could [kʊd] や mood [muːd] で習得した [ʊ], [uː] に移行するのである。

GA では、wh- で始まる疑問詞の what, when where, why、また white, whale などの語に、無声の [w̥] を使う人が多い。この音を [w̥] で表す。RP でもこれらの語に [w̥] を用いる人がいるが、少数派と言ってよい。なお、who, whom, whose, whole, などは、GA、RP のどちらでも無声の [w] ではなく [h] が用いられる（[huː], [huːm], [huːz], [həʊl] など）ので注意しよう。

練習 52

A.　まず、つぎの日本語を聞いてください：「わたくしにはわけがわかりません」。普通の日本語ですね。これを w の部分を強めて言ってみます：「わたくしにはわけがわかりません」。何か不自然ですね。この、日本語としては不自然に強い w が英語としては自然なのです。「おちょぼ口」から始めて母音に移る、というのを忘れずに練習してください。いいですか、最初に出てくるのは *[ɯet] ではなく [wet] ですよ。

wet [wet]　wheat [wiːt]　wait [weɪt]　wag [wæg]　walk [wɔːk]

where [wɛə]　why [waɪ]　what [wɒt]　white [waɪt]　whale [weɪl]

B.　無声の [w] を練習しましょう。

wheat [w̥iːt]　whim [w̥ɪm]　whether [w̥éðɚ]　whack [w̥æk]
what [w̥ʌt]　white [w̥aɪt]　whale [w̥eɪl]　where [w̥ɛə]　why [w̥aɪ]
while [w̥aɪl]

C.　[ʊ] と [uː] の前に来る w です。最初の「おちょぼ口」を特に強くしてください。

wood [wʊd]　wool [wʊl]　woman [wʊ́mən]　wolf [wʊlf]
Worcester [wʊ́stə]　woo [wuː]　wooed [wuːd]　wound [wuːnd]
woozy [wúːzɪ]

D.　「仕事」の work とか、「単語」の word などの発音に意外に手こずる人がいます。日本語化した「ワーク」「ワード」などに引きずられるからかもしれません。w のための「おちょぼ口」から [ɜː] のための「横に拡がった唇」に移るのだと考えれば、そう難しくないはずです。

work [wɜːk]　word [wɜːd]　world [wɜːld]　worm [wɜːm]
worse [wɜːs]　worth [wɜːθ]　worthy [wɜ́ːðɪ]

★ [j]

これは日本語の「イ」や、英語の [iː] よりもさらに前舌部を硬口蓋に近づけて出す音である。ただし母音のように固定した舌の位置で発せられるのでなく、[w] の場合のように「移行性」に特徴を持つ。

日本語に「ヤ、ユ、ヨ」があるために、「ア、ウ、オ」に似た英語母音の前にある [j] については日本人学習者にさしたる困難はないようだ。yes [jes], yea [jeɪ] などについても、かなり原音に近い形で日本語に取り入れられている。多少困難があるとすれば、yeast [jiːst], year [jɪə] など、[iː], [ɪ] の前の [j] の場合だろう。[uː], [ʊ] の前の [w] の場合と同様、「近親憎悪」が働くためだろう。[iː], [ɪ] の前で [j] を発するときは、第 1 章で紹介した基本母音の C [i] の舌の位置を取り、声は出さずにただし息は軽く吐きながら、[iː], [ɪ] に移行するようにするとよい。

なお、[juː] という音連続についてひとこと言っておきたい。RP ではこれはほとんどの子音の後に現れる。pew [pjuː], beauty [bjúːtɪ], cue [kjuː],

argue [ɑ́:gju:], tune [tju:n], due [dju:], duty [djú:tɪ], news [nju:z], view [vju:], huge [hju:dʒ] などが示すとおりである。だが、[s] と [z] のあと、そして [ju] が強勢を持たないときの [l] のあとでは、assume [əsú:m], suit [su:t], presume [pɪrzú:m], absolute [ǽbsəlu:t], salute [səlú:t], revolution [rèvəlú:ʃn] などが示すように、[j] が消失した発音が勢いを得ている。GA ではもっとこの傾向が進んでいて、tune [tu:n], due [du:], duty [dú:ᴅi:], news [nu:z] 等が多数派で、tune [tju:n], due [dju:], duty [djú:ᴅi:], news [nju:z] はめったに聞かれない。(現に筆者のところへ due to~ のつもりで do to~ と書いたメールを寄越したアメリカの友人がいる。元は州の判事で現在弁護士だから教育程度は高いのだが GA では do と due が同音なため生じた打ち違いだろう。) ただし、[ju:] に先立つ子音が両唇音・唇歯音・軟口蓋音である場合は [j] は失われない。つまり、pew を *[pu:]、beauty を *[bú:ᴅi:]、few を *[fu:]、view を *[vu:]、cue を *[ku:]、argue を *[ɑ́:gu:] と発音することはない。(ただ deja vu や voodoo は例外で [dèɪʒɑ: vú:], [vú:du:] と発音される。) もっとも、学校の国語 (= 英語) の先生に「[ju:] の [j] を抜かした発音は間違いだ」とやかましく言われた人が「直しすぎ」をやってしまって、noon [nu:n], coupon [kù:pɒn] のように本来 [j] を持たなかった語まで [nju:n], [kjù:pɒn] と発音してしまっている例はある。

もう 1 つ、英語には *[rju:] という音連続は存在しないことを指摘しておく。Andrew, Andrews, brew, grew はそれぞれ [ǽndru:], [ǽndru:z], [bru:], [gru:] である。

練習 53

A. 特に yeast [ji:st] など、[i:] や [ɪ] のまえの yod をきちんと発音するように注意しましょう。

yeast [ji:st]　yield [ji:ld]　yes [jes]　yellow [jéləʊ]　yak [jæk]
yacht [jɒt]　youth [ju:θ]　yoke [jəʊk]　yard [jɑ:d]　yearn [jɜ:n]

B. つぎの 2 つずつの語を区別できるようにしましょう。

yeast [ji:st]~east [i:st]　yield [ji:ld]~eeled [i:ld]　year [jɪə]~ear [ɪə]
yet [jet]~ate [et]　yearn [jɜ:n]~earn [ɜ:n]

まあ、難しいのは [i:], [ɪ] の前にある場合だけですね。このうち、y-e-a-r についてはもっと易しい発音があります。[jɜ:] です。three years ago [θriː jɜːz əgəʊ] のように言います。

★ [w] と [j] の無声化

twice, queen のように、音節の初めに [t] か [k] が来て、そのあとに [w]、そしてつぎに来る母音に強勢があると、[w] は完全に無声化する。つまり上記の 2 語は [tw̥aɪs], [kw̥iːn] と発音されるのである。同じように、[j] が [p, t, k, h] のあとに来、つぎの母音に強勢があると、[j] は★ [h] の項でおなじみの摩擦音 [ç] となる。pew, cue はそれぞれ [pçuː], [kçuː] と発音されるのである。

練習 54

A. twice [tw̥aɪs], queen [kw̥iːn] などの [w̥] は、日本語「フ」の子音、つまり [ɸ] であると考えて差し支えありません。上手く発音できない場合はこの [ɸ] を引き延ばして [tɸ::::], [kɸ::::] と発音し、そのあとに母音を発すればいいでしょう。[tɸ::::aɪs][kɸ::::iːn] という具合です。

twice [tɸaɪs]　twin [tɸɪn]　tweed [tɸiːd]　twenty [tɸéntɪ]
twain [tɸeɪn]　queen [kɸiːn]　quick [kɸɪk]　quite [kɸaɪt]
quaint [kɸeɪnt]　quark [kɸɑːk]

B. 今度は pewt [pçuːt] などの練習です。最初は [ç] を引き延ばして [pç:::uːt] などとやるとよいでしょう。

pewt [pçuːt]　puma [pçúːmə]　compute [kəmpçúːt]　tune [tçuːn]
tube [tçuːb]　opportunity [ɒ̀pətçúːnɪtɪ]　cue [kçuː]　accuse [əkçúːz]
cucumber [kçúːkəmbə]

第３章　強勢

3.1　単語の強勢

「つぎの単語のそれぞれについて、1 番強く発音される音節の番号を解答欄にマークしなさい」といった問題は、入試などにもよく出される。たしかに、同じ 3 音節語でも、cámera, veránda, kangaróo に見るとおり、3 通りの可能性がある。日本語で「ハシ」の「ハ」と「シ」のどちらを高く発音するかによって「箸」「橋」の区別がつくのと違い、*kangároo と発音しても意味が違ってくるわけではないので、どうでもいいではないかと言いたいところだが、実際には強勢の位置を間違えるとその単語が通じないことが往々にしてある。だから上に挙げたようなタイプの問題が出されるわけである。

★第 1 強勢

たしかに、上の cámera, veránda, kangaróo だけを見ると第 1 強勢の置き場所は予測が付かないように思える。だが実はちゃんとした法則があるのだ。cam-er-a の場合は最後の 2 つの音節がいずれも短母音を持っており、またこの 2 つの母音の間には子音が 1 つ (r) しかない。こういう場合は (全体の音節数が 3 を超えていても) うしろから 3 番目の音節に第 1 強勢が来る。同じ仲間に ínteger, aspáragus, Cánada などがある。ve-ran-da では、最後の 2 つの音節が短母音を持っている点は camera と同じだが、2 つの短母音の間に -nd- という 2 つの子音がある。こういう時は最後から 2 番目の音節が第 1 強勢を受ける。同じ仲間に Aláska, Septémber, amálgum がある。kangaroo では最後の音節の母音が長母音である。最終音節に長母音や二重母音を持つ単語はその音節に第 1 強勢が来る。chimpanzée, seranáde, magazíne はこのタイプである。

　こうした法則に興味のある人には拙著の『新しい発想による英語発音指導』(大修館書店)、より詳しくは『英語学大系・音韻論 II』(同) をぜひ読んでほしい。この本では、紙数がないことと、辞書を引けば第1強勢の位置は判るので詳しくは紹介しない。辞書では第1強勢が [kæ̀ŋgərúː] のように [´] で示してあるか、[ˌkæŋgəˈruː] のように [ˈ] で表されている。([`] と [ˌ] は、3つあとの項で扱う第2強勢を示す記号。)

★第1強勢の移動

photograph [fóʊtəgrɑːf]/photography [fətɒ́grəfɪ] /photographic [fòʊtəgrǽfɪk] の3語を見てほしい。photograph に -y とか -ic という「派生語尾」が付くと、第1強勢の位置が移動して、それに伴い pho- の -o- や -graph- の -a- が表す母音も違うものになっていることがわかる。近頃では中・高校における英語教育の時間削減のせいか、「派生語尾による強勢の移動」ということを知らない学習者が増えている。music が [mjúːzɪk] なのだから、それに -ian の付いた musician は *[mjúːzɪʃən] だと思い込んでは困る。[mjuːzíʃən] が正しいのだ。-ology がついた musicology では [mjùːzɪkɒ́lədʒɪ] と第1強勢はもう1つうしろへ動くし、これに -ical- を加えると [mjùːzɪkəlɒ́dʒɪkəl] と、さらに1音節うしろに移動する。

派生語尾がたくさん付いた語でも、第1強勢がどこに来るかを決める法則は基本的に前項の camera, veranda, kangaroo 等の場合と同じである。興味のある向きは『英語学大系・音韻論 II』を参照されたいが、辞書で第1強勢の位置を確認する方が手っ取り早い。いずれにせよ、相手に単語を「通じさせる」ためには正しい位置に第1強勢を置くことが重要である。

★意識的変容

ある単語に注意を集中させるため、わざとその第1強勢の位置をいわば狂わすことがある。学習者がこの手段を用いることを特に奨めるわけではないが、受容的知識として備えておくのも必要であろうと考え、(1) にその例を挙げる。

(1) a. In a case of this kind, Mrs. Hall, our first concern is to persuade the patient that he is a stalagmíte [stəlægmáɪt].

b. Natural régularity [régjʊlərɪtɪ].

c. The notion of length and unfamiliarity----or, to put it in reverse, condensation and fámiliarity [fǽmɪlɪərɪtɪ].

d. Though of the two plans plan A is in the minority in the department, Mr. X's candidacy is being advocated as if the opposite were true, with plan A somewhat the májority [mǽdʒərɪtɪ] in the department.

e. If we were ambassadórs [æmbǽsədɜ́ːz]...

a はアメリカの漫画のキャプションである。話し手は精神科医、Mrs. Hall は患者の夫人。患者はと言えば、天井に、まるでハエがとまっているかのように頭を下にして「立って」いる。この患者は自分が鍾乳石（stalactite; GA の発音では [stəlǽktaɪt]）だと思っているのだ。そこで医者としては、人間であることをすぐさま当人に納得させるのは難しいので、第 1 歩として石筍（stalagmite: これは地面から「生えて」いる；GA の「正しい」第 1 強勢位置は [stəlǽgmaɪt]）であることを納得させようというお笑いである。「stalactite ではなくて stalagmite」という対比を強調するために後者の第 1 強勢の位置が意識的にずらされているのだ。b は便秘薬のラジオ・コマーシャルで、irregulárity に対比させるのに regulárity では第 1 強勢の位置が同じなためパンチが弱いという意識が régularity という一時的・変則的な強勢配分を生んだと言える。c, d の fámiliarity, májority という変則的発音についても同様のことが当てはまる。e は英国皇太子（まだダイアナ妃との不仲は知られていなかったころ）がテレビ番組のインターヴューアによる「殿下と妃殿下は、各国を訪問され親善を深める、大使の役割を果たしておいでです」というコメントに対して述べた「本当の大使ならばその国に何年も滞在するわけですが、私たちの場合は数日間なので…」の下線部に相当する箇所である。もちろん ambassadors の意識的変容のない発音は [æmbǽsədəz] だ。

★第 2 強勢

単語を「通じさせる」ためには、第 2 強勢も第 1 強勢に劣らず重要である。examination に第 1 強勢のみを使って *[ɪgzəmɪnéɪʃn] と発音したのでは不明瞭だ。[ɪgzæ̀mɪnéɪʃn] と第 2 強勢もきちんと使わないと通じにくい。

第 2 強勢は serenade [sèrənéɪd] のように短い単語にも現れるし、上記のように派生語尾が付いてできた単語にも現れる。後者の場合、phótograph/phòtográphic とか、exámine/exàminátion などだけを見ると、「派生語尾が付く前に第 1 強勢を持っていた母音が第 2 強勢になるのだ」と思いたくなるかもしれないが、explain [ɪkspléɪn]/explanation [èksplənéɪʃn], compete [kəmpíːt]/competition [kɒ̀mpətíʃən] などの対をみれば、これが必ずしも正しくないことが判る。第 2 強勢にもその位置を決定する法則（これは面白いことに、第 1 強勢の位置決定法則によく似ている）があり、上掲の拙著にも述べられているが、重要なことは辞書でその単語に第 2 強勢があるかどうか、あればどこにあるかを [ˋ] ないし [ˌ] を探すことにより確認して、それを正しく使うところにある。

なお、派生語尾の中には、-ly, -ness, -ment, -like（spórtmanlìke など）, -hood（bachelorhood など）のように、第 1 強勢の位置に移動を起こさないものもある。instáll [ɪnstɔ́ːl] に -ation が付けば installátion [ìnstəléɪʃn] と移動（および第 2 強勢の発生）が起こるが、-ment が付いた instállment [ɪnstɔ́ːlmənt] には移動が起こらない。

練習 55

A. 第 1 強勢、第 2 強勢に注意して練習しましょう。なお、「強勢」というのは「強く発音する」という意味ですが、同時に「長く、また音程を高く発音する」ということでもあります。この練習のように単語をそれぞれ単独に発音するときは特にそれが顕著に現れます。[ɪgzæ̀mɪnéɪʃn] では [néɪ] のところが 1 番強く、高く、長く発音され、[zæ̀m] がそれに次ぎ、あとの音節は弱く、低く、短く発音されます。

kangaroo [kæ̀ŋgərúː]　serenade [sèrənéɪd]　comprehend [kɒ̀mprɪhénd]
understand [ʌ̀ndəstǽnd]　examination [ɪgzæ̀mɪnéɪʃn]
photographic [fə̀ʊtəgrǽfɪk]　musicology [mjù:zɪkɒ́lədʒɪ]
explanation [èksplənéɪʃn]

B. さて、explain の形容詞形は RP では explanatory [ɪksplǽnətərɪ] ですが、GA では explanatory [ɪksplǽnətɔ̀ːriː] です。全般的に言って、アメリカ英語の方がイギリス英語よりも「綴りに忠実に発音する」傾向があります。RP、GA の違いを確認しましょう。なお、GA では、つぎの録音にある [-tɔ̀ːriː], [-tèəriː] の [t] の代りに「有声の t」（[ᴅ]）を使う発音もあります。

explanatory [ɪksplǽnətrɪ]　explanatory [ɪksplǽnətɔ̀ːriː]

anticipatory [æntísɪpətrɪ]　anticipatory [æntísɪpətɔ̀ːriː]

territory [térɪtri]　territory [térɪtɔ̀ːri]　secretary [sékrɪtrɪ]

secretary [sékrətɛ̀əriː]　sedentary [sédn̩trɪ]　sedentary [sédntɛ̀əriː]

momentary [mə́ʊməntrɪ]　momentary [móʊməntɛ̀əriː]

ただし、compulsory [kəmpʌ́ls(ə)rɪ], advisory [ədváɪz(ə)rɪ], elementary [èlɪmént(ə)rɪ], documentary [dɒ̀kjʊmént(ə)rɪ] などでは、-ory, -ary の -o-, -a- が表している母音はGAでも第2強勢を持っていずに、[ə] となっており、この点に関してはRPと同一です。これは第1強勢がすぐ隣にあるためと考えられます。(最初の方であげた photography [fətɒ́grəfɪ] の pho- が第2強勢を持たずに [fə] となっているのも同じ理由からでしょう。

★複合語の強勢

bláckbòard, gírlfrìend, chócolate-bòx, níght-tìme, snáck bàr, políce òfficer のように単語と単語が組み合わされて1つの単語を作っているものを複合語(または合成語)という。blackboard のように1つながりで書かれるものも、chocolate-box のようにハイフンでつながれているものも、snack bar のようにスペースを空けて書かれるものもある。上に挙げた名詞ばかりではなく、áir-condìtion, bóot-lìck, tróuble-shòot, dóg-pàddle のような複合動詞や、héart-bròken, róse-còloured, méaly-mòuthed, báll-contròl といった複合形容詞もある。

上に挙げた例では、[´], [`] で示したとおり、いずれも最初の要素が第1強勢を、2番目の要素が第2強勢を持っている。これが複合語の強勢配分の典型である。こうした強勢配分を持つ複合語は、同じ要素から成るフレーズ(句)と明白な対照を示す。bláckbòard は「黒板」という名詞だが blàck bóard は「黒い板」という意味の名詞句である。同じ区別が gréenhòuse(温室)と grèen hóuse(緑色の家)、Whíte Hòuse(米大統領官邸・ホワイトハウス)と whìte hóuse(白い家)に見られる。[´`] 型の複合語が日本語に入ると、「ガアルフレンド」「スナックバア」というアクセントになる。日本語としてはこれが自然なのだが、英語に逆輸出するのは不可である。

「最初の要素が第1強勢、2番目の要素が第2強勢」というのが典型であると言ったが、これには実はたくさんの例外がある。ápplesàuce 対 àpple píe、héart-bròken 対 hèart-bréaking の差はどうも理屈ではなかなか説明できないし、rèd-hót, skỳ-blúe, fàncy-frée, sèlf-évident などの例を見ると、2番目の要素がそれ自身形容詞である場合はそこに第1強勢が来る、と思いたくなるが、hèad-stróng など例外のまた例外もある。crỳstal báll を見て占いをする人は crýstal gàzer であるし、greenhouse や applesauce のように1語で綴るものはみな [´`] 型かと思えば、àrchbíshop, chùrchwárden が出てくるし、かと思えば árchàngel, chúrchyàrd もある。

こういう次第なので、複合語の強勢配分については、辞書で確認するほかないのである。なお、police officer union, labour union president, kitchen towel-rack, evening phonetics class など、2語を超える複合語の強勢配分については、『英語学大系・音韻論 II』を参照してほしい。

★人名・地名など

人名・地名・施設などを表す2語以上からなる表現は広い意味で複合語の1種と考えられるが、その強勢配分は圧倒的に [`´] 型である。まず人名は、Tòny Bláir, Gèorge Búsh など例外なしにこの型である。地名・建物名・施設名も Òxford Róad, Pàrk Láne, Sùnset Bóulevard, Màdison Ávenue, Pìccadilly Círcus, Tìmes Squáre, Bùckingham Pálace, Èiffel Tówer, Wìndsor Cástle, Lìncoln Memórial, Wàshington Mónument などが示すように、断然 [`´] 型が多い。Whíte Hòuse はむしろ例外なのである。

街路名については、第2の要素が Road, Lane, Avenue などであるときは上例に見るとおりそれが第1強勢を持つが、唯一、第2要素が Street であるときは、Óxford Strèet, Régent Strèet, Wáll Strèet が示すとおり、[´`] 型になる。street が街路の中では最も中立的だから、という説明もある。これが正しければ、Whíte Hòuse がこの型を持つのは、house が建物の中で最も中立的だから、ということになろう。しかし pùblic hóuse は [`´] 型である。

★語句の中での単語の強勢移動

ロンドンに Piccadílly という通りがある。その第1強勢は示したとおり後から2番目の音節にある。Piccadílly の東端にあるのが Pìccadilly Círcus なのだが、Circus が付くと Piccadilly の中の一番強い強勢は Pic- のところに移ってしまう。同じくロンドンに Waterlóo という地区がある。だがそこからテムズ河に架かっている橋の名は Wàterloo Brídge である。地名・施設名だけではない。thirtéen, good-lóoking, Japanése, supernátural, fundaméntal, mathemátical 等が、つぎの語連続ではいずれも強勢移動を起こしているのを見るとよい。thìrteen mén, gòod-looking pólo player, Jàpanese stúdent, sùpernatural béing, fùndamental chánge, màthematical tábles。

練習 56

A. 第1強勢が先に来るものとあとに来るものが順不同に並んでいます。しっかり発音し分けましょう。

blackbòard [blǽkbɔ̀ːd]　black board [blæ̀k bɔ́ːd]　red-hot [rèd hɒ́t]
girlfriend [gɜ́ːlfrènd]　sky-blue [skàɪ blúː]　fancy-free [fæ̀nsɪ fríː]
self-evident [sèlf évɪdnt]　greenhouse [gríːnhàʊs]
green house [grìːn háʊs]　White House [wáɪt hàʊs]
white house [wàɪt háʊs]　chocolate-box [tʃɒ́klɪt bɒ̀ks]
crystal-clear [krɪ̀stl klíə]　crystal ball [krɪ̀stl bɔ́ːl]
crystal gazer [krístl gèɪzə]　night-time [náɪt tàɪm]
Oxford Road [ɒ̀ksfəd rə́ʊd]　snack bar [snǽk bɑ̀ː]
police officer [pəlíːs ɒ̀fɪsə]　Màdison Ávenue [mæ̀dɪsn ǽvɪnjuː]
air-condition [ɛ́ə kəndɪ̀ʃn]　boot-lick [búːt lɪ̀k]　overrun [ə̀ʊvərʌ́n]
trouble-shoot [trʌ́bl ʃùːt]　dog-paddle [dɒ́g pæ̀dl]
heart-broken [hɑ́ːt brə̀ʊkn]　heart-breaking [hɑ̀ːt bréɪkɪŋ]
rose-coloured [rə́ʊz kʌ̀ləd]　mealy-mouthed [mìːlɪ máʊðd]
ball-control [bɔ́ːl kəntrə̀ʊl]　apple pie [æ̀pl páɪ]　applesauce [ǽplsɔ̀ːs]
archbishop [ɑ̀ːtʃbíʃəp]　churchwarden [tʃɜ̀ːtʃwɔ́ːdn]
churchyard [tʃɜ́ːtʃjɑ̀ːd]　Park Lane [pɑ̀ːk léɪn]
Oxford Street [ɒ́ksfəd strìːt]　Sunset Boulevard [sʌ̀nset vúːlvɑːd]
Regent Street [ríːdʒnt strìːt]　Wall Street [wɔ́ːl strìːt]
pùblic hóuse [pʌ̀blɪk háʊs]

B. 語句の中での単語の強勢移動を練習しましょう。移動していない形と移動した形が対になっています。

①イ．I saw him in Piccadilly. [aɪ sɔ́ː ɪm ɪn pìkədílɪ]

ロ．I saw him in Piccadilly Circus. [aɪ sɔ́ː ɪm ɪn pìkədɪlɪ sə́ːkəs]

②イ．He works in Waterloo. [hɪ wə́ːks ɪn wɔ̀ːtəlúː]

ロ．They went across Waterloo Bridge. [ðeɪ wènt əkrɔ́s wɔ̀ːtəluː brídʒ]

③イ．He's thirteen. [hiːz θə̀ːtíːn]

ロ．There were about thirteen men. [ðə wər əbaʊt θə̀ːtiːn mén]

④イ．Mary is good-looking. [mέərɪ ɪz gʊ̀d lʊ́kɪŋ]

ロ．She likes good-looking polo players.

[ʃiː láɪks gʊ̀d lʊkɪŋ pə́ʊləʊ plὲəz]

⑤イ．He's Japanese. [hiːz dʒæ̀pəníːz]

ロ．She's a Japanese student. [ʃiːz ə dʒæ̀pəniːz stjúːdnt]

⑥イ．That's simply supernatural! [ðǽts símplɪ sjùːpənǽtʃrəl]

ロ．Son-Goku had supernatural powers.

[són góku: had sjùːpənætʃrəl pɑ́ːəz]

⑦イ．That rule is fundamental to it. [ðǽt rùːl ɪz fʌ̀ndəméntl tʊ ɪt]

ロ．That brought about a fundamental change.

[ðǽt brɔ̀ːt əbáʊt ə fʌ̀ndəmentl tʃéɪndʒ]

⑧イ．That isn't mathematical. [ðǽt ɪznt mæ̀θɪmǽtɪkl]

ロ．Consult your mathematical tables.

[kənsʌ́ltʃɔː mæ̀θɪmætɪkl téɪblz]

⑨イ．That is not constitutional. [ðǽt ɪz nɔ́t kɔ̀nstɪtjúːʃnl]

ロ．Japan is a constitutional monarchy.

[dʒəpǽn ɪz ə kɔ̀nstɪtjuːʃnl mɔ́nəkɪ]

3.2　文の強勢

つぎの3例を見てほしい。

(2) Énglish is éasy.

(3) Énglish is very éasy.

(4) An Énglish lesson is very éasy.

どの例でも、English と easy（の第 1 強勢を持つ音節）だけが強勢を持っており、他の単語（を構成する音節）には強勢がない。これは英語には単語の強勢とは別に「文強勢」があるためである。なにも English と easy に文強勢を常に受ける性質があるわけではなく、話し手の意図次第でこれらの語が文強制を受けない場合もあるし、an, lesson, is, very がこれまた話し手の意図次第で文強勢を受けることもある。文強勢がどういう原理でどこに置かれるかの話は後回しとして、まずは文強勢というものが存在することを確認してほしい。

もう 1 つ知ってほしいことは、(2)、(3)、(4) はこの順で単語数が、ということは音節数が増えているにもかかわらず、Eng- と eas- という音節の間の時間的間隔はほぼ等しいという点だ。ということは、(2) の -lish is、(3) の -lish is very、(4) の -lish lesson is very はほぼ同じ時間を使って発せられるということだ。これは日本語にない特徴だ。日本語は文が長くなればその分それを言う時間が長くなる。英語のように強勢ごとに拍（ビート）が来る言語を「強勢拍子」の言語と言い、日本語のように音節ごとに拍の来る言語を「音節拍子」の言語という。早速つぎの練習で確認・会得してほしい。

練習 57

まず、正しくない言い方からやってみます。

(2) English is easy.

(3) English is very easy.

(4) An English lesson is very easy.

これではいけませんね。個々の音はいいのですが、音節拍子を英語に持ち込んでいます。まるで日本語を習いたての英語国民が強勢拍子を日本語に持ち込んで「ワ**タ**クシハ　キ**オ**トゥ（京都）ニ**イ**テキマシタ」と言うのと同じ誤りです。正しい強勢拍子を学びましょう。

(2) Énglish is éasy.

(3) Énglish is very éasy.

(4) An Énglish lesson is very éasy.

ビートごとに机かなにかを軽く叩きながら、2 つのビートの間隔がほぼ同じになるようにするのもいい練習法でしょう。やってみてください。

(2) Énglish is éasy.
(3) Énglish is very éasy.
(4) An Énglish lesson is very éasy.

ではこの文強勢がどういう原理で配分されるのかを見よう。原理が1つだけならよいのだが、実はたくさんある。話し手はその伝達目的に応じて、いずれかの原理を用いるのである。

★伝達の焦点

つぎの例を見てみよう。

(5) Then he tóok a tráin and wént to Óxford.

[´] の付いた単語が文強勢を受けている。この4語だけをつなげてつぎのように言ったとすればどうなるか？

(6) *Took train went Oxford.

これはもちろん、まともな文ではない。しかし「誰かが列車に乗ってオクスフォードに行ったらしい」ことはわかる。これに対して、文強勢が付いていない単語を並べるとどうか？

(7) *Then he a and to.

こちらは、まともな文でないばかりか、そこからは何の「意味らしい」ものも伝わってこない。つまり (6) の4語は (5) の文意を伝えるための重要度がきわめて大きいのに対して、(7) の5語は重要度がずっと低い。言い方を換えれば、(6) の4語は (5) によって伝えられようとしている情報の「焦点」なのだ。ここから「文（より正確には「発話」）の焦点となっている単語は文強勢を受ける」という原理があることがわかる。

つぎに (8) を見てほしい。

(8) It was an unúsually dárk níght.

これが物語か何かの第 1 文だったとする。そうすると最後の 3 語の情報的重要性は高く、最初の 3 語の重要性は低い。だから最初の 3 語には文強勢がなく、最後の 3 語にはそれが置かれるのである。(8) とまったく同じ文がつぎのやりとりの B として使われた場合はどうか？

(9) A:　What sort of a night was it?
　　 B:　It was an unúsually dárk night.

今度は night には文強勢が付いていない。A の質問に night が含まれているので、B の答えは night に関することに決まっているから、この語の重要性がなくなっているからだ。さらに

(10) A:　Was it dark last night?
　　 B:　It was an unúsually dark night.

では B の答えの dark からも文強勢が消えている。A が質問の中で dark と night の両方をすでに発しているからである。B としては Yes. Unusually. とだけ答えてもよいところだ。

ところで、(6) の 4 語のうち、took, went は動詞であり、train, Oxford は名詞である。一方、(7) の 5 語はこの順に接続詞・人称代名詞・冠詞・接続詞・前置詞である。このことから、名詞・動詞・形容詞のような「意味豊富」な単語は文強勢を受け、接続詞等の「意味希薄」な単語は受けない、という説を唱える人もいるが、これは誤りである。すでに (9B) では名詞が、(10B) では形容詞と名詞が文強勢を受けずにいる例を見たし、接続詞等が文強勢を受ける例としてはつぎのようなものがある。

(11) A:　What are you gonna do about it?
　　 B:　That’s none of yóur business.
(12) Put it ón the table, not bý the table.
(13) I didn’t say “thé” book, I said “á” book.

〔「その本」と言ってはいないよ。ただ「本」と言っただけだ。〕

(5)のような文でも、もし

(14) No, he didn’t drink in the train to Oxford: he had six martinis in London and …〔いや、彼はオクスフォード行きの列車の中で飲んだ訳じゃない。ロンドンでマーティーニを 6 杯飲んで…〕

という文のあとに続けて言われるのであったら、

(15) …**thén** he took a train and went to Oxford.

のように then だけが文強勢を受けて、残りはすべて弱化する。

練習 58

5 番と、8 番以下の例を練習しましょう。文強勢を受けていない単語は、弱いだけでなく「手っ取り早く」言ってしまうように心がけてください。

(5) Then he tóok a tráin and wént to Óxford.
[ðən iː túk ə tréɪn ən wént tʊ ɒ́ksfəd]

(8) It was an unúsually dárk níght. [ɪt wəz ən ʌnjúːʒʊəlɪ dɑ́ːk náɪt]

(9 B) It was an unúsually dárk night. [ɪt wəz ən ʌnjúːʒʊəlɪ dɑ́ːk naɪt]

(10B) It was an unúsually dark night. [ɪt wəz ən ʌnjúːʒʊəlɪ dɑːk naɪt]

(11B) That’s none of yóur business. [ðæts nʌ́n əv jɔ́ bɪznɪs]

(12) Put it ón the table, not bý the table.
[pʊt ɪt ɒ́n ðə teɪbl, nɒ́t báɪ ðə teɪbl]

(13) I didn’t say “thé” book, I said “á” book.
[aɪ dídnt seɪ ðíː bʊk, aɪ sed éɪ bʊk]

(14) No, he didn’t drink in the train to Oxford: he had six martinis in London and…thén he took a train and went to Oxford.
[nəʊ, hiː dídnt drínk ɪn ðə tréɪn tʊ ɒ́ksfəd: hɪ hæd síks mɑːtíːnɪz ɪn

lʌ́ndən ən ðén ɪ tʊk ə treɪn ən went tʊ ɒksfəd]

★どの単語が「弱化」されるか？

発話の中の情報上重要な単語を強調し、他の単語は相対的に弱く言う、というのは理にかなった伝達法だが、人間が必ず守らなければならない論理的必然性はない。それが証拠に日本語ではあまりこういう習慣はない。(8) に相当する日本語は「イジョウニクライヨルデシタ」であるが、(9B) に相当する日本語は＊「イジョウニクライヨルデシタ」ではなく、「イジョウニクライヨルデシタ」であり、(10B) に相当する日本語は＊「イジョウニクライヨルデシタ」ではなく、「イジョウニクライヨルデシタ」だ。つまり3つの場合に日本語には音の高低に関する差はないのだ。

こういう日英語の習慣の違いがある上に、日本人学習者にとって英語は言うまでもなく外国語だ。外国語を発するときは、特に初期の場合、1語1語を平等の強さで発してしまう傾向がある。そこで、「どの単語を強く発するか (= どの単語に文強勢を置くか)」というよりも、「どの単語を弱く発するか (= どの単語に文強勢を置かないか)」を十分に意識して学習すると効果がある。こうした「弱化」を起こす場合を挙げていこう。

ⓐ同一語が繰り返されるとき

(9B)、(10B) が典型的である。前者では night、後者では dark night が相手の発話で使われており、それの繰り返しとなるためこれらの語が弱化される (= 文強勢を受けない) のである。I like Mary but I don't love Mary. の2番目の Mary は文強勢を受けない。やはり「2度目のお勤め」だからである。複合語の要素となっている単語もこの原則に従う。ápplesàuce は第1要素に第1強勢、第2要素に第2強勢を持つのだが、It's not apple cheese: it's àpplesáuce. という発話では、示したようにこれが逆転している。apple cheese（リンゴの絞りかす）で apple が先に出ているからである。thìrtéen, fóurtèen, fíftèen… とものを数え上げているときは、これも示したように、fóurtèen 以降の強勢配分が逆転する。-teen が「2度目のお勤め」だからである。要するに、「2度目のお勤め」をしている単語ないし単語の一部は「情報量が希薄になる」ために「弱化」するのである。

完全な同一語でなくても、同じ意味の単語であればこの原則が当てはまる。つぎの2例の下線部がそれに当たる。

(16) The Cabinet tried to force the bill through the Diet, even though the Opposition were deadly against the measure.〔内閣は、野党が大反対だったにもかかわらず、その法案を国会で強行採決しようと試みた。〕

(17) Shosuke Ohara drinks four koku of sake a year, while Sir John Falstaff consumes two hundred gallons of claret annually.〔小原庄助は1年あたり4石の酒を飲み、サー・ジョン・フォールスタッフは年間200ガロンのクラレット（赤ワインの1種）を消費する。〕

measureはこの場合bill（法案）と意味が同じだし、annuallyはa year（1年につき）と同義なため、事実上の「2度目のお勤め」にほかならないからだ。

このことを知れば、人称代名詞、再帰代名詞（-self形）、相互代名詞（each other）がほとんどすべての場合、文強勢を受けない理由がわかる。人称代名詞は、そもそも誰を指しているかがわかる（と少なくとも話し手が思っている）ときに使うものであるし、再帰代名詞と相互代名詞は、John killed himself.やJack and Jill love each other.のように、その先行詞が同じ文の中にあることを要求する項目だから（*John killed themselves.とか*Each other are happy.などという文はありえない）情報量が少ないわけである。

もっとも、人称代名詞でもI'm not responsible: hé is to blame.のように対比的に使う場合や、-self形でもJohn himsélf said so.のような強調用法、また相互代名詞もOnce they fought against their common enemy: now they are quarrelling with èach óther.などでは文強勢を持ちうる。

品詞の差によって文強勢を受ける・受けないが一義的に決まってくる、という考えはもちろん誤りだが、ある程度の目安にはなる。

そこでこれを表にしてみよう。くどいようだが、表1はあくまで目安である。これまでにも左欄の品詞が文強勢を受けなかったり、右欄の品詞が受けたりする例をたくさん見てきた。話し手の意図によって文強勢を受けるかどうかは変わってくるのである。なお、注意すべきことは左欄と右欄で綴りが同じものがあることだ。I like that [ðǽt] hat.などのthatは指示代名詞だから文強勢を受け、I think that [ðət] he's crazy.などのthatは接続詞だから受けず、それに応じて母音も違ってくる。疑問詞と関係詞もそうだ。Whát do

文強勢を受けやすい品詞	文強勢を受けにくい品詞
名詞	人称・再帰・相互代名詞
動詞	助動詞
形容詞	be 動詞
副詞	前置詞
指示代名詞（this, that 等）	接続詞
疑問詞	関係詞
数詞	冠詞
否定辞	存在文の there

表 1　品詞と文強勢

they wánt?, Whére are you góing?, Whén can I sée you?, Whó wànts to sée you? で使われているのは疑問詞だから、示したとおり文強勢を受けている。これに対して What they néed is mòre díscipline., The pláce where the evént was héld was the Tòkyo Dóme. に用いられているのは関係詞なので、見るとおり文強勢を受けていない。同じように The báll is over thére [ðɛə]. の there は副詞なので文強勢を受け、There [ðə] was a lót of nóise. の there はいわゆる「存在文の there」なので文強勢を受けず、母音も [ə] となっている。なお、「繰り返される単語は文強勢をうけない」という原則は、英語話者にとってはかなり機械的習慣ともなっているようで、「繰り返して使われているが情報量希薄でない項目」にも当てはめる人が多い。脚本の Act I, scene i とか、スポーツの得点結果 Liverpool 3 -Manchester 3 の i（=one）や 3 は、確かに「2 度目のお勤め」ではあるものの、その情報量は決して少なくない。第 1 幕には第 1 場のほかにも第 2 場以下いくつかの場があるのが普通だから「第 1 幕」と言ったからといって自動的に第 1 場が予測されるわけではないし、サッカーは常に同点に終わるなどということはないから、リヴァプールが 3 点ならマンチェスターも 3 点に決まっているはずはない。にもかかわらず、scene i の i や Manchester 3 の 3 を弱化して発音する人が多い。（ラジオのアナウンサーが Liverpool 3-Man- の Man- の部分で下降調を使えば、これは 3 が弱化されているしるしだ。昔のイギリス留学中、これを知っていた筆者がアナウンサーに数ミリセカンド先駆けて -chester 3 と言うと、一緒にラジオを聴いていた 5, 6 歳のイギリスの子供は「どうしてわかるの？」とびっくりしたものだ。)

練習 59

A. ápplesàuce や fòurtéen などの第 1 強勢が移動する場合です。

It's not àpple chéese: it's applesáuse. [ɪts nɒ́t æ̀pl tʃíz: ɪts æplsɔ́ːs]

…ten, eleven, twelve, thirteen, fourteen, fifteen, sixteen…

[ten, ɪlévn, twelv, θɜ̀ːtíːn, fɔ́ːtìːn, fífìtːn, síkstìːn]

B. 同じ意味の単語のあとに使われるため、measure や annually が弱化されている場合です。

(16) The Cabinet tried to force the bill through the Diet, even though the Opposition were deadly against the measure.

[ðə kǽbɪnət tráɪd tə fɔ́ːs ðə bíl θruː ðə dáiət, iːvn ðəʊ ðɪ ɒ̀pəzíʃn wə dédlɪ əgénst ðə meʒə]

(17) Shosuke Ohara drinks four koku of sake a year, while Sir John Falstaff consumes two hundred gallons of claret <u>annually</u>.

[ʃóːsu̥ke óhara drínks fɔ́ː kóku əv sɑ́ːkɪ ə jɜ́ː, waɪl sə dʒɒ̀n fɔ́ːlstɑːf kənsjúːmz tuː hʌ́ndrɪd gǽlənz əv klǽrɪt ænjʊəlɪ]

C. 代名詞の場合です。

This is my bròther Jóhn. He lìkes báseball.

[ðɪs ɪz maɪ brʌ̀ðə dʒɒ́n. hɪ làɪks béɪsbɔːl]

I'm not keen on baseball. But you know my brother John? Hé likes baseball.

[áɪm nɒ́t kiːn ɒn bèɪsbɔːl. bətʃu nə̀ʊ maɪ brʌ̀ðə dʒɒ́n. híː laɪks beɪsbɔːl]

Bìll kílled himself. [bɪ̀l kíld ɪmself]

Jòhn himsélf said so. [dʒɒ̀n hɪmsélf sed səʊ]

D. 綴りが同じで品詞が違う単語の場合です。

Whát do they wánt? [wɒ́t də ðeɪ wɒ́nt]

What they néed is mòre díscipline. [wɒt ðeɪ níːd ɪz mɔ̀ː dísɪplɪn]

Whére are you góing? [wέə rə jʊ gə́ʊɪŋ]

The pláce where the evént was héld was the Tòkyo Dóme.

[ðə pléɪs wεə ðɪ ɪvént wəz héld wəz ðə təʊ̀kɪəʊ də́ʊm]

The báll is over thére. [ðə bɔ́ːl ɪz əʊvə ðέə]

There was a lót of nóise. [ðə wəz ə lɒ́t əv nɔ́ɪz]

E.　原理の機械的適用の場合です。

Act I, scene i. [ǽkt wʌ́n, síːn wʌn]

Liverpool 3-Manchester 3 [lívəpuːl θríː, mǽntʃestə θriː]

ⓑ言語的コンテクストから容易に察せられるもの

つぎの 2 文を比べてほしい。

(18) a.　I have some bóoks to búrn.

b.　I have some bóoks to read.

どちらも some books に to と動詞の原形が付いた形である。だが a. の動詞 burn には文強勢があるのに、b. の read にはない。なぜか？　本とは「読む」ためにあるものである。だから books からは read が容易に推察できる。つまりこの場合の read は情報量が希薄なため文強勢を受けないのだ。それに対して本を燃やすというのは、秦の始皇帝やナチス政権の場合を除けば、異常な、予期されにくい行為である。だからこの場合の burn は情報量が高い。それゆえ文強勢を受けるのである。似たような対照的例をあげよう。

(19) a.　You have a próblem to compúterise.

b.　You have a próblem to solve.

b. から先に取り上げると、問題というものは「解く」ために存在するものだから、problem からは solve が容易に推察される。それゆえ solve は文強勢を受けない。一方、problem があったからといって人は必ずしもそれをコンピュータ処理するとは限らない。だから a. の computerise は情報量が高く、文強勢を受けるのだ。

(20) a.　I have a póint to émphasise.

b.　I have a póint to make.

まずb.から言えば、make a point（自分の考えを述べる）は1種の熟語のようなものだから、pointからmakeまでは一飛びである。そこでmakeは文強勢を受けない。a.のemphasiseはその限りでないので文強勢を必要とする。

(21) An áccident happened.
(22) A políceman was shót to death.
(23) You cán't drìnk unless you are twénty or over.

でhappened, to death, or overに文強勢がないのも同じ原理に基づく。事故というものは起こって初めて事故と言えるのであり、銃で撃たれれば必ず死ぬとは限らないがその可能性が十分に高く（事実、shootだけでも「射殺する」の意味となる）、(23)のor overが何かの原因で聞き取れなかったとしても、誰も「21歳以上になるとまた飲酒は違法になる」とは解釈しない。

練習 60

文強勢のある・なしをはっきり区別できるよう練習しましょう。

(18) a. I have some bóoks to búrn. [aɪv sm bʊ́ks tə bɜ́ːn]
b. I have some bóoks to read. [aɪv sm bʊ́ks tə riːd]
(19) a. You have a próblem to compúterise.
[jʊ hæv ə prɒ́bləm tə kəmpjúːtəraɪz]
b. You have a próblem to solve. [jʊ hæv ə prɒ́bləm tə sɒlv]
(20) a. I have a póint to émphasise. [aɪ hæv ə pɔ́ɪnt tʊ émfəsaɪz]
b. I have a póint to make. [aɪ hæv ə pɔ́ɪnt tə meɪk]
(21) An áccident happened. [ən ǽksɪdnt hæpmd]
比べましょう。
Tell me how it all happened. [tél mɪ háʊ ɪt ɔ̀ːl hǽpmd]
(22) A políceman was shót to death. [ə pəlíːsmən wəz ʃɒ́t tə deθ]
比べましょう。
A políceman was shót to our dismáy.
[ə pəlíːsmən wəz ʃɒ́t tə aə dɪsméɪ]
(23) You cán't drìnk unless you are twénty or over.

[juː káːnt drɪnk ənlés jɔː twéntɪ ɔːr əʊvə]

比べましょう。

You mustn't drink if you're under twenty or if you have a heart disease.

[jʊ mʌ́snt drìnk ɪf jɔː ʌndə twéntɪ ɔːr ɪf jʊ hæ̀v ə háːt dɪzìːz]

ⓒ意識の中に常在する項目

つぎのやりとりの答え(A)のうち、下線部に注意してほしい。どちらにも文強勢はない。

(24) Q:　How far to Glasgow?

A:　About a míle <u>from here</u>.

(25) Q:　When will the game start?

A:　About an hóur <u>from now</u>.

東京にいて大阪までの距離を訊ねられ、「盛岡から出発して○○キロです」と答えるのはよほどのへそ曲がりである。演奏会の開始時間を問われて「先週の木曜から起算して××時間後」と言う人も同様だ。通常、距離・時間等を述べるときは、別に自己中心主義者でなくとも、話し手のいる場所、発話の時点が基準となる。(24)、(25) の fron here, from now は話し手の（そして聞き手の）意識の中に常在していることなので、情報量が少なく、それゆえ文強勢を受けないのである。次ぎも見てみよう。やはり下線部には文強勢がない。

(26) I'm léaving for Hònolúlu <u>tomorrow</u>.

(27) Jòhn díed <u>yesterday</u>.

tomorrow も yesterday も時を表す副詞である。このことから「時の副詞は文強勢を受けない」などという説をなす人がいる。とんでもない誤りだ。これはつぎを見ればわかる。

(28) I'm léaving for Hònolúlu nèxt Fríday.

(29) Jòhn díed twò yéars ago.

今度は「時の副詞」が文強勢を受けている。next Friday とか two years ago は「意識に常在する項目」ではないので情報量が高いからである。

練習 61

文強勢のあるなしを区別して練習しましょう。

(24) Q: How far to Glasgow?
A: About a míle from here. [haʊ fɑ́: tə glɑ́:zgəʊ/əbaʊt ə máɪl frm hɪə]

(25) Q: When will the game start?
A: About an hóur from now.
[wén wɪl ðə géɪm stɑ̀:t/əbaʊt ən ɑ́:ə frm naʊ]

(26) I'm léaving for Hònolúlu tomorrow. [aɪm lí:vɪŋ fə hɒ̀nəlú:lu: təmɒrəʊ]

(28) I'm léaving for Hònolúlu nèxt Fríday.
[aɪm lí:vɪŋ fə hɒ̀nəlú:lu: nèkst fráɪdɪ]

(27) Jòhn díed yesterday. [dʒɒ̀n dáɪd jestədɪ]

(29) Jòhn díed twò yéars ago. [dʒɒ̀n dáɪd tù: jɜ́:z əgəʊ]

ⓓ状況から見て自明であることがら

つぎの問答の fault が文強勢を受けていない点に注目しよう。

(30) A: What a mess you've made of things!
〔何もかも台無しにしてくれたな！〕
B: It's nòt mý fault.

fault という単語も、あるいはその同義語も B の発話以前には出てきていない。だが A の発話は過失に対する非難である。だから fault という概念は会話の中での既出の項目として扱われ、したがって文強勢を受けないのだ。(なお、my が強勢を受けているのは「自分以外の人」との対比が意図されているからである。) つぎの例の下線部も同様だ。

(31) Hi, George! I heard you bought a couple of nice Kiwi ponies. How do you like 'em?〔やあ、ジョージ！ニュージーランド産の良い馬を何頭か買ったそうだね。どんな具合だ？〕

聞き手にとって下線部の内容は、ほかならぬ自分のしたことだから、知らないはずがない。つまり情報量としてはゼロに近いわけで、それゆえ話し手はこの部分に文強勢を置かないのである。

つぎの2つは文強勢(というよりイントネーション)が意味の区別に関与する例として以前からよく挙げられる。音声上の違いはrainに文強勢があるかないかである。

(32) a.　I thóught it would rain.
　　b.　I thóught it would ráin.

aは「降ると思ったら案の定降った」、bは「降ると思ったら降らなかった」と訳せるだろう。aは現実に雨が降っている状況で発せられるのだから、it would rainの部分は「自明のこと」として文強勢を受けない。一方、bは現実に反する話し手の近い過去の想定内容を伝達しているわけだから、it would rainのrainに文強勢を置かないわけにはいかない。こうした例は、文強勢が意味の区別に関与していると言うよりは、事実関係(に関する話し手の把握の仕方)が文強勢を左右していると見る方が正確だろう。

(33) a.　John washed the car. I was afráid someone else would do it.
　　b.　John washed the car. I was afráid someone élse would do it.

違いはelseに文強勢があるかないかである。このような場合の説明として、しばしば、aでは話し手自身が洗車をしたかったこと、bでは話し手がまさしくJohnに洗車をしてもらいたかったことが表現されている、などの説がなされる。これを聞く人は英語の文強勢とは何たる摩訶不思議な表現力を持つ存在か、という畏れさえ抱いてしまうかもしれない。しかしこの2例も(32)の場合と同じように解釈する方がより合理的である。つまり、aでは話し手はある特定の人——自分自身かもしれないしBob, Steve, Mikeの3人のうち誰かという場合もあろう――が洗車をすることを望んでいたが、同時にそれ以外の人が洗車をしてしまうのではないかと危ぶんでいた。そうしたら危ぶんでいたとおり、特定の人以外の John が洗車をしてしまった、というのが状況である。someone else would do it という想定はすでに実現してしまったので、この部分は自明であり文強勢配分の対象とならない。それに対して b では、話し手は John に洗車をしてもらいたかったところ、そのとおりになった。someone else would do it というのは取り越し苦労で、状況として実現しなかった。だからこの部分の中心である else が文強勢を受けているのである。

練習 62

文強勢のあるなしに気を配って練習しましょう。

(30) It's nòt mý fault. [ɪts nɒ̀t máɪ fɔːlt]

(31) I heard you bought a couple of nice Kiwi ponies.
[aɪ hɜ́ːd jʊ bɔːt ə kʌpl əv naɪs kiːwiː pəʊnɪz]

(32) a. I thóught it would rain. [aɪ θɔ́ːt ɪt wəd reɪn]
b. I thóught it would ráin. [aɪ θɔ́ːt ɪt wəd réɪn]

(33) a. I was afráid someone else would do it.
[aɪ wəz əfréɪd sʌmwən els wəd duː ɪt]
b. I was afráid someone élse would do it.
[aɪ wəz əfréɪd sʌmwən éls wəd duː ɪt]

ⓔ日陰的弱化

つぎの例の下線部を見てほしい。いずれも文強勢をもたない。

(34) a. My grandmother's <u>died</u>.
b. Hey, your coat's <u>on fire</u>.
c. Mommy, mommy! A bear <u>came and bit me</u>.
d. The chimney-pot's <u>fallen off</u>.
e. The keys've <u>disappeared</u>.
f. The car <u>broke down</u>.

g. The zipper won't come up.

h. Planning to 'do' the Continent? Then Austria is a must: food's wonderful.〔ヨーロッパ大陸観光かい？　じゃ、オーストリアは欠かせないよ。食べ物が素晴らしいんだから。〕

下線部はいずれも情報上重要な部分を含んでいる。grandmotherが生きている分にはよいが、「死んだ」というのは重大なニューズである。上着を着ているのは不思議でも何でもないが、それに火が点いたのなら問題だ。「情報の焦点」という原理に照らせば、こうしたことを述べている部分に文強勢が来るべきだろう。だが来ていない。なぜだろう？

ある人々は、これらの文が(34h)に類するものを除けば、いずれも何らかの「不幸」を表しているからだとする。確かに、熊に咬まれたり、煙突の通風管が落ちてきたり、鍵がなくなったり、車が故障したり、(ズボンの)ジッパーが閉まらなくなるのは、程度の差こそあれ「不幸」である。しかし、同じく「不幸」を表す

(35) Sorry I'm late. I was invólved in a tráffic jam.
〔遅くなってごめん。渋滞に巻き込まれてね。〕

の下線部には文強勢があるし、

(36) I've got to hurry along. My grándmother's coming.

の下線部には文強勢がないが、(36)が必ずしも不幸を表すとは限らない。むしろ喜ばしいこともあるはずだ。

別の人々は、この、主語にのみ強勢があり述部に強勢を欠く文強勢配分法は「責任・原因・理由の所在」を示すものだと指摘する。

たしかに(36)の第2文は急いで帰宅する原因を述べたものであるし、(34a)は欠勤の理由、(34e)は困惑の理由、(34f)は遅刻の原因に使えそうだし、(34h)はオーストリア観光を奨める理由として使われている。だがこれはほかの例には必ずしも当てはまらない。

(34)に代表される現象は日本語にも見られるようだ。家へ帰るなり家族

が「御祖母様が」と言って絶句すれば、祖母の身に何か異変が起こったと言う察しが付くし、上着に火が点いた人には「上着、上着！」とだけ叫んで火には言及しないことがある。いわば主語にのみスポットライトが当てられた結果、述部は陰に追いやられてしまうわけだ。

「不幸の叙述」「責任・原因・理由の指摘」説も、一面の真実を含んではいるものの、総括的説明法としては「日陰的弱化」という、いささか頼りない原理しか今のところ掴めない。

練習 63

「日陰的弱化」の練習です。

(34) a. My grandmother's died. [maɪ grǽndmʌðəz daɪd]

b. Hey, your coat's on fire. [heɪ jɔː kə́ʊts ɒn faːə]

c. Mommy, mommy! A bear came and bit me.
[mʌ́mɪ, mʌ́mɪ/ə bέə keɪm əm bɪt miː]

d. The chimney-pot's fallen off. [ðə tʃímnɪ pɒ̀ts fɔːln ɒf]

e. The keys've disappeared. [ðə kíːzv dɪsəpɪəd]

f. The car broke down. [ðə kάː brəʊk daʊn]

g. The zipper won't come up. [ðə zípə wəʊnt kʌm ʌp]

h. Then Austria is a must; food's wonderful.
[ðən ɒ̀strɪə ɪz ə mʌ́st; fúːdz wʌndəfl]

(36) I've got to hurry along. My grándmother's coming.
[aɪv gɒ̀t tə hʌ̀rɪ əlɒ́ŋ. maɪ grǽndmʌðəz kʌmɪŋ]

★関心の焦点

相手が、意外な、あるいは途方もなく馬鹿げたことを言うと、話し手はそれを（ほぼ）そのまま反復することがある。つぎの下線部はそうした例だ。

(37) A: Peter is well-read.

B: Péter is well-réad, indeed! He's even heard of Shakespeare.

(38) A: I don't like linguistics.

B: You dón't lìke linguístics! Well then why bother to study it?

(39) A:　How far to Glasgow?

　　B:　How fár to Glásgow? What's Glasgow got to do with it? We're talking about intonation.

(37) では、漫画本ぐらいしか読まない Peter のことを、A が「多読家」だと言うのを聞いて B はあきれて皮肉を言っているわけである。そのことは下線部に続く「シェイクスピアの名前さえ知っているくらいだ」という発言で一層はっきりする。(38) の B 氏は、ほかならぬ言語学専攻学生 A が言語学は嫌いだと言っているため思わず相手のことばを反復しているのであり、(39) の B 氏も、イントネーション談義の最中にグラズゴーまでの距離を問う A 君の発話に当惑している。相手の言ったことの繰り返しなのだから、下線部の中に「情報の焦点」があるはずはない。しかし見てのとおり、下線部には文強勢が存在する。なぜか？

　人がことばを発するとき、その目的は「使用」か「言及」かに分かれる。「使用」というのは相手にそのことばが表す内容を伝えることを目的としている。「言及」はそのことば自体を取り上げてそれに対する態度を暗黙裡に、あるいは直截に示すことを目的とする。むずかしい話に聞こえるかもしれないが、つぎの例を見れば了解容易になるだろう。

(40) A:　君はバカだ。

　　B:　バカとは失礼な！

A 氏は「バカ」ということばを相手に関する自分の評価を伝達するために「使用」しているのだが、B 氏は「バカ」ということば自体を取り上げて「言及」し、そのようなことばを使うことに抗議しているわけだ。(37) ～ (39) の下線部は、相手が使ったことばに「言及」している例である。わざわざ「言及」するということは、そのことばに「関心」を示していることにほかならない。関心のある項目には文強勢が置かれるのである。

　つぎの例の下線部はどうだろう。

(41) Raw fish is good for you, but after all, who likes ràw físh?

これは相手の言ったことならぬ、自分自身の言ったことの繰り返しである。欧米、特にアメリカでスシ・バーなどというものが増えてはいるものの、まだまだ欧米人の中では魚を生で食べることには抵抗を感じる人が多いようだ。(41)の発話者は、「生の魚なんてねえ」というマイナスの気持ち(これも関心の1種)を表すために、itという代名詞を使わず、わざわざraw fishという語を、しかも強勢付きで繰り返しているのだ。

「関心の焦点」という原理がないと、多くの疑問詞疑問文の強勢配分が説明できない。つぎを見てほしい。

(42) Whó páinted the bláckbòard réd?
(43) Whát did Jàne fínd in her flát?
(44) Whére did you híde my cigárs?

黒板が赤く塗られていること、ジェインが自分のアパートで何かを発見したこと、相手が話し手の葉巻を隠したことは、それぞれ状況から明らかなことだ。だからこれらの文では疑問詞以外に情報上の重要性はない。にもかかわらず示したような文強勢配分が行われているのは、話し手がこれらの文の表す内容に大いに関心を持っているからである。

練習 64

(37) Peter is well-read.　[píːtə rɪz wèlréd]
Péter is well-réad, indeed! He's even heard of Shakespeare.
[píːtə rɪz wèlréd, ɪndiːd. hiːz íːvn hɜ́ːd əv ʃéɪkspɪə]

(38) I don't like linguistics.　[aɪ dә́ʊnt làɪk lɪŋgwístɪks]
You dón't lìke linguístics! Well then why bother to study it?
[jʊ dә́ʊnt làɪk lɪŋgwístɪks. wél ðen wàɪ bɒ́ðə tə stʌ́dɪ ɪt]

(39) How far to Glasgow? [haʊ fáː tə gláːzgəʊ]
How fár to Glásgow? What's Glasgow got to do with it? We're talking about intonation.
[haʊ fáː tə gláːzgəʊ. wɒ́ts gláːzgəʊ gɒt tə dúː wɪð ɪt. wɪə tɔ́ːkɪŋ əbaʊt ɪntənéɪʃn]

(41) Raw fish is good for you, but after all, who likes ràw físh?
[rɔ̀ː fíʃ ɪz gʊ́d fə juː, bət ɑ̀ːftrɔ́ːl, húː làɪks rɔ̀ː fíʃ]
(42) Whó pàinted the bláckbòard réd? [húː pèɪntɪd ðə blǽkbɔ̀ːd réd]
(43) Whát did Jàne fínd in her flát? [wɒ́t dɪd dʒèɪn fáɪnd ɪn ə flǽt]
(44) Whére did you hide my cigars? [wɛ́ə dɪdʒʊ háɪd maɪ sɪgɑ́ːz]

★終わり強ければすべて強し——文末強勢

日本語でものを強調して言うとき、「違い**ます！**」とか「できま**せん！**」などと、文の終わりを強く発音することがあるが、似たような現象が英語にも見られる。つぎの（ i ）、（ ii ）を比べてほしい。

(45)

	（ i ）	（ ii ）
a.	By áll means!	By àll méans!
b.	How áre you?	How are yóu?
c.	He was shót to death.	He was shòt to déath.
d.	It's nòt mý fault.	It's nòt my fáult.
e.	Í didn't do it.	I dìdn't dó it.
f.	Nòt by a héll of a lot!	Nòt by a hèll of a lót!
g.	He's a règular hé-man.	He's a règular he-mán.
h.	His rùle is ábsolute.	His rùle is àbsolúte.
i.	Belíeve me!	Belìeve mé!
j.	Excúse me!	Excùse mé!

どの場合も（ ii ）では一番強い強勢が最後の単語にある（e. では it 直前の do にあるが、it は極めてまれにしか強勢を受けない語である）。そして（ ii ）の方が（ i ）よりも強調的なのだ。注意してほしいのは、（ ii ）で強調されているのは発話全体であって、強勢が置かれている単語ではないという点だ。a. の by all means は本来「すべての手段を用いてでも」の意味だから、all に最大の強勢をおいた（ i ）の方が強調的に思えるかもしてないが、実は（ ii ）の方がより強調的なのだ。b. の you への強調配分は、別に you と誰かほかの人との対比を意図したものではなくこの挨拶を「元気の良い」ものにする効果を上げている（相手に How are you? と言われて同じことばで挨拶を返す

ときにも How are yóu? が使われるが、これは「あなたもお元気ですか？」という相手と自分との対比を意図したものである)。c. については、「情報の焦点」の原理に従えば death には文強勢は来ないと前に述べた。ところがこちらの原理に従うと、この発話は殺人が行われたことへの怒りや恐れなどを反映した強調的なものとなる。d.(ｉ)が(30B)と同じく情報量を忠実に反映した言い方であるのに対し、d.(ⅱ)は自分の過失ではない旨の強い主張だ。e.(ｉ)が落ち着いた叙述であるのに対して、e.(ⅱ)は「僕じゃないったら！」に相当する興奮した、必死の抗弁である。f.(ⅱ)は、本来強調のために使われている a hell of の hell よりも、うしろにある lot に最大の強勢を置いた方がより強調的になることを示す興味深い例である。g.(ⅱ)では、he-man という複合語の本来の語強勢配分 [híːmæn] が変更され、[hiːmǽn] となっており、h.(ⅱ)からは通常辞書にあげられている 2 とおりの強勢配分、ábsolute, absolúte のうち、強調的発話では後者が選ばれることが知られる。ついでながら、相手の意見に強い賛意を示す Absolutely! ではほとんど例外なく -lut- に第 1 強勢が使われる。i. と j. はなにも「他の人ではなく私を信じろ／許せ」という対比を意味するのではなく、「嘘じゃありませんよ、事実なんです」「や、これは本当に失礼しました」とでも訳すべき強調的発話である。

なお、誤解のないように言っておきたい。(45)の(ｉ)(ⅱ)のうち、なにも(ⅱ)の方を奨めているわけではない。どんなときでも陽気に元気に強調的に話すのが適切とは限らないからだ。ポロの試合に臨むため騎乗でフィールドに入った筆者が、観客の中に久しく会わなかった友人を見つけたら Hi, Nolan! Hów have you béen? などと馬上から大声で叫ぶが、ポロクラブ老会長の葬儀でやはり旧知の人々と顔を合わせたときは小声で How are you? と言うしかなかった。あらぬ嫌疑を掛けられたときに e.(ⅱ)で叫んだのではかえって怪しまれてしまう。j.(ⅱ)などはせいぜい思わずあくびを漏らしてしまったときんどに使うべきで、もっと深刻な場面で用いるべきではない。なにごとも時と場合に応じて使い分けをするのが肝腎である。

練習 65

(ｉ)と(ⅱ)の違いをはっきり付けるように練習しましょう。

(45) a.　(ｉ) By áll means! [baɪ ɔ́ːl miːnz]

(ii) By àll méans! [baɪ ɔ̀l míːnz]

b. (i) How áre you? [haʊ ɑ́ː juː]

(ii) How are yóu? [haʊ ɑ̀ː júː]

c. (i) He was shót to death. [hiː wəz ʃɒ́t tə deθ]

(ii) He was shòt to déath. [hiː wəz ʃɒ̀t tə déθ]

d. (i) It's nòt mý fault. [ɪts nɒ̀t máɪ fɔːlt]

(ii) It's nòt my fáult. [ɪts nɒ̀t maɪ fɔ́ːlt]

e. (i) Í didn't do it. [áɪ dɪdnt duː ɪt]

(ii) I dìdn't dó it. [aɪ dɪ̀dnt dúː ɪt]

f. (i) Nòt by a héll of a lot! [nɒ́t baɪ ə hél əv ə lɒt]

(ii) Nòt by a hèll of a lót! [nɒ́t baɪ ə hèl əv ə lɒ́t]

g. (i) He's a règular hé-man. [hiːz ə règjʊlə híːmæn]

(ii) He's a règular he-mán. [hiːz ə règjʊlə hiːmǽn]

h. (i) His rùle is ábsolute. [hɪz rùːl ɪz ǽbsəluːt]

(ii) His rùle is àbsolúte. [hɪz rùːl ɪz æ̀bsəlúːt]

i. (i) Belíeve me! [bɪlíːv miː]

(ii) Belìeve mé! [bɪlìːv míː]

j. (i) Excúse me! [ɪkskjúːz miː]

(ii) Excùse mé! [ɪkskjùːz míː]

★強勢の累積

ボクシングの試合では、他の点が同じならばパンチをより多く繰り出した方が判定は有利になる。それと同じで、同一の文を使っても文強勢の数が多くなればそれだけ強調的に聞こえる。極端な例から挙げよう。

(46) a. Hé has súch a róundabóut wáy of dóing things.

b. Ít mákes á méss!

c. Á cómpléte fáilúre!

a ではほとんど全部の語が、b, c では全語のみか普通は強勢を持たない com-, -ure の部分まで強勢を受けている。ノン・ネイティヴであるわれわれがこういう発音をする必要はそうしばしばないとは思うが、受容的知識として知っておくのもよかろう。逆に、われわれが普通の文強勢配分（それぞれ He has súch a róundabout way of dóing things., It mákes a méss!, A complète fáilure!）を使わずに、1 語 1 語、あるいは各音節をブツ切りで発音すると、意図もしていない強調が伝わってしまうから気を付ける必要がある。

中には、文強勢の数を増やすために、情報上は必要のない語句をわざわざ加えたりすることもある。つぎの例で（ i ）だけでもかなり強調的だが、（ii）は一層そうだと言える。

(47)

	（ i ）	（ii）
a.	Belíeve mé!	Belíeve yóu mé!
b.	I will nót páy you a cént.	I will nót páy you óne réd cént.
c.	I díd it with my ówn hánds.	I díd it with my ówn twó hánds.
d.	It háppened that it was my bróther.	It júst só háppened that it was my blóod bróther.
e.	Jésus!	Jésus H́. Chríst!
f.	Gósh!	Gósh áll físhhooks!

ここでも注意が必要だろう。(47) の（ ii ）に類するしゃべり方は、知性の高い人によって使われることはあまりない、という点だ。日本語でも、冗談めかして言う場合は別として、大げさにすぎるもの言いは教養ある人士には好まれない。ただ、受容的知識として持っていることは必要だろう。

練習 66

本文に書いたとおり、これらの例は必ずしも日本人学習者にお薦めなわけではありませんが、受容的知識としてだけ練習しておきましょう。

(46) a. Hé has súch a róundabóut wáy of dóing things.
[híː həz sʌ́tʃ ə ráʊndəbáʊt wéɪ əv dúːɪŋ θɪŋz]

b. Ít mákes á méss! [ít méɪks éɪ més]

c. Á cómpléte fáilúre! [éɪ kɔ́mplíːt féɪljɜ́ː]

参考のため、より普通な強勢配分を持った形を練習しましょう。

a. He has súch a róundabout way of dóing things.

[hɪ həz sʌ̀tʃ ə ráʊndəbaʊt weɪ əv dúːɪŋ θɪŋz]

b.　It mákes a méss.　[ɪt mèɪks ə més]

c.　A compléte fàilure!　[ə kəmplìːt féɪljə]

(47) a.　(i) Belíeve mé!　[bɪlíːv míː]

(ii) Belíeve yóu mé!　[bɪlíːv júː míː]

b.　(i) I will nót páy you a cént.　[aɪ wɪl nɒ́t péɪ jʊ ə sént]

(ii) I will nót páy you óne réd cént.

[aɪ wɪl nɒ́t péɪ jʊ wʌ́n réd sént]

c.　(i) I díd it with my ówn hánds.　[aɪ díd ɪt wɪð maɪ ə́ʊn hǽndz]

(ii) I díd it with my ówn twó hánds.

[aɪ díd ɪt wɪð maɪ ə́ʊn túː hǽndz]

d.　(i) It háppened that it was my bróther.

[ɪt hǽpmd ðət ɪt wəz maɪ brʌ́ðə]

(ii) It júst só háppened that it was my blóod bróther.

[ɪt dʒʌ́st sə́ʊ hǽpmd ðət ɪt wəz maɪ blʌ́d brʌ́ðə]

e.　(i) Jésus!　[dʒíːzəs]

(ii) Jésus H́. Chríst!　[dʒíːzəs éɪtʃ kráɪst]

f.　(i) Gósh!　[gɒ́ʃ]

(ii) Gósh áll físhhooks!　[gɒ́ʃ ɔ́ːl fíʃhʊks]

★情報量希薄な語への強勢付加

「情報の焦点」の原理に従った場合には強勢を受けない「情報量希薄な」語に文強勢を置くと、発話全体が強調されるという一見不思議な事実がある。考えてみると日本語にも似た現象があって、

(48) a.　これは私個人**の**意見でして、政府の見解**では**ありません。

b.　こちらはにせ物で、あちら**が**本物です。

の太字部分を高く言うと、それぞれ「私個人」「政府の見解」「あちら」が強調される。「の」「では」「が」を省略すると、片言めいて聞こえるが意味は通ずる。つまりこれらの助詞の情報量は軽いのである。(48) で強調されているのは名詞ないし名詞相当句であって英語の場合は発話全体が強調される

のが違いだが、根底は同じだろう。

まず、例を挙げよう。

(49) A: Do your homework!

B: I ám doing it.

(50) A: I don’t think you’ve posted the letter?

B: But I háve posted it.

(51) A: Are you sure that’s the right number?

B: Yes. That’s the number you shóuld call.

am に代表される be 動詞や、have, should 等の助動詞は、本来的に情報量が少ない。だから表 1 では右の欄に分類されているわけである。(49B) では am doing の部分が「すでに進行中である」、(50B) では have posted が「すでに投函済みである」ことを伝える重要な役を担っているのは事実だが、おのおのの語句の中でより内容の濃い do, post という本動詞ではなく、be と have に文強勢が置かれることによって意味内容全体が強調されるわけだ。(51B) について言えば、the number you should call は A の発話にすで出てきている the right number という語句に内容上は同義である。つまりその情報量は少ない。しかし A による質問には十二分に肯定的な返事をするのが礼にかなっている。そこで文強勢を助動詞 should に与えているのである。

その他の例も見よう。つぎの a, b を比較してほしい。

(52) a. Whát are you dóing?

b. What áre you doing?

(53) a. Whát does he knów about it?

b. What dóes he know about it?

(52a) は本当の質問 (かなりあけすけな質問で、親しいもの同士以外では使うべきでないとは言え) として用いうるが、(52b) は相手がとんでもなく馬鹿げた、あるいは危険なことをしている際の悲鳴と言うべきだ。(53a) はこれまた質問として用いうるが、(53b) は「そもそもあんな奴が知っているはずはない」という否定文に等しい。

この現象は、やはり表 1 の右欄に分類されている関係代名詞、前置詞にも見られる。

(54) a. That's precisely the sense in whích I meant it.
b. Those whó have been there know these facts.
c. A: Do whatever you like.
B: But there's nothing fór me to do.
d. A: Guess who's on the phone.
B: Well, who's ón the phone.
e. I don't know what tó do about it.

(54a) で情報量という点から一番重要なのは precisely である。だからこの語に文強勢を置くのも一つの強調法であるが、情報量希薄な which に置くのもまた別の強調法なのだ。(54b) は「実際にそこに行った人は…」の意味だから、have に文強勢を置くのも一手だが、このように who という情報量希薄な語に置く手もある。

(54cB)、(54dB)、(54e) ではそれぞれ for, on, to という前置詞が強い文強勢を受けている。これは前出の (12) put it ón the table, not bý the table. で on と by がそれぞれの意味の対比のために文強勢を受けているのと違い、まさしく意味情報希薄なゆえにそこに置かれた文強勢が発話全体を強調する効果をもたらし、「そもそもすることなんてないじゃないか」「一体だれが電話口にいるんだい？」「どうしたらいいかまるで見当が付かない」の下線部に見られるような強調性を生ずるのである。

練習 67

情報量が希薄な単語に文強勢が与えられている例を練習しましょう。ただし (52)、(53) には比較のため、「情報の焦点」に文強勢があるものも入れてあります。

(49) Do your homework! [dúː jɔː hə́ʊmwɜːk]
I ám doing it. [aɪ ǽm duːɪŋ ɪt]

(50) I don't think you've posted the letter?

[aɪ dә́ʊnt θɪ̀ŋk ju:v pә̀ʊstɪd ðә létә]

But I háve posted it. [bәt aɪ hǽv pәʊstɪd ɪt]

(51) A: Are you sure that's the right number?

[á: ju: ʃɔ̀: ðæ̀ts ðә ràɪt nʌ́mbә]

B: Yes. That's the number you shóuld call.

[jes. ðǽts ðә nʌmbә jʊ ʃʊ́d kɔ:l]

(52) a. Whát are you dóing? [wɒ́t ә jʊ dú:ɪŋ]

b. What áre you doing? [wɒt á: jʊ du:ɪŋ]

(53) a. Whát does he knów about it? [wɒ́t dәz i: nә́ʊ әbaʊt ɪt]

b. What dóes he know about it? [wɒt dʌ́z i: nәʊ әbaʊt ɪt]

(54) a. That's precisely the sense in whích I meant it.

[ðæ̀ts prɪsàɪslɪ ðә sèns ɪn wítʃ aɪ ment ɪt]

b. Those whó have been there know these facts.

[ðәʊz hú: hәv bi:n ðɛә nә́ʊ ði:z fækts]

c. Do whatever you like. [dù: wɒtévә jʊ láɪk]

But there's nothing fór me to do. [bәt ðәz nʌ̀θɪŋ fɔ́: mɪ tә du:]

d. Guess who's on the phone. [gès hú:z ɒn ðә fә́ʊn]

Well, who's ón the phone. [wәl, hu:z ɒ́n ðә fәʊn]

e. I don't know what tó do about it.

[aɪ dә̀ʊnt nәʊ wɒt tú: du: әbaʊt ɪt]

第４章　単音に起こる変化

単語を構成するそれぞれの音（単音）は、いつでも辞書に示されているような発音をされるとは限らない。I suppose so. は、しばしば [a spə́ʊz səʊ] と発音される。つまり I [aɪ] の [ɪ] と [səpə́ʊz] の [ə] が抜け落ちる。これは決してだらしのない発音ではなく、正常な現象である。ten players は [tèm plɛ̀əz] と ten の [n] を [m] に変えて発音されるのがむしろ普通であるし、Won't you...? が [wəʊntjuː] ではなく、[wəʊntʃuː] と発音されるということは読者も習ったことと思う。[wəʊntjuː] は間違った発音ではないが、これを使うのは小学校の国語（= 英語）の先生や聖職者の一部にいる頭の固い人だけだ。

英語を英語らしく話すためには、こうした変化を十分に習得しなければならない。

4.1　脱落

どんな言語にも音の脱落という現象はある。「ビールかあすか（= いかがですか）」という売り声や、「この先少々揺れますのでゴチューガイ（= ご注意願い）ます」などという地下鉄車掌の車内放送がその例だ。昔のロンドンのバスの車掌は [ŋgjuː, ŋgjuː]（Thank you, thank you.）と言いながら客の間をまわって切符を売っていたし、Shun! [ʃʌn]（気を付け！）という号令は Attention! から来たものである。

ただしこれから扱う音脱落は、上のような決まり文句に見られる極端なものではなく、自然な速度の、明瞭な発話に通常起こるタイプのものである。

★母音と音節

アメリカ英語は一般に単語を綴りに忠実に発音するが、イギリス英語はそうではない、と前に書いた。一般的傾向としてはその通りなのだが、個人差もあり、RP の話し手の中にもこれから述べる脱落をあまり用いない人もいれば、GA の話し手の中にも library を [láɪbriː]、February を [fébriː] と発音する人もある。

preferable という単語を単独で注意深く発音すれば [préfərəbl] だ。しかし発話の中では [préfrəbl] と [f] と [r] の間の [ə] を抜かして発音するのが普通である。一般的に言うと、[ə], [ɪ], [ʊ] は、「第 1 強勢を持つ音節の後で、前に子音が、後に r があり、さらにうしろに強勢のない母音が来る」ときに脱落する。preferable を例にして図示するとつぎのようになる。

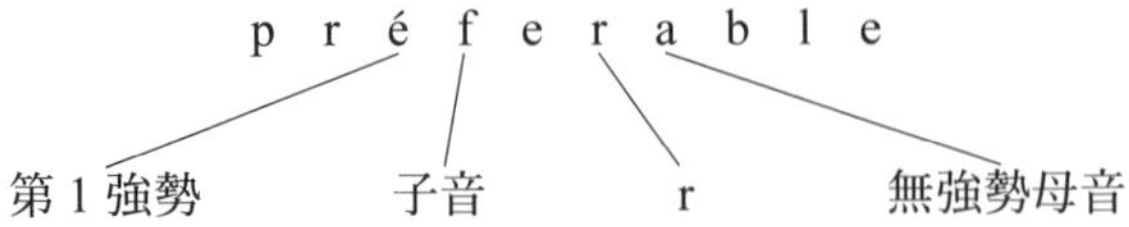

つぎの語の下線を引いた母音字は、これと同じ環境にあるので通常、発話の中では発音されない。

(1) témp<u>e</u>rature [témprətʃə], cómp<u>a</u>rable [kɒ́mprəbl], fáct<u>o</u>ry [fǽktrɪ], múrd<u>e</u>rer [mɜ́ːdrə], cám<u>e</u>ra [kǽmrə], híst<u>o</u>ry [hístrɪ], nát<u>u</u>r<u>a</u>l [nǽtʃrl], núrs<u>e</u>ry [nɜ́ːsrɪ]

綴り字に引きずられて *[témpərətʃə], *[hístorɪ] といった誤った発音をしないためにも、こうした脱落の習得を奨めたい。単語が発話に中で並んだ結果、上と同じ条件に立つ [ə] その他が生ずると、同じように脱落が起こる。

(2) fáth<u>e</u>r and móther [fɑ́ːðrəm mʌ́ðə], áft<u>e</u>r a whíle [ɑ́ːftrə wáɪl], as a mátt<u>e</u>r of fáct [əz ə mǽtrəv fǽkt], óv<u>e</u>r and óv<u>e</u>r again [ə́ʊvrən ə́ʊvrə gen]

練習 68

A. (1) にあげた語を含む発話です。

a. He keeps coughing and has a temperature.
[hɪ kìːps kɒ́fɪŋ ən hæz ə témprətʃə]

b. These cars are comparable in size. [ðíːz kɑːz ə kɒ́mprəbl ɪn sáɪz] c.　There's a large factory there. [ðəz ə lɑ̀ːdʒ fǽktrɪ ðɛə]

d.　John is a murderer. [dʒɒ́n ɪz ə mɜ́ːdrə]

e.　This is a brand-new camera. [ðɪs ɪz ə brǽnnjù kǽmrə]

f.　Your book will go down in history. [jɔː bʊ́k wɪl gə̀ʊ dàʊn ɪn hɪ́strɪ]

g.　Well, that's only natural. [wel, ðæts ə́ʊnlɪ nǽtʃrl]

h.　*Humpty Dumpty* is a well-known nursery rhyme.
[hʌ́mptɪ dʌ́mptɪ ɪz ə wélnə̀ʊn nɜ́ːsrɪ ràɪm]

B.　(2) にあげた語句を含む発話です。

a.　You must respect your father and mother.
[jʊ mʌst rɪspéktʃɔː fɑ́ːðrəm mʌ́ðə]

b.　After a while, he fell fast asleep. [ɑ́ːftrə wáɪl, hiː fèl fɑ́ːst əslíːp]

c.　As a matter of fact, my wife walked out on me.
[əz ə mǽtrəv fǽkt, maɪ wáɪf wɔ̀ːkt áʊt ɒn miː]

d.　I've told you so over and over again.
[aɪv tə́ʊldʒʊ səʊ ə́ʊvrən ə́ʊvrə gen]

強勢のない母音のあとに [l] が来るときも、その母音は脱落しやすい。(3) の下線を引いた母音字は、通常、黙字（使われてはいるが発音されない文字）である。

(3) usually [júːʒlɪ], easily [íːzlɪ], carefully [kɛ́əflɪ], buffalo [bʌ́fləʊ], novelist [nɒ́vlɪst], family [fǽmlɪ], insolent [ínslənt], specialist [spéʃlɪst]

また、[l] や [r] で始まる強勢音節の直前にある [ə] や [ɪ] も脱落しやすい。(4) の語の下線部がそれである。

(4) políte [pláɪt], paráde [préɪd], terrífic [trífɪk], corréct [krékt], colléct [klékt], ballóon [blúːn], diréction [drékʃn], gorílla [grílə], guerrílla [grílə], ferócious [flə́ʊʃəs]

つぎの語の下線部も、脱落しやすい。

(5) phonétics [fnétɪks], suppóse [spə́ʊz], suppórt [spɔ́ːt], photógraphy [ftɒ́grəfɪ]

このほかにも、r の隣やその近辺では、無声母音だけでなくそれを含む音節がまるごと脱落する例を (6) にあげる。たとえば meteorological は天気予報などとの関連で比較的多く使われる語だが、その注意深い発音は [mìːtɪərəlɒ́dʒɪkəl] とネイティヴでも舌を噛みそうなしろものだ。一部を脱落させる発音が使われるのも不思議ではない。

(6) library [láɪbrɪ], February [fébrɪ], literary [lítrɪ], meteorological [mìːtrəlɒ́dʒɪkl]

another, along などの語頭の [ə] は、その前に子音で終わる語が来ると脱落し、かつその穴埋め（？）として [n] や [l] が音節化することが多い。(7) にその例を挙げる。

(7) get another [gèt ənʌ́ðə] → [getn̩ nʌ́ðə]
run along [rʌ̀n əlɒ́ŋ] → [rʌ̀nl̩ lɒ́ŋ]
he was annoyed [hɪ wəz ənɔ́ɪd] → [hɪ wəzn̩ nɔ́ɪd]
not alone [nɒ̀t ələ́ʊn] → [nɒ̀tl̩ lə́ʊn]

さらに語頭の [ə] は、その前に母音で終わる語が来ると、その母音と一緒になって新しい母音を作ることもある。その例を (8) にあげる。

(8) go away [gə̀ʊ əwéɪ] → [gɜ̀ːwéɪ]
try again [tràɪ əgén] → [tràːgén]

(7)、(8) にあげたタイプの脱落（およびそれに伴う変化）は必ずしも学習者が取り入れる必要はないが、もし取り入れればネイティヴが「この人はわれわれと同じような発音をする」と驚くこと請け合いである。

練習 69

A. (3) の単語を含んだ発話です。

a. John usually turns up late. [dʒɒ̀n júːʒlɪ tɜ̀ːnz ʌ́p léɪt]
b. He can pronounce any word easily. [hiː kən prənàʊns éni wɜːd íːzlɪ]
c. She moved the vase carefully. [ʃiː mùːvd ðə vɑ́ːz kɛ́əflɪ]
d. This is a place where buffalo roam. [ðɪs íz ə pleɪs wɛə bʌ́fləʊ rə̀ʊm]
e. Mishima was a novelist. [miʃíma wz ə nɒ́vlɪst]
f. Ours is a big family. [áːz ɪz ə bíg fæ̀mlɪ]
g. What an insolent man he is! [wɒ́t ən ínslənt mæn hiː ɪz]
h. Jane is a computer specialist. [dʒéɪn ɪz ə kəmpjúːtə spè̀ʃlɪst]

B. (4)、(5) の語を含んだ発話です。

a. The waiter wasn't very polite, was he?
[ðə wèɪtə wɒ́znt verɪ pláɪt, wɒ́z iː]
b. That was a grand parade. [ðǽt wəz ə græ̀nd préɪd]
c. The show was terrific. [ðə ʃə́ʊ wəz tríﬁk]
d. The answer is correct. [ðɪ ɑ́ːnsr ɪz krékt]
e. I've got to collect my letters. [aɪv gɒ́tə klékt maɪ létəz]
f. What a pretty balloon you've got! [wɒ́t ə prítɪ blúːn yuːv gɒt]
g. You must obey my directions. [jʊ məst əʊbéɪ maɪ drékʃnz]
h. The gorilla is an endangered species.
[ðə grílə ɪz ən ɪndéɪndʒəd spìːʃiːz]
i. Guerrllas attacked the base. [gríləs ətæ̀kt ðə béɪs]
j. There was a ferocious murder in the neighbourhood.
[ðə wz ə ﬂə́ʊʃəs mɜ́ːdə ɪn ðə néɪbəhʊd]
k. I should consult my phonetics book. [aɪ ʃəd kənsʌ́lt maɪ fnétɪks bʊ̀k]
l. Well, I suppose so. [wəl, aɪ spə́ʊz səʊ]
m. Yes, I support you. [jès, aɪ spɔ́ːtʃuː]

C. (6)、(7)、(8) の語句を含んだ発話です。

a. I met her in the library. [aɪ mét hə in ðə láɪbrɪ]
b. Can you change it to February? [kǽn juː tʃéɪndʒ ɪt tə fébrɪ]
c. He is a literary critic or something. [hiːz ə lìtrɪ krítɪk ɔː sʌmθɪŋ]
d. According to the Meteorological Agency, it's gonna be fine tomorrow.
[əkɔ́ːdɪŋ tə ðə mìːtrəlɒ́dʒɪkl éɪdʒənsɪ, ɪts gɒ́nə biː fáɪn təmɒrəʊ]
e. There's plenty more. Get another one. [ðəz plèntɪ mɔ́ː. getn̩ nʌ́ðə wʌn]

f. Then he ran along. [ðen iː rænl̩ lɒ́ŋ]

g. He was annoyed. [hɪ wəzn̩ nɔ́ɪd]

h. You're not alone in hating grammar. [jɔː nɒ̀tl̩ lə́ʊn ɪn hèɪtɪŋ grǽmə]

i. Leave me alone and go away. [lìːv mɪ ələ́ʊn əŋ gɜ̀ːwéɪ]

j. It wasn't bad. Now try again [ɪt wɒ́znt bǽd. naʊ tràːgén]

★子音

exactly [ɪgzǽktlɪ], twelfths [twélfθs] では下線で示したとおり、子音がいくつも連続している。さらに、next day [nèkst déɪ] のように子音で終わる語の後に子音で始まる語が続けば、また新しい子音連続が生まれる。こうした子音連続を義理がたく全部発音するのはネイティヴにとっても煩わしいことらしく、連続する子音のうち脱落するものがでてくる。こうした発音は大いに取り入れた方がわれわれとしても楽なわけであるが、そんな環境にあるどんな子音でも脱落させてよいというわけではない。代表的な例を見ていこう。

[t] と [d] は両脇を子音に挟まれたとき、脱落することが多い。つぎの語で下線を付けた [t] や [d] を発音するのはむしろ不自然である。

(9) exactly [ɪgzǽklɪ], perfectly [pɜ́ːfɪklɪ], wristwatch [ríswɒtʃ], mostly [mə́ʊslɪ], lastly [láːslɪ], windmill [wímmɪl], sandwich [sǽnwɪdʒ/sǽmwɪdʒ], kindness [káɪnnɪs], friendship [frénʃɪp]

語と語のつなぎ目で両脇を子音に挟まれるようになった [t], [d] についても同様である。

(10) next Tuesday [nèks tjúːzdɪ], kept quiet [kèp kwáɪət], raced back [rèɪs bǽk], mashed poptatoes [mæ̀ʃ pətéɪtəʊz], rowed back [rə̀ʊ bǽk], hold tight [hə̀ʊl táɪt], raised gently [rèɪz dʒéntlɪ], rubbed both [rʌ̀b bə́ʊθ]

このほか、months, fifth, twelfths などでは [θ] が、clothes では [ð] が脱落することが多い。half past seven の -f, -st や、asked の [k]、また only の [l] などもよく落ちる音である。always, already, all right, although などの [l] もしばしば脱落する。already, all right の [-lr-] という音のつながりを苦手とす

る学習者にとっては朗報と言うべきかもしれない。

練習 70

(9)、(10) の語句を含む発話です。

a. That's exactly what I wanted. [ðǽts ɪgzǽklɪ wɒt aɪ wɒ́ntɪd]

b. That's perfectly all right. [ðǽts pɜ́ːfɪklɪ ɔː ráɪt]

c. May I have a look at your wristwatch [méɪ aɪ hæ̀v ə lʊ́k ətʃɔː ríswɒtʃ]

d. It'll be mostly cloudy tomorrow. [ɪtl biː məʊslɪ kláʊdɪ təmɒrəʊ]

e. Lastly, I ask you to drink to Daniel Jones.
[lɑ́ːslɪ, aɪ ɑ́ːsk jʊ tə drínk tə dæ̀njəl dʒəʊnz]

f. Are there still many windmills in Holland?
[ɑ́ː ðə stìl menɪ wímmɪlz ɪn hɒ́lənd]

g. Have some sandwiches, dear. [hǽv sm sǽmwɪdʒɪz, dɪə]

h. I can't thank you enough for your kindnesses.
[aɪ kɑ́ːnt θǽŋkju ɪnʌ́f fə jə káɪnnɪsɪz]

i. I felt her warm friendship. [aɪ félt ə wɔ̀ːm frénʃɪp]

j. I'll see you next Tuesday. [aɪl síː jʊ nèks tjúːzdɪ]

k. They all kept quiet. [ðeɪ ɔ́ːl kèp kwáɪət]

l. They soon raced back. [ðeɪ súːn rèɪs bǽk]

m. She had too many mashed poptatoes [ʃɪ hæd túː mènɪ mæ̀ʃ pətéɪtəʊz]

n. He rowed back the boat by himself. [hiː rə̀ʊ bǽk ðə bə́ʊt baɪ hɪmsélf]

o. Hold tight. The road's a little bumpy. [hə̀ʊl táɪt. ðə rə́ʊdz ə lìtl bʌ́mpɪ]

p. He raised gently the fallen statue. [hɪ rèɪz dʒéntlɪ ðə fɔ̀ːln stǽtʃuː]

q. She rubbed both of her hands together. [ʃɪ rʌ̀b bə́ʊθ əv ə hǽndz təgèðə]

4.2 同化

「天」を発音記号で表せば [teɴ] である。つまりどこにも閉鎖を持たない鼻音で終わっている。しかし「天ぷら」「天丼」「天界」を発音してみてほしい。[tempɯra], [tendoɴ], [teŋkai] となっていることが舌の位置でわかると思う。つまり [ɴ] が、両唇音の [p] の前では両唇音の [m] に、歯音の [n] の前では

歯音の [d] に、軟口蓋音の [k] の前では軟口蓋音の [ŋ] に姿を変えているのだ。このように、隣にある音に影響されてその音に似た、あるいはその音そのものに姿を変えることを「同化」と呼ぶ。「隣」というのは上の例のように「直後」であることが多いが、「直前」という場合もある。

同化については実はこれまでにもいくつか触れてきた。comfort の m が両唇音の [m] ではなく唇歯音の [ɱ] を表していることや、tenth の n が歯茎部音ではなく歯音の [n̪] を表しているのは同化である。[l, r, w, j] が play, try, twice, cue で無声になるのは、[p, t, k] の無声性に同化しているからである。これまでには触れなかったが、母音でもたとえば bell の [e] は、「暗い l」の影響で bed の [e] よりも低い舌の位置で発せられるし、result の [ʌ] は、これも「暗い l」の影響で、cut などの [ʌ] に比べ舌の位置がずっと後になる。大学新入生に書取の試験をしてみると、result を without と聴き取ってしまう学習者が少なくないことに驚かされる。

どんな音でも隣の音に同化するわけではない。実態をよく見ていこう。

★調音点に関する同化

歯茎部音、つまり [t, d, n, s, z] は、「節操のない」音で、隣の音に同化されやすい。まず [t] は [p, b, m] の前では [p] に、[k, g] の前では [k] に、[θ, ð] の前では [t̪] に変わることが多い。

(11) that pen [ðǽp pèn], that boy [ðǽp bɔ̀ɪ], that man [ðǽp mæ̀n],
that cup [ðǽk kʌ̀p], that girl [ðǽk gɜ̀ːl], that thing [ðǽt̪ θɪŋ], at that [ət̪ ðǽt]

同じように、[d] は [p, b, m] の前では [b] に、[k, g] の前では [g] に、[θ, ð] の前では [d̪] に変わることが多い。

(12) good pen [gʊ̀b pén], good boy [gʊ̀b bɔ́ɪ], bad man [bæ̀b mǽn],
good concert [gʊ̀g kɔ́nsət], good girl [gʊ̀g gɜ́ːl], good thing [gʊ́d̪ θíŋ],
could this [kʊd̪ ðɪs]

[n] は、[p, b, m] の前では [m] に、[f, v] の前では [ɱ] に、[k, g] の前では [ŋ] に、[θ, ð]. の前では [n̪] に変わる。

(13) ten ponies [tèm póʊnɪz], eleven boys [ɪlèvm bɔ́ɪz], thirteen men [θɜ̀ːtiːm mén],
nine forks [náɪɱ fɔ́ːks], come for me [kʌ́ɱ fə míː], in Venice [ɪɱ vénɪs],
ten cakes [téŋ kéɪks], lone girls [lə̀ʊŋ gɜ́ːlz], born thieves [bɔ́ːn̪ θìːvz],
in that [ɪn̪ ðǽt]

[n] はまた、それに先行する子音に同化することもある。(14) がその例だ。たとえばhappenの場合、注意深い発音の [hǽpən] から [ə] が脱落して [p] と [n] が隣同士になる ([hǽpn]) と、後者が前者に影響されて [hǽpm] が生まれるわけである。

(14) happen [hǽpən → hǽpn → hǽpm]
bourbon [bɜ́ːbən → bɜ́ːbn → bɜ́ːbm]
bacon [béɪkən → béɪkn → béɪkŋ]
dragon [drǽgən → drǽgn → drǽgŋ]

(14) は脱落がまず起こって、つぎに同化が起こる例だが、同化がまた新たな同化を呼ぶという現象もある。Don't be late. [dóʊnt bɪ léɪt] などでは、Don'tの [t] がまず [b] によって [p] に同化し、この [p] によって [n] が [m] に同化して、結局 [dóʊmp bɪ léɪt] が生まれる。これを含め (15) にいくつかの例を挙げる。

(15) Don't be late. [dóʊmp bɪ léɪt]
He won't come. [hiː wə̀ʊŋk kʌ́m] ([nt] → [nk] → [ŋk])
Good morning! [gʊ̀m mɔ́ːnɪŋ] ([d] → [b] → [m])
He found both of them. [hɪ fàʊmb bóʊθ əv ðm] ([nd] → [nb] → [mb])
Thanks for your kind gift. [θǽŋks fə jə káɪŋg gìft] ([nd] → [ng] → [ŋg])

[s] は [ʃ] や [j] の前で [ʃ] に変わり、[z] は [ʃ] や [j] の前で [ʒ] または [ʃ] に変わる。(16) にいくつか例を挙げよう。

(16) this shop [ðíʃ ʃɒ̀p], miss shopping [mìʃ ʃɒ́pɪŋ], this year [ðìʃ jɜ́ː],
this yearning [ðìʃ jɜ́ːnɪŋ], Does she? [dʌ́ʒ ʃiː], Is she? [íʒ ʃiː],

those young men [ðə́ʊʒ jʌ̀ŋ mén], these young couples [ðíːʒ jʌ̀ŋ kʌ́plz]

★有声音から無声音へ

第2章で、語尾にある有声の破裂音・摩擦音・破擦音は（すぐ後に有声音で始まる語が来ない限り）無声化することを知った。たとえば please で発話が終わる場合、この後の最後の音は [z̥] になる。しかし [z̥] は無声ではあるものの、有声音特有の「弱さ」を保っており、[s] のように強い音ではない。ところが、有声摩擦音・破裂音は、すぐ後に無声の子音で始まる語が来ると、単に無声化するだけでなく、強さを持った無声子音に変化する。つまり [z] は [s] に、[dʒ] は [tʃ] という、いわば「転換」が生ずるのである。(17) に例を挙げる。

(17) these socks [ðìːs sɒ́ks], He was sent to prison. [hiː wəs sènt tə prízn],
We chose six. [wɪ tʃə̀ʊs síks], We've found it. [wiːf fáʊnd ɪt],
with thanks [wɪθ θǽŋks], breathe slowly [brìːθ slə́ʊlɪ], Dodge City [dɒ̀tʃ sítɪ],
bridge score [brítʃ skɔ̀ː]

(14) ～ (17) に例を見る同化は、必ず使わなければならないというほどのものではないかもしれない。しかしこれを常用すれば、学習者の英語が、より英語らしくなることは確実である。

練習 71

同化の練習です。言うまでもありませんが、たとえば [ðǽp pèn] の場合、p の字が2つあるからといって、*[ðǽp^{h} pèn] などと最初の p を破裂させしまってはいけません。that の t が pen と密接につながっているからこそ、p に変わるのです。[ðǽp pèn] です。閉鎖の期間が長い p ですね。

(11) a. I like that pen. [aɪ làɪk ðǽp pèn]
b. Who is that boy? [hùː ɪz ðǽp bɔ́ɪ]
c. That man is pretty mean. [ðǽp mæ̀n ɪz prìtɪ míːn]
d. How much is that cup? [haʊ mʌ́tʃ ɪz ðǽk kʌ̀p]

e. That girl is my niece. [ðǽk gɜ̀ːl ɪz maɪ níːs]

f. Oh, that thing. I'm not interested in that.
[əʊ, ðǽt̪ θɪŋ. aɪm nɒ̀t íntrəstɪd ɪn̪ ðǽt]

g. At that time, I was in London. [ət̪ ðǽt tàɪm, aɪ wəz ɪn lʌ́ndən]

(12) a. That's a good pen. [ðǽts ə gʊ̀b pén]

a. He's a very good boy. [hiːz ə vèrɪ gʊ̀b bɔ́ɪ]

b. John is a bad man. [dʒɒ́n ɪz ə bæ̀b mǽn]

c. That was a good concert. [ðæt wɒ́z ə gʊ̀g kɒ́nsət]

d. There's a good girl. [ðɛ́əz ə gʊ̀g gɜ́ːl]

e. It was a good thing that you arrived in time.
[ɪt wəz ə gʊ́d̪ θíŋ ðətʃuː əráɪvd ɪn táɪm]

f. Could this be true! [kʊ́d̪ ðís bɪ trúː]

(13) a. I keep ten ponies in this barn. [aɪ kìːp tèm pə́ʊnɪz ɪn ðís bɑ̀ːn]

b. There're eleven boys in this class. [ðərə ɪlèvm bɔ́ɪz ɪn ðís klɑ̀ːs]

c. There're thirteen men in the house. [ðərə θɜ̀ːtiːm mén ɪn ðə háʊs]

d. Nine forks are not enough. [nàɪŋ fɔ́ːks ə nɒ́t ɪnʌ́f]

e. Can you come for tea this afternoon?
[kǽn jʊ kʌ́ŋ fə tíː ðìs ɑ̀ːftənúːn]

f. We stayed in Venice for a while. [wɪ stéɪd ɪŋ vénɪs fərə wàɪl]

g. Ten cakes will do. [téŋ kéɪks wɪl dùː]

h. They're all lone girls [ðɛər ɔ́ːl lə́ʊŋ gɜ́ːlz]

i. They're all born thieves [ðɛər ɔ́ːl bɔ́ːn̪ θìːvz]

j. In that case, there's nothing more to say.
[ɪn̪ ðǽk kèɪs, ðəz nʌ́θɪŋ mɔ̀ː tə séɪ]

(14) a. Such things often happen. [sʌ́tʃ θɪŋz ɒ́fn hǽpm]

b. It's bourbon, not Scotch. [ɪts bɜ́ːbm, nɒ́t skɒ́tʃ]

c. I like bacon. [aɪ làɪk béɪkŋ]

d. She's a regular dragon. [ʃiːz ə règjulə drǽgŋ]

(15) a. Don't be late. [də́ʊmp bɪ léɪt]

b. He won't come. [hiː wə̀ʊŋk kʌ́m]

c. Good morning! [gʊ̀m mɔ́ːnɪŋ]

d. He found both of them. [hɪ fàʊmb bə́ʊθ əv ðm]

e. Thanks for your kind gift. [θǽŋks fə jə káɪŋg gɪ̀ft]

(16) a. I like this shop. [aɪ láɪk ðíʃ ʃɒ̀p]

b. How I miss shopping in the Ginza. [háʊ aɪ mɪ̀ʃ ʃɒ́pɪŋ ɪŋ̩ ðə gínzə]

c. She'll turn forty this year [ʃil tɜ̀ːn fɔ́ːtɪ ðɪ̀ʃ jɜ́ː]

d. How can I end this yearning? [hàʊ kən aɪ énd̪ ðɪ̀ʃ jɜ́ːnɪŋ]

e. Does she really want to get married?

[dʌ́ʒ ʃiː ríəlɪ wɒ̀nt tə get mǽrɪd]

f. Is she intelligent? [íʒ ʃiː ɪntélɪdʒnt]

g. Those young men are pretty reckless. [ðə́ʊʒ jʌ̀ŋ mén ə prɪ̀tɪ réklɪs]

h. These young couples are really nice. [ðíːʒ jʌ̀ŋ kʌ́plz ə ríəlɪ náɪs]

(17) a. I don't like these socks. [aɪ də̀ʊnt láɪk ðɪ̀ːs sɒ́ks]

b. He was sent to prison. [hiː wəs sènt tə prízn]

c. We chose six. [wɪ tʃə̀ʊs síks]

d. We've found it. [wiːf fáʊnd ɪt]

e. I accept your invitation with thanks.

[aɪ əkséptʃɔː ɪnvɪtéɪʃn wɪθ θǽŋks]

f. Now, breathe slowly. [naʊ, brɪ̀ːθ slə́ʊlɪ]

g. John comes from Dodge City [dʒɒ̀n kʌ̀mz frm dɒ̀tʃ sítɪ]

h. Mary improved her bridge score. [mɛ́ərɪ ɪmprúːvd ə brítʃ skɔ̀ː]

4.3 合着

1つの音が隣の音に似た、あるいは同じ音になる「同化」とは異なり、2つの音が一緒になって1つの音になることがある。これを「合着」という。[t, d, s, z] が直後の [j] と結びつくと、それぞれ [tʃ, dʒ, ʃ, ʒ] が生まれる。(18) に例をあげる。

(18) Won't you…? [wə́ʊnt juː → wə́ʊntʃuː],

what you want [wɒt jʊ wɒ́nt → wɒtʃʊ wɒ́nt],

Would you…? [wʊ́d jʊ → wʊ́dʒʊ],

kiss you [kís jʊ → kíʃʊ],

in case you [ɪn kéɪs jʊ → ɪn kéɪʃʊ],

as yet [əz jét → əʒét],

Has your mother…? [hǽz jɔː mʌ́ðə → hǽʒɔː mʌ́ðə]

練習 72

「合着」を練習しましょう。

a. Won't you come here? [wə́ʊntʃuː kʌ̀m híə]

b. What you need is a bit more discipline.
[wɒtʃʊ níːd ɪz ə bɪt mɔ̀ː dísɪplɪn]

c. Would you mind moving along? [wʊ́dʒʊ máɪnd múːvɪŋ əlɒ́ŋ]

d. I'll kiss you in my dreams. [aɪl kíʃʊ ɪn maɪ dríːmz]

e. Take your gun in case you need it. [téɪk jɔː gʌ́n ɪn kéɪʃʊ níːd ɪt]

f. Your cheque hasn't come as yet. [jɔː tʃék hæznt kʌ́m əʒét]

g. Has your mother come? [hǽʒɔː mʌ́ðə kʌ́m]

4.4　弱形と強形

第 3 章で扱ったつぎの例を発音記号付きでもう 1 度見てほしい。

(19) a. It was an unúsually dárk níght. [ɪt wəz ən ənjúːʒlɪ dáːk náɪt]

b. It was an unúsually dárk night. [ɪt wəz ən ənjúːʒlɪ dáːk naɪt]

c. It was an unúsually dark night. [ɪt wəz ən ənjúːʒlɪ dɑːk naɪt]

b では night、c では night も dark も強勢を与えられていないが、[naɪt]、[dɑːk] を形作る個々の音には変わりがない。それに対して、つぎの (20) を、これも第 3 章に出てきた (21) と比べてみよう。

(20) a. The bóok is selling well. [ðə bʊ́k ɪz sélɪŋ wél]

b. There's a bóok on the táble. [ðəz ə bʊ́k ɒn ðə téɪbl]

(21) I didn't say "thé" book, I said "á" book.
[aɪ dídnt seɪ ðíː bʊk, aɪ sed éɪ bʊk]

		弱形	強形
a		[ə]	[eɪ]
am		[m, əm]	[æm]
an		[ən]	[æn]
and		[ənd, nd, ən, n]	[ænd]
are	（子音の前）	[ə/ɚ]	[ɑː/ɑɚ]
	（母音の前）	[ər, r]	[ɑɚ]
as		[əz]	[æz]
at		[ət]	[æt]
be		[bɪ]	[biː]
been		[bɪn]	[biːn]
but		[bət]	[bʌt]
can（助動詞）		[kən, kn]	[kæn]
could		[kəd, kd]	[kʊd]
do（助動詞）		[dʊ, də, d]	[duː]
does（助動詞）		[dəz, z, s]	[dʌz]
（例：What's (=does) he need? [wɒ́ts iː níːd/wɑ́ts iː níːd]			
When's (=does) he arrive? [wénz iː əráɪv]			
for	（子音の前）	[fə/fɚ]	[fɔː/fɔɚ]
	（母音の前）	[fər, fr]	[fɔːr/fɔɚ]
from		[frəm, frm]	[frɒm/frɑm]
had（助動詞）		[həd, əd, d]	[hæd]
has（助動詞）		[həz, əz, z]	[hæz]
have（助動詞）		[həv, əv, v]	[hæv]
he		[hɪ, iː, ɪ]	[hiː]
her		[hə, ɜː, ə/hɝː, ɝː, ɚ]	[hɜː/hɝː]
him		[ɪm]	[hɪm]
his		[ɪz]	[hɪz]
is		[s, z]	[ɪz]
me		[mɪ]	[miː]
must		[məst, məs]	[mʌst]
of		[əv]	[ɒv/ʌv]
saint		[sənt, snt, sən, sn]	[seɪnt]
shall		[ʃəl, ʃl]	[ʃæl]
she		[ʃɪ]	[ʃiː]
should		[ʃəd, ʃd]	[ʃʊd]
sir	（子音の前）	[sə/sɚ]	[sɜː/sɝː]
		（母音の前）[sər]	[sɝːr]
some（「いくらかの」の意味の場合）		[səm, sm]	[sʌm]
than		[ðən, ðn, ən]	[ðæn]（まれ）
that（接続詞・関係代名詞）[ðət, ət]		[ðæt]（まれ）	
the	（子音の前）	[ðə]	[ðiː]
	（母音の前）	[ðɪ]	[ðiː]
them		[ðəm, əm, m]	[ðem]
there（存在文の）			
	（子音の前）	[ðə/ðɚ]	[ðɛə]（まれ）
	（母音の前）	[ðər]	[ðɛər]（まれ）
to	（子音の前）	[tə]	[tuː]
	（母音の前）	[tʊ]	[tuː]
us		[əs, s]	[ʌs]
was		[wəz]	[wɒz/wɑz]
were	（子音の前）	[wə/wɚ]	[wɜː/wɝː]
	（母音の前）	[wər]	[wɜːr]
who（関係代名詞）		[hʊ, uː, ʊ]	[huː]
will		[l]	[wɪl]
would		[wəd, əd, d]	[wʊd]
you		[jʊ, jə]	[juː]

表２　弱形と強形

(20a)の強勢を持たない the と(20b)の強勢のない the と a がそれぞれ [ðə], [ə] という形をしているのにくらべ、(21) の the と a は [ðiː], [eɪ] という異なる形をしている。つまり、単語の中には、文強勢があるときとないときで形が変わるものがあるのだ。こうした単語は、a, the のような冠詞とか、接続詞など、これも第 3 章の表 1「品詞と文強勢」で右の欄に分類されている品詞の 1 部である。文強勢のないときの形を「弱形」と言い、ある時の形を「強形」と呼ぶ。これらの単語は文強勢を受けないことが多いのでいわば「弱化」した発音が通常の形となり、文強勢を受けた場合に「強形」で使われるわけである。表 2 にこうした単語の弱形と強形をほぼ網羅的に示す。(RP・GA 間に発音の違いのあるときは「/」の左に RP、右に GA の音を示した。)

★実用例

弱形と強形の使い分けを、実例で習得しよう。弱形を使うべきところに強形を使ってしまうと、意図もしていないのにその後を強調していると受け取られる恐れがある。(ただし、be, he, him, is, me, she, you に関する限り、強形を用いても、強く発音しなければ「強調」と受け取られることはない。)

a　㊙弱 There's a bóok on the táble.
[ðəz ə bʊ́k ɒn ðə téɪbl]
強 I didn't say "thé" book, I said "á" book.
[aɪ dídnt seɪ ðíː bʊk, aɪ sed éɪ bʊk]

am　弱 I am doing my homework.
[aɪ əm dúːɪŋ maɪ hə́ʊmwɜ̀ːk]
[aɪm dúːɪŋ maɪ hə́ʊmwɜ̀ːk]
強 [aɪ ǽm duːɪŋ maɪ həʊmwɜːk]

an　弱 There's an apple in the basket.
[ðəz ən ǽpl ɪn ðə báːskɪt]
強 I didn't say "thé" apple, I said "án" apple.
[aɪ dídnt seɪ ðíː æpl, aɪ sed ǽn æpl]

and　弱 Mary and Anne are good friends.
[méərɪ ənd ǽn ə gʊ́d fréndz]
Mary and Jane are good friends.
[méərɪ ən dʒéɪn ə gʊ́d fréndz]

		I live on bread and butter.
		[aɪ lív ɒn bréd n̩ bʌ́tə]
	㊎	Give me bread and butter, not bread alone!
		[gɪmɪ bred ǽnd bʌtə, nɒ́t bred əlóʊn]
		I'm treating you well, and you do this to me.
		[aɪm tríːtɪŋ jʊ wél, ǽndʒʊ duː ðɪs tə miː]
are	弱	You are so kind.
		[jʊə sóʊ kàɪnd]
		They are English.
		[ðɛər íŋlɪʃ]
	強	You really are stupid.
		[jʊ rìəlɪ ɑ́ː stjùːpɪd]
		Yes, elephants are enormous.
		[jes, elɪfənts ɑ́ːr ɪnɔːməs]
as	弱	He's as good as dead.
		[hiːz əz gʊ́d əz déd]
	強	I wish I could pay you, but as it is, I'm penniless.
		[aɪ wíʃ aɪ kəd péɪ jʊ, bət ǽz ɪt íz, aɪm pénɪlɪs]
at	弱	The monument stands at the top of a hill.
		[ðə mɒ́njʊmənt stæ̀ndz ət ðə tɒ́p əv ə híl]
	強	John is at it again.（ジョンはまたやってる。）
		[dʒɒ́n ɪz ǽt ɪt əgen]
be	弱	You'll be all right tomorrow.
		[jʊl bɪ ɔ̀ːlráɪt təmɒrəʊ]
	強	You're just doing it; be it. （役柄をなぞってるだけだ：役になりきれ。）
		[jʊə dʒəst dúːɪŋ ɪt; bíː ɪt]
been	弱	John's been to Tibet twice.
		[dʒɒ́nz bɪn tə tɪbét twáɪs]
	強	Hi, Bob. How have you been?
		[háɪ bɒb. háʊ həv jʊ bíːn]
but	弱	I ran into his room, but he was gone.

[aɪ rǽn ɪntʊ ɪz rú:m, bət ɪ wəz gɒ́n]

㊎ I thought she was alone. But her husband was there.

[aɪ θɔ́:t ʃɪ wəz ələ́ʊn. bʌ́t hə hʌ́zbənd wəz ðɛə]

can ㊓ He can speak eleven languages.

[hɪ kən spí:k ɪlévn lǽŋgwɪdʒɪz]

㊎ Skiing can be, but not always is, dangerous.

[skí:ɪŋ kǽn bi:, bət nɒ́t ɔ́:lweɪz íz, deɪndʒərəs]

☆ can には cannot [kǽnɒt/kǽnɑt], can't [kɑ:nt/kænt] という「否定縮約形」があり、他の助動詞も couldn't [kʊdnt], don't [dəʊnt], doesn't [dʌznt], hadn't [hædnt], hasn't [hæznt], haven't [hævnt], mustn't [mʌsnt], shouldn't [ʃʊdnt], won't [wəʊnt], wouldn't [wʊdnt] 等の否定縮約形を持つ。否定縮約形に「弱形」はない。なお、am の否定縮約形は *[æmnt] ではなく、[ɑ:nt] であり、綴り字としては an't または aren't が使われる。またその用途は修辞的な疑問文— An't I the master of this house?（私がこの家の家長だぞ）、Oh, I did it again. Aren't I dreadful?（あら、またやっちゃった。私って駄目ねぇ）など—に限られる。

☆☆助動詞と be 動詞は、疑問文などで文頭に来たときに、特に情報の焦点でなくとも文強勢を受け、強形で現れることがある（例：Does she like it? [dʌ́ʒ ʃɪ láɪk ɪt], Is he your boss? [íz i: jɔ: bɒ́s]）。この傾向は RP においては GA よりも強い。なお、この、文強勢を持つ助動詞ないし be 動詞で始まる疑問文は、コンテクストによっては「執拗な質問」として用いられることもある。

could ㊓ He could not catch the bus.

[hɪ kəd nɒ́t kǽtʃ ðə bʌs]

㊎ It could have been worse.（あのくらいで済んでよかった。）

[ɪt kʊ́d əv bɪn wɜ́:s]

do ㊓ Do you like baseball?

[dʊ jʊ láɪk béɪsbɔ:l]

[də jʊ láɪk béɪsbɔ:l]

[djʊ láɪk béɪsbɔːl]

㊎ Yes, I do like baseball.

[jes, aɪ dúː laɪk beɪsbɔːl]

Do you really like it?

[dúː jʊ rìəlɪ láɪk ɪt]

does ㊍ What does he do for a living?

[wɒ́t dəz ɪ dúː fərə lìvɪŋ]

[wɒ́t əz ɪ dúː fərə lìvɪŋ]

[wɒ́ts ɪ dúː fərə lìvɪŋ]

㊎ What does he know about it?

[wɒt dʌ́z ɪ nəʊ əbaʊt ɪt]

Well then, who does she like?

[wel ðen, hùː dʌ́z ʃɪ laɪk]

for ㊍ For God's sake, be patient.

[fə gɒ́dz seɪk, bɪ péɪʃnt]

He's no good. For instance he smokes.

[hiːz nəʊ gʊ́d. fər ínstəns, hɪ sməʊks]

㊎ But there's nothing for me to do!

[bət̬ ðəz nʌ̀θɪŋ fɔ́ː mɪ tə dúː]

Whatever others may say, I'm for inking the pact.

[wɒtèvər ʌ́ðəz meɪ séɪ, aɪm fɔ́ːr ɪŋkɪŋ ðə pækt]

from ㊍ Sean comes from Ireland.

[ʃɔ́ːn kʌmz frəm áːələnd]

[ʃɔ́ːn kʌmz frm áːələnd]

㊎ Wine is not made "of" grapes: it's made "from" grapes.

[waɪn ɪz nɒ́t meɪd ɒ́v greɪps: ɪts meɪd frɒ́m greɪps]

had ㊍ The train had departed already when we got there.

[ðə tréɪn həd dɪpáːtɪd ɔːrédɪ wen wɪ gɒt ðɛə]

[ðə tréɪn əd dɪpáːtɪd ɔːrédɪ wen wɪ gɒt ðɛə]

[ðə tréɪnd dɪpáːtɪd ɔːrédɪ wen wɪ gɒt ðɛə]

㊎ But I had warned him a thousand times before I sued him.

[bət aɪ hǽd wɔːnd ɪm ə θáʊzənd taɪmz bɪfɔː aɪ sùːd ɪm]

☆この語以降 him に至るまで綴り字が h で始まる単語がある。これらの単語の弱形のうち発音に h を持たないもの（[əd], [v], [iː] など）は、発話の初めには使用されない。

has　(弱)　Jane has been writing a report for hours.
[dʒéɪn əz bɪn ráɪtɪŋ ə rɪpɔ́ːt fər ɑ́ːəz]
Sue has finished her paper long before.
[súːz fínɪʃt ə péɪpə lɒŋ bɪfɔ́ː]
Kate has been away for a few days.
[kéɪts bɪn əwéɪ fərə fjùː déɪz]
(強)　But she has submitted her paper, hasn't she?
[bət ʃɪ hǽz səbmítɪd ə péɪpə, hǽznt ʃiː]

have　(弱)　You have been to Paris, haven't you?
[jʊ həv bìn tə pǽrɪs, hǽvntʃuː]
[jʊ əv bìn tə pǽrɪs, hǽvntʃuː]
[jʊv bìn tə pǽrɪs, hǽvntʃuː]
(強)　Well, I have been to Paris, but I stayed there only five hours.
[wəl, aɪ hǽv bɪn tə pǽrɪs, bət aɪ stéɪd̪ ðɛə óʊnɪ fàɪv ɑ́ːəz]

he　(弱)　Where is he gone?
[wɛ́ər ɪz hɪ gɒ́n]
[wɛ́ər ɪz iː gɒ́n]
[wɛ́ər ɪz ɪ gɒ́n]
(強)　John? Oh, he is a regular chap. I'm worried about his brother.
[dʒɒ́n. əʊ híː ɪz ə régjʊlə tʃǽp. aɪm wʌ́rɪd əbaʊt ɪz brʌ́ðə]

her　(弱)　Do you know her well?
[djʊ nə́ʊ hə wél]
I know her husband very well.
[aɪ nə́ʊ ɜː hʌ́zbənd verɪ wèl]
She borrowed it from one of her friends.
[ʃɪ bɒ́rəʊd ɪt frm wʌ́n əv ə fréndz]
(強)　It was one of "her" novels, not "his". George Eliot was a woman.
[ɪt wəz wʌn əv hɜ́ː nɒvlz, nɒ́t híz. dʒɔ̀ːdʒ élɪət wəz ə wʊ́mən]

him (弱) Tell him you hate him.
[tél ɪm jʊ héɪt ɪm]
(強) Give it to him, not to me.
[gív ɪt tə hím, nɒ́t tə míː]
John hit Bill and then he hit him.
[dʒɒ́n hìt bíl, ən̩ ðen híː hɪt hím]
（ジョンがビルを殴った。すると今度はビルがジョンを殴った。）

is (弱) Jane is a nice young girl.
[dʒéɪnz ə nàɪʃʌŋ gɜ́ːl]
Matt's coming here soon.
[mǽts kʌ́mɪŋ hɪə súːn]
(強) This really is a good picture.
[ðís rìəlɪ íz ə gʊ̀d pɪktʃə]

me (弱) Now, listen to me carefully.
[naʊ lísn tə mɪ kɛ́əflɪ]
(強) Give it to me, not to him!
[gív ɪt tə míː, nɒ́t tə hím]

must (弱) That must be a new car.
[ðǽt məst bɪ ə njùː kɑ́ː]
[ðǽt məs bɪ ə njùː kɑ́ː]
(強) But you must come. It's an important meeting.
[bətʃʊ mʌ́st kʌm. ɪts ən ɪmpɔ́ːtnt miːtɪŋ]

of (弱) I could do with a cup of tea.
[aɪ kəd dúː wɪð ə kʌ́p əv tíː]
(強) The dictator is dead and I'm glad of it.
[ðə dɪktéɪtər ɪz déd ənd aɪm glæ̀d ɒ́v ɪt]

☆(強)の例文の of に文強勢があるのは、この場合の of には on account of とパラフレーズできる、希薄でない情報がこめられているからである。

saint (弱) St. John
[sənt dʒɒ́n, snt dʒɒ́n, sən dʒɒ́n, sn dʒɒ́n]

	㊎	He is only playing the saint.
		[hiːz óʊnlɪ plèɪɪŋ ðə séɪnt]（善人ぶっているだけだ。）

☆ GA では Saint の弱形はほとんど使われない。

shall	㊌	I shall be twenty next month.
		[aɪ ʃəl bɪ twéntɪ nèkst mʌ́n̪θ]
		[aɪ ʃl bɪ twéntɪ nèkst mʌ́n̪θ]
	㊎	No one shall stop me.
		[nə́ʊwʌn ʃǽl stɒ́p miː]
she	㊌	I think she's about forty.
		[aɪ θíŋk ʃɪz əbaʊt fɔ́ːtɪ]
	㊎	She isn't to blame; it's her mother.
		[ʃíː ìznt tə bléɪm; ɪts hə mʌ́ðə]
should	㊌	They should have arrived there by now.
		[ðeɪʃəd əv əráɪvd ðɛə baɪ náʊ]
		John should have started earlier.
		[dʒɒ́nʃtf stɑ́ːtɪd ɜ́ːlɪə]

☆ [ʃtf] は should の弱形 [ʃd] の [d] と have の弱形 [v] が [ʃ] と [s] にはさまれて、ともに無声化したもの。

	㊎	Well, they should be nice to you, if you're paying them so much.
		[wel, ðeɪ ʃʊ́d bɪ naɪs tə jʊ, ɪf jɔː péɪŋ ðəm sə́ʊ mʌtʃ]
sir	㊌	How are you, Sir John?
		[haʊ ɑ́ː juː, sə dʒɒ́n]
		It's your turn, Sir Edgar.
		[ɪts jɔ́ː tɜ́ːn, sər édgə]
		Yes, sir. Thank you, sir.
		[jés, sə. θǽŋk jʊ, sə]
	㊎	Yes, sir.
		[jés, sɜ́ː]〈強意または揶揄（やゆ）をこめた言い方〉

Now that he’s been knighted, he’s not Edgar, but Sir Edgar.
[náʊ ðət hiːz bɪn náɪtɪd, hiːz nɒ́t èdgə, bət sə́ːr edgə]

some ㊣弱 May I give you some more tea?
[mèɪ aɪ gɪ̀v jʊ səm mɔː tíː]
I’ll try some of these canapés.
[aɪl tràɪ sməv ðiːz kǽnəpeɪz]
㊣強 I like some of his films, but the others are just rubbish.
[aɪ làɪk sʌ́m əv hɪz fɪ̀lmz, bət ðɪ ʌ́ðəz ə dʒəst rʌ́bɪʃ]

☆「何らかの、かなりの」の意味を持つ some はつねに [sʌm] と発音される。

than ㊣弱 The wrestler was even bigger than I had imagined.
[ðə résləwəz íːvn bígə ðən aɪ əd ɪmǽdʒɪnd]
This is better than the other one.
[ðís ɪz bétə ðn ðɪ ʌ́ðə wʌn]
㊣強 His theory is more difficult, er, than, er, the principle of relativity.
[hɪz θíərɪ ɪz mɔ́ː dífɪklt, əː, ðæn, əː, ðə prínsɪpl əv rèlətívɪtɪ]
You don’t say something is superior “than” something else. You say “superior to”.
[jʊ dә́ʊnt seɪ sʌmθɪŋ ɪz sjuːpíərɪə ðǽn sʌmθɪŋ els. jʊ séɪ sjuːpíərɪə túː sʌmθɪŋ]

☆強形は、最初の例のように er（「えーと」）などに挟まれて孤立した場合や、第 2 の例のように「言及的」な場合以外には用いられない。

that ㊣弱 I know that the earth is round.
[aɪ nə́ʊ ðət ðɪ ə́ːθ ɪz ráʊnd]
All that glitters is not gold.
[ɔ́ːl ðət glítəz ɪz nɒ́t gə́ʊld]
㊣強 He claims, incorrectly, that grammar is a set of rules.
[hɪ kléɪmz, ɪnkréktlɪ, ðǽt grǽmər ɪz ə sét əv rúːlz]

☆接続詞 that の強形は挿入句（この例では incorrectly）などによる中断の後に使われることがある（必ず使われるわけではない）。

☆☆指示詞の that（「それ、その～」の意味を持つ）はつねに [ðæt] と発音される。

the　㊙弱　I'm the master of my soul.
[aɪm ðə mɑ́ːstər əv maɪ sə́ʊl]
She's the only person I trust.
[ʃiːz ðɪ ə́ʊnlɪ pɜ́ːsn aɪ trʌ́st]
強　General Nogi was *the* samurai.
（乃木将軍こそ真の武士だった。）
[dʒénrəl nóŋi wəz ðíː sǽmʊraɪ]

☆弱形 [ðɪ] は子音で始まる語の前に使っても構わない。例：This is the [ðɪ] book I was talking about.。

them　弱　I'll see them in my office.
[aɪl síː ðəm ɪm maɪ ɒ́fɪs]
Let them go: they are innocent.
[lét əm gə́ʊ: ðeɪ ər ínəsnt]
[létm gə́ʊ: ðeɪ ər ínəsnt]
強　Make them attack us first: and then we'll fight back.
[mèɪk ðém ətǽk əs fɜ́ːst: ən̩ ðén wíːl fàɪt bǽk]

there　弱　There was a lovely picture on the wall.
[ðə wəz ə lʌ́vlɪ píktʃər ɒn ðə wɔ́ːl]
There is a dog in the manger.
[ðər ɪz ə dɒ́g ɪn ðə méɪndʒə]

☆上記のような存在文（「～がある」）の there に [ðɛə] を用いる人もいるようだが、実聞したわけではないので例はあげない。

☆☆「そこに」の意味の副詞や、相手の注意を惹くための there は、つねに文強勢を受け、強形で使われる。例：There's the book. [ðέər ɪz ðə búk]（ほら、あの本そこにあるじゃないか）、There runs Mary. [ðέə rʌ́nz mέərɪ]（あ、メアリが駆けてゆく）、There you are! [ðέə jʊ ɑ́ː]（そら見ろ！）。

to	㊖	I'm going to school.
		[aɪm gə́ʊɪŋ tə skúːl]
		Give it to Andy.
		[gív ɪt tʊ ǽndɪ]
	㊕	There's a lot more to it than that.
		[ðəz ə lɒ́t mɔ́ː túː ɪt ðən ðǽt]
		I don't know what to do about it.
		[aɪ də́ʊnt nə́ʊ wɒ́t túː dùː əbaʊt ɪt]

☆㊕の最初の例では、to に「〜について考慮・注意すべき」という意味があるため文強勢を受けたものであり、2 番目の場合は「情報量希薄な語に文強勢を与えて発話全体を強調する」という原理によって強勢を受けている。

us	㊖	They put us up in their house.
		[ðeɪ pʊ́t əs ʌ́p ɪn ðεə háʊs]
		Let's have a party!
		[léts hǽv ə pɑ́ːtɪ]
	㊕	They are helpless people. Let us do the work.
		[ðeɪ ə hélplɪs piːpl. let ʌ́s duː ðə wɜːk]
was	㊖	Bob was playing golf.
		[bɒ́b wəz pléɪɪŋ gɒ́lf]
	㊕	But he was here all the time: I swear to it!
		[bət hɪ wɒ́z hɪə ɔ́ːl ðə táɪm: aɪ swέə tʊ ɪt]
we	㊖	Do we have to do that?
		[dúː wɪ hǽf tə dúː ðǽt]
	㊕	We'll take care of that: you stay out of it.

[wíːl tèɪk kέər əv ðǽt: júː stèɪ áʊt əv ɪt]

were　㊙ They were playing polo.
[ðeɪ wə pléɪɪŋ páʊləʊ]
We were all upset about it.
[wɪ wər ɔ́ːl ʌ̀psét əbaʊt ɪt]
㊐ On the contrary, they were friendly.
[ɒn ðə kɒ́ntrərɪ, ðeɪ wɜ́ː frendlɪ]

who　㊙ The man who I saw yesterday was a thief.
[ðə mǽn hʊ aɪ sɔ́ː jéstədɪ wəz ə θíːf]
[ðə mǽn uː aɪ sɔ́ː jéstədɪ wəz ə θíːf]
[ðə mǽn ʊ aɪ sɔ́ː jéstədɪ wəz ə θíːf]
㊐ Woody Allen, who happens to be my cousin, will be tonight's guest.
[wʊ̀dɪ ǽlən, huː hǽpmz tə bɪ maɪ kʌ́zn, wɪl bɪ tənáɪts gést]

will　㊙ He'll be here tonight.
[hiːl bɪ híə tənáɪt]
㊐ Whatever the cost, we will defend our country.
[wɒtévə ðə kɒ́st, wɪ wíl dɪfénd ɑː kʌ́ntrɪ]

would　㊙ He would do anything for money.
[hɪ wəd dúː énɪθɪŋ fə mʌ́nɪ]
[hɪ əd dúː énɪθɪŋ fə mʌ́nɪ]
[hɪd dúː énɪθɪŋ fə mʌ́nɪ]
㊐ I would not do such a thing.
[aɪ wʊ́d nɒ́t dùː sʌtʃ ə θɪŋ]

you　㊙ You like it?
[jʊ láɪk ɪt]
㊐ You close your mouth!
[júː klə́ʊʒɔː máʊθ]

☆ you で始まる命令文は威圧的である（相手があまりつべこべ言うので腹を立てた場合など）か、あるいは相手が Shut up! と言ったので「お前こそ黙れ！」という対比を表す際に用いられる。

★文強勢がなくても強形が使われる場合

表2の単語が文強勢を持たなければ(「★実用例」の項で但し書きに示した語を除き)弱形を使わねばならない、というのが原則だが、若干の制限がある。つぎの例を見てほしい。

(22) a. My són is fiftéen and he is táller than Í am [æm].
  b. Jóhn has been to Tibét and his wífe has [hæz], tóo.
  c. Whát are you lóoking at [æt]?
  d. I dón't knów where he cómes from [frɒm].

(22) の am, has, at, from は、[´] が付いていないことからわかるとおり、文強勢を持っていないのに強形で使われている。なぜか？ 大ざっぱに言えば、これらの文ではこうした単語の後に何かが「略されている」からである。a では am の後に tall が、b では has の後に been to Tibet が略されている。c の at、d の from という前置詞の目的語はそれぞれ what, where であり、at, from の直後にないという意味でやはり略されていると言える。こういう文法上の位置にある語に関しては、逆に弱形は使ってはならないのである。*Yes, I'm. とか *I've been to more countries than my husband's. ('s=has) などという文が存在しないのはこのためである。

★ gonna と wanna

それぞれ (be) going to, want to のいわば「縮約形」であることはよく知られいると思う。発音はそれぞれ [gɒ́nə, gənə/gɑ́nə, gənə], [wɒ́nə/wɑ́nə, wʌ́nə] である。gonna の方は RP・GA のどちらでも標準的口語表現だが、wanna は RP ではまだ完全には「認知」されていないようだ。

ところで wanna については面白い現象がある。つぎの2例をくらべてほしい。

(23) a. Who do you wanna visit?
  b. *Who do you wanna visit Sue? (< Who do you want to visit Sue?)

a は文法的だが、b は違う。カッコ内のように want to を使わなければいけない。どうしてか？　つぎの 2 文を参照してほしい。

(24) a.　I want Mary to visit Sue.

b.　You want who to visit Sue?

(24a) は (23b) のカッコ内の問いへの答えであり、(24b) は問い返し疑問文 (「誰にスーを見舞ってほしいって？」) である。このように want は直後に Mary なり who なりの目的語を必要とする語である。そして (23b) は (24b) の who を文頭に移し (かつ you want を do you want に換え) た結果出来た文と言える。つまり、(23b) では want の直後にから目的語が「省略」されている文だ。こういう文では wanna は使えず want to を用いる必要がある。(23a) では want の直後に to visit who の to visit が残っているから wanna が使えるのである。

練習 73

この練習では、普通の綴りを出さずに発音記号だけ示します。普通の綴りにとらわれると、どうしてもそれまでの悪い癖が出て来がちです。参照のために本文の普通の綴りを見ることは差し支えありませんが、練習するときは発音記号だけを見るようにしましょう。

A. (19) a.　[ɪt wəz ən ənjúːʒlɪ dɑ́ːk nάɪt]

b.　[ɪt wəz ən ənjúːʒlɪ dɑ́ːk naɪt]

c.　[ɪt wəz ən ənjúːʒlɪ dɑːk naɪt]

(20) a.　[ðə bʊ́k ɪz sélɪŋ wél]

b.　[ðəz ə bʊ́k ɒn ðə téɪbl]

(21) [aɪ dídnt seɪ ðíː bʊk, aɪ sed éɪ bʊk]

[ðəz ə bʊ́k ɒn ðə téɪbl]

B.　強形・弱形を練習しましょう。

a　㊙弱　[ðəz ə bʊ́k ɒn ðə téɪbl]

　㊙強　[aɪ dídnt seɪ ðíː bʊk, aɪ sed éɪ bʊk]

am　㊙弱　[aɪ əm dúːɪŋ maɪ hə́ʊmwɜ̀ːk]

[aɪm dúːɪŋ maɪ hə́ʊmwɜ̀ːk]

	(強)	[aɪ ǽm du:ɪŋ maɪ həʊmwɜ:k]
an	(弱)	[ðəz ən ǽpl ɪn ðə bɑ́:skɪt]
	(強)	[aɪ dídnt seɪ ðí: æpl, aɪ sed ǽn æpl]
and	(弱)	[mέərɪ ənd ǽn ə gʊ́d fréndz]
		[mέərɪ ən dʒéɪn ə gʊ́d fréndz]
		[aɪ lív ɒn bréd n̩ bʌ́tə]
	(強)	[gɪmɪ bred ǽnd bʌtə, nɒ́t bred ələ́ʊn]
		[aɪm trí:tɪŋ jʊ wél, ǽndʒʊ du: ðɪs tə mi:]
are	(弱)	[jʊə sə́ʊ kàɪnd]
		[ðεər íŋlɪʃ]
	(強)	[jʊ rìəlɪ ɑ́: stjù:pɪd]
		[jes, elɪfənts ɑ́: bíg ǽnɪməlz]
		[jes, weɪlz ɑ́:r ɪnɔ:məs]
as	(弱)	[hi:z əz gʊ́d əz déd]
	(強)	[aɪ wíʃ aɪ kəd péɪ jʊ, bət ǽz ɪt íz, aɪm pénɪlɪs]
at	(弱)	[ðə mɒ́njʊmənt stæ̀ndz ət ðə tɒ́p əv ðə híl]
	(強)	[dʒɒ́n ɪz ǽt ɪt əgen]
be	(弱)	[jʊl bɪ ɔ̀:lráɪt təmɒrəʊ]
	(強)	[jʊ ə dʒəst dú:ɪŋ ɪt: bí: ɪt]
been	(弱)	[dʒɒ́nz bɪn tə tɪbét twáɪs]
	(強)	[háɪ bɒb. háʊ həv jʊ bí:n]
but	(弱)	[aɪ rǽn ɪntʊ ðə rú:m, bət ɪ wəz gɒ́n]
	(強)	[aɪ θɔ́:t ʃɪ wəz ələ́ʊn. bʌ́t, hə hʌ́zbənd wəz ðεə]
can	(弱)	[hɪ kən spí:k ɪlévn lǽŋgwɪdʒɪz]
	(強)	[skí:ɪŋ kǽn bi:, bət nɒ́t ɔ́:lweɪz íz, deɪndʒərəs]
could	(弱)	[hɪ kəd nɒ́t kǽtʃ ðə bʌs]
	(強)	[ɪt kʊ́d əv bɪn wɜ́:s]
do	(弱)	[dʊ jʊ láɪk béɪsbɔ:l]
		[də jʊ láɪk béɪsbɔ:l]
		[djʊ láɪk béɪsbɔ:l]
	(強)	[jes, aɪ dú: laɪk beɪsbɔ:l]
		[dú: jʊ rìəlɪ lʌ́v mi:]

does	(弱)	[wɒ́t dəz ɪ dúː fərə lìvɪŋ]
		[wɒ́t əz ɪ dúː fərə lìvɪŋ]
		[wɒ́ts ɪ dúː fərə lìvɪŋ]
	(強)	[wɒt dʌ́z hɪ duː fərə lɪvɪŋ]
		[wel ðen, hùː dʌ́z ʃɪ laɪk]
for	(弱)	[fə gɒ́dz seɪk bɪ péɪʃnt]
		[hiːz nəʊ gʊ́d. fər ínstəns, hɪ sməʊks]
	(強)	[bət̪ ðəz nʌ̀θɪŋ fɔ́ː mɪ tə dúː]
		[wɒtèvər ʌ́ðəz meɪ seɪ, aɪm fɔ́ːr ɪŋkɪŋ ðə pækt]
from	(弱)	[ʃɔ́ːn kʌmz frəm áːələnd]
		[ʃɔ́ːn kʌmz frm áːələnd]
	(強)	[waɪn ɪz nɒ́t meɪd ɒ́v greɪps: ɪts meɪd frɒ́m greɪps]
had	(弱)	[ðə tréɪn həd dɪpáːtɪd ɔːrédɪ wen wɪ gɒ́t ðɛə]
		[ðə tréɪn əd dɪpáːtɪd ɔːrédɪ wen wɪ gɒ́t ðɛə]
		[ðə tréɪnd dɪpáːtɪd ɔːrédɪ wen wɪ gɒ́t ðɛə]
	(強)	[bət aɪ hǽd wɔːnd hɪm ə θáʊzənd taɪmz bɪfɔː aɪ sùːd ɪm]
has	(弱)	[dʒéɪn əz bɪn ráɪtɪŋ ə rɪpɔ́ːt fər áːəz]
		[súːz fínɪʃt ə péɪpə lɒŋ bɪfɔ́ː]
		[kéɪts bɪn əwéɪ fərə fjùː déɪz]
	(強)	[bət ʃɪ hǽz səbmítɪd ə péɪpə, hǽznt ʃiː]
have	(弱)	[jʊ həv bìn tə pǽrɪs, hǽvntʃuː]
		[jʊ əv bìn tə pǽrɪs, hǽvntʃuː]
		[jʊv bìn tə pǽrɪs, hǽvntʃuː]
	(強)	[wəl, aɪ hǽv bɪn tə pǽrɪs, bət aɪ stéɪd̪ ðɛə əʊnɪ fàɪv áːəz]
he	(弱)	[wɛ́ər ɪz hɪ gɒ́n]
		[wɛ́ər ɪz iː gɒ́n]
	(強)	[dʒɒ́n. əʊ híː ɪz ə régjʊlə tʃæ̀p. aɪm wʌ́rɪd əbaʊt ɪz brʌ́ðə]
her	(弱)	[djʊ náʊ hə wél]
		[aɪ náʊ ɜː hʌ́zbənd verɪ wél]
		[ʃɪ bɒ́rəʊd ɪt frm wʌ́n əv ə fréndz]
	(強)	[ɪt wəz wʌn əv hɜ́ː nɒvlz, nɒ́t híz. dʒɔ̀ːdʒ élɪət wəz ə wʊ́mən]
him	(弱)	[tél ɪm jʊ héɪt ɪm]

	強	[gív ɪt tə hím, nɒ́t tə mí:]
		[dʒɒ́n hìt bíl, ən̩ ðen hí: hɪt hím]
is	弱	[dʒéɪnz ə nàɪʃʌŋ gɜ́:l]
		[mǽts kʌ́mɪŋ hɪə sú:n]
	強	[ðís rìəlɪ íz ə gʊ̀d pɪktʃə]
me	弱	[naʊ lísn tə mɪ kɛ́əflɪ]
	強	[gív ɪt tə mí:, nɒ́t tə hím]
must	弱	[ðǽt məst bɪ ə njù: kɑ́:]
		[ðǽt məs bɪ ə njù: kɑ́:]
	強	[bətʃʊ mʌ́st kʌm. ɪt ɪz ən ɪmpɔ́:tnt mi:tɪŋ]
of	弱	[aɪ kəd dú: wɪð ə kʌ́p əv tí:]
		[aɪ kəd dú: wɪð ə kʌ́p ə tí:]
	強	[ðə dɪktéɪtər ɪz déd ənd aɪm glæ̀d ɒ́v ɪt]
saint	弱	[sənt dʒɒ́n, snt dʒɒ́n, sən dʒɒ́n, sn dʒɒ́n]
	強	[hi:z óʊnlɪ plèɪɪŋ ðə séɪnt]
shall	弱	[aɪ ʃəl bɪ twéntɪ nèkst mʌ́n̩θ]
		[aɪ ʃl bɪ twéntɪ nèkst mʌ́n̩θ]
	強	[nóʊwʌn ʃǽl stɒ́p mi:]
she	弱	[aɪ θíŋk ʃɪz əbaʊt fɔ́:tɪ]
	強	[ʃí: ìznt tə bléɪm; ɪts ə mʌ́ðə]
should	弱	[ðeɪ ʃəd əv əráɪvd ðɛə baɪ náʊ]
		[dʒɒ́nʃtf stɑ́:tɪd ɜ́:lɪə]
	強	[wel, ðeɪ ʃʊ́d bɪ naɪs tə jʊ, ɪf jɔ: péɪɪŋ ðəm sóʊ mʌtʃ]
sir	弱	[haʊ ɑ́: ju:, sə dʒɒ́n]
		[ɪts jɔ́: tɜ́:n, sər édgə]
		[jés, sə. θǽŋk jʊ, sə]
	強	[jés, sɜ́:]
		[náʊ ðət hi:z bɪn náɪtɪd, hi:z nɒ́t èdgə, bət sɜ́:r edgə]
some	弱	[mèɪ aɪ gìv jʊ səm mɔ: tí:]
		[aɪl tràɪ sməv ði:z kǽnəpeɪz]
	強	[aɪ làɪk sʌ́m əv hɪz fìlmz, bət ʌ́ðəz ə dʒəst rʌ́bɪʃ]
than	弱	[ðə réslə wəz í:vn bígə ðən aɪ əd ɪmǽdʒɪnd]

[ðís ɪz bétə ðn ðɪ ʌ́ðə wʌn]
強 [hɪz θíərɪ ɪz mɔ́: dífɪklt, ə:, ðæn, ə:, ðə prínsɪpl əv ə: rèlətívɪtɪ]
[jʊ dә́ʊnt seɪ sʌmθɪŋ ɪz sju:píərɪə ðǽn sʌmθɪŋ els. jʊ séɪ sju:píərɪə tú: sʌmθɪŋ]

that 弱 [aɪ nә́ʊ ðət ðɪ ɜ́:θ ɪz ráʊnd]
[ɔ́:l ðət glítəz ɪz nɒ́t gә́ʊld]
強 [hɪ kléɪmz, ínkréktlɪ, ðǽt grǽmər ɪz ə sét əv rú:lz]

the 弱 [aɪm ðə mɑ́:stər əv maɪ sә́ʊl]
[ʃi:z ðɪ ә́ʊnlɪ pɜ́:sn aɪ trʌ́st]
強 [dʒénrəl nóŋi wəz ðí: sǽmʊraɪ]

them 弱 [aɪl sí: ðəm ɪm maɪ ɒ́fɪs]
[lét əm gә́ʊ; ðeɪ ər ínəsnt]
[létm gә́ʊ; ðeɪ ər ínəsnt]
強 [mèɪk ðém ətǽk əs fɜ́:st: ən̺ ðén wí:l fàɪt bǽk]

there 弱 [ðə wəz ə lʌ́vlɪ píktʃər ɒn ðə wɔ́:l]
[ðər ɪz ə dɒ́g ɪn ðə méɪndʒə]
〔存在文以外の there〕
[ðɛ́ər ɪz ðə bʊ́k]
[ðɛ́ə rʌ́nz mɛ́ərɪ]
[ðɛ́ə jʊ ɑ́:]

to 弱 [aɪm gә́ʊɪŋ tə skú:l]
[gív ɪt tʊ ǽndɪ]
強 [ðəz ə lɒ́t mɔ́: tú: ɪt ðən ðǽt]
[aɪ dә́ʊnt nә́ʊ wɒ́t tú: dù: əbaʊt ɪt]

us 弱 [ðeɪ pʊ́t əs ʌ́p ɪn ðɛə háʊs]
[léts hǽv ə pɑ́:tɪ]
強 [ðeɪ ə hélplɪs pi:pl. let ʌ́s du: ðə wɜ:k]

was 弱 [bɒ́b wəz pléɪɪŋ gɒ́lf]
強 [bət hɪ wɒ́z hɪə ɔ́:l ðə táɪm; aɪ swɛ́ə tʊ ɪt]

we 弱 [dú: wɪ hǽf tə dú: ðǽt]
強 [wí:l tèɪk kɛ́ər əv ðǽt: jú: stèɪ áʊt əv ɪt]

were 弱 [ðeɪ wə pléɪɪŋ pә́ʊləʊ]

		[wɪ wər ɔ́:l ʌ̀psét əbaʊt ɪt]
	㊕	[ɒn ðə kɒ́ntrərɪ, ðeɪ wɜ́: frendlɪ]
who	㊖	[ðə mǽn hʊ aɪ sɔ́: jéstədɪ wəz ə θí:f]
		[ðə mǽn u: aɪ sɔ́: jéstədɪ wəz ə θí:f]
		[ðə mǽn ʊ aɪ sɔ́: jéstədɪ wəz ə θí:f]
	㊕	[wʊ̀dɪ ǽlən, hu: hǽpmz tə bɪ maɪ kʌ́zn, wɪl bɪ tənáɪts gést]
will	㊖	[hi:l bɪ híə tənáɪt]
	㊕	[wɒtévə ðə kɒ́st, wɪ wíl dɪfénd ɑ: kʌ́ntrɪ]
would	㊖	[ðeɪ wəd dú: énɪθɪŋ fə mʌ́nɪ]
		[ðeɪ əd dú: énɪθɪŋ fə mʌ́nɪ]
		[ðeɪ d dú: énɪθɪŋ fə mʌ́nɪ]
	㊕	[aɪ wʊ́d nɒ́t dù: sʌtʃ ə θɪŋ]
you	㊖	[jʊ láɪk ɪt]
	㊕	[jú: klə́ʊʒɔ: máʊθ]

(22) a. [maɪ sʌ́n ɪz fɪftí:n ən hi:z tɔ́:lə ðn áɪ æm]

b. [dʒɒ́nz bi:n tə tɪbét n hɪz wáɪf hæz, tú:]

c. [wɒ́tʃʊ lʊ́kɪŋ æt]

d. [aɪ də́ʊnt nə́ʊ wɛ́ər ɪ kʌ́mz frɒm]

第5章　イントネーション

5.1　英語イントネーションの重要性

イントネーション（抑揚）とは、簡単に言ってしまえば発話のメロディーである。どんな言語にもメロディーはある。ただ、この本で特に1章を設けて抑揚を扱うのは、決して読者に「英語らしいメロディー」を身に付けてもらうことだけを目的としているのではない。英語の抑揚には、日本語のそれにくらべてはるかに大きい伝達上の重要性を受け持たされているからなのだ。つぎの例を見てほしい。（この例では、音調（音程・ピッチ）が高い部分は紙面上高いところに、低い部分は低いところに印刷してある。）

（1）　lovely
You have　e
yes.

（2）　l
o　e
v
You have　e
l　es.
y　y

(1)も(2)も、文としては同一である。ところが(1)は誉めことばとして素直に受け取れるのに対し、(2)からは「目はきれいだが、ほかの造作はひどい」という言外の意味が酌み取られる。別な例を見てみよう。

(3) doesn't
lend his books to
He a
n
y
body.

(4) d a
o l
e e n
He sn't n
d y y.
his books to
bod

(3) と (4) も文としてはまったく同一である。しかし (3) が、「彼は誰にも本を貸さない」、つまり John lends his books to nobody. と解釈されうるのに対し、(4) は「貸さないわけではないが、人を選んで貸す」を強く示唆する。つまり (3) と (4) との間には貸す・貸さないという事実関係に関する差がありうるわけである。

You have lovely eyes. を日本語に訳せば、いうまでもなく、

(5) 貴女(あなた)の目は綺麗だ。

である。さて、この日本文を一語一句も変えずに、抑揚だけを使って (2) の持つ言外の意味を表現せよ、と言われたら、日本一の名優といえども頭を抱えることだろう。どうしても

(6) 貴女は目<u>こそ</u>綺麗なんです<u>がね</u>。

の下線部を加えるなどして、別の文を作らなければいけない。このように英語では、日本語におけるよりもはるかに大きな伝達上の役割がイントネー

ションに与えられているのである。だから「発音教育と言っても、単音や語強勢までがせいぜいで、抑揚のような細かい点まではやらなくてもいいのでは」と思う人がいたら、それは外国人に対する日本語教育において、「てにをは」を初めとする助詞や小辞、敬語の使い方などは省いてもよい、と主張するのと同じことになる。

それにもう1つ、英語国民は自分たちがlとr、sとth、bとvを使い分けて単語の区別をしていることは意識している。だから外国人がこれらの音を混同しても、それは彼らにとってある程度予期できることであるし、コンテクストも手助けをしてくれるから、伝達上の支障は最終的には防げる。ところが抑揚になると、彼らには自分たちが細かいニュアンスを表現するのに抑揚をどのように使いこなしているかという意識がない。だから外国人による抑揚の不適切な使用に接すると、それを不適切なものとは気付かずに、自分たちがそれを使う時の気持ちを額面どおりに受け取ってしまう。たとえば外国人がlovelyを[rʌ́bərɪ]と発音してもrubberyな（ゴムのような）目というのはまず考えられないから、まあ通じることは通じるだろう（むろん、それを聞いた英語国民が、人間の悲しい性（さが）で、その外国人に、いわれのない優越感、悪くすれば軽蔑を感じてしまう危険はあるが）。しかしもし本気で相手の目を誉めるつもりでも、(2)のような抑揚を使ってしまったら、相手の不機嫌・怒りを買うだけの結果となってしまう。

英語による伝達にとってこのように重要な役割を果たす抑揚とは、どのような成り立ちをしたものなのだろうか？

5.2　抑揚が示す“意味”

伝達において重要な役割果たすということであれば、抑揚にはなんらかの“意味”があるということになる。どんな意味だろうか。一口に言ってしまえば、抑揚は「この発話をこのように解釈してほしい」というサインを示す役割をしているのだ。これを語用論の方では「手続き的意味」などと呼ぶ。発話解釈の方法（手続き）を示しているからだ。単語の中にも手続き的意味を持つものがある。つぎの例のbutとwellに注目してほしい。

(7) It's midday but the bars are open.

(8) A:　Can you help me out?
B:　Well, I'll have to finish this work by 3:00 p.m.

(7) の話し手は、「今は真昼である」ことと、「バーが開いている」という 2 つのことの間に何らかの「対照」があると考えているむねを but によって伝えているのである。but がなくても、つまり It's midday. The bars are open. という 2 文を単に並置しても、あるいは and で結んで It's midday and the bars are open. と言っても、聞き手はそこに何らかの対照を読みとるだろうが、話し手は but を用いることによって解釈の手続きへのより明確なヒントを送っているのだ。(8B) の well は、「あなたの依頼の前提を改めてくれれば有り難い」とでもパラフレーズできる。つまり A 氏が B 氏に「手伝ってくれる？」と訊くのは、「手伝う時間的余裕が B 氏にある」という前提があるからである。well がなくても、B の発話の意味は通じるが、それではけんもほろろの断り方になる。well によって「それがねえ、押せ押せの仕事があって…」という弁解の態度が伝わり、この発話が「にべもない拒否」になることから救っているのだ。

抑揚がどのような「手続き的意味」を持っているかを見る前に、抑揚表記法をについて学ぼう。

★抑揚の表記法

(1) ～ (4) のような表記法は、導入部には適切であるものの、スペースを取りすぎる。それだけではない。抑揚の重要な構成素である音調は、これからだんだん明らかになるとおり、文強勢と密接な関係にあるのだが、それがこの表記法では表すことができない。そこで、この本では音調と文強勢の双方を捉えることのできる「音調・強勢記号」を用いる。

まず (1) を見てほしい。lovely は水平に印字されている。これは、練習 74 を聴くとわかるように、この部分には文強勢があり、かつ平板調（ピッチが上がりも下がりもしない）で発せられていることを示す。そしてこの平板調はピッチが高い。そこでこれを「高平板調」と呼び、[ˈ] で表す。eyes の部分は下降調である。そしてその下降が始まるピッチはかなり低い。低いところから始まる下降調を「低下降調」と呼び、[ˎ] で表す。一方、you have の部分は音調としては平板だが、これも練習 74 を聴くとわかるように、ここには文強勢がない。そこでここには何の記号も付けない。この方式を使うと、(1) は (9) のように表される。

(9) You have ˈlovely ˎeyes.

つぎに (2) を見よう。you have の部分には文強勢がないので記号なしにする。lovely には高いピッチから始まる下降が見られる。これを「高下降調」と呼び、[ˋ] で表す。eyes ではピッチが一旦下降してやがて上昇している。この音調を「下降上昇調」と名付け、[ˇ] で表す。すると (2) は (10) のように表される。

(10) You have ˋlovely ˇeyes.

こんどは、(3)、(4) をこの表記法で書いてみよう。

(11) He ˈdoesn't ˈlend his books to ˎanybody.
(12) He ˋdoesn't ˋlend his books to ˇanybody.

(11) では [ˈ] が 2 つ現れている。これらが平板調を表すことには変わりがないが、(3) を見返してもらうとわかるとおり、lend his books to の平板調の始まりは、doesn't のそれにくらべていくぶんピッチが低い。そこでつぎのような約束ごとを設けよう：「[ˈ] が 2 つ以上続くときは、2 つ目以降の平板調のピッチは、直前の平板調のピッチよりいくぶん低く発せられる」。同じように (12) では [ˋ] が 2 つ現れている。これについても同様の約束ごとを設ける：「[ˋ] が 2 つ以上続くときは、2 つ目以降の高下降調のピッチは、直前のそれのピッチよりいくぶん低いところから始まる」。また、anybody に付いている [ˇ] は、(4) と見比べるとわかるように、any- の部分に下降があり、-body の部分が上昇調を受け持っていることを表している。

こんどはつぎを見てほしい。

(13) a.　You ˈcan't ˚do ˋthat.
　　b.　You ˌcan't ˳do ˏthat.

ここで新しい記号が4つ出てきた。[ˌ] と [ˏ] と [˚] と [˳] である。[ˌ] は「ピッチの低い平板調」、つまり「低平板調」を、[ˏ] は「低いところから出発する上昇調」、つまり「低上昇調」を、[˚] と [˳] は「ピッチの変動には関与していないが文強勢を持つ単語」を表す。a. の ˚do は ˈcan't と同じ高い音程、b. の ˳do は ˌcan't と同じ低い音程で発せられる。[˚] は [ˈ] のあと、[˳] は [ˌ] のあとにしかでてこないのだから、[˚] と [˳] は事実上同じ記号だと考えていい。(13) を (1)～(4) のような方式で書いてみると (13') のようになる。

(13') a.　　　　　　　　t
　　　　can't do　h
　　You　　　　　　　a
　　　　　　　　　　　t.

　　　　　　　　　　　t.
　　　　　　　　　　a
　　　　　　　　　h
b.　You　can't　do　t

同じ上昇調でも、低上昇とは違い出発点のピッチが高いものがあり、「高上昇調」と呼ばれ、[ˊ] で表される。つぎに例をあげる。

(14) You ˊlike it?

また (10) と (12) で例を見た「下降上昇調」の逆の「上昇下降調」というのもある。ピッチが1度上がってまた下がるもので、つぎの例のように [^] で表される。

(15) ^Wonderful!
(16) How ˏabso˚lutely ˋmarvellous!

これも (1)～(4) 方式で書いてみよう。

```
(15')             der                                          n
                                                           o
      a.  Won            f            または  b.  W        derful.
                             u
                                l.

(16')                               m
                                      a
                             ly          r
                       lute                v
      How            so                      e
                 ab                             l
                                                   l
                                                    o
                                                      u
                                                        s!
```

(15') の左側の図では、-der- のピッチの方が、Won- のそれよりも高い。にもかかわらず、より強く発せられるのは Won- の方である。ここに、日本語と比べた場合の英語の特徴がある。日本語の単語のアクセントは、発話のさまざまな抑揚の中でもそのまま保たれるが、英語の単語の音程は、その単語を言及的に発する場合でこそ、強勢に一致する (won- の音程は -derful のそれよりも高い) ものの、ある種の抑揚の中に入ると、それが逆転することがある。もう 1 つ例をあげれば、idéa は第 2 音節に強勢を持つので、言及的発音では -dea の音程の方が i- のそれよりも高い。ところが (17) のような抑揚の中ではそれが逆転する。ただし、くどいようだが、より強く発せられるのは -dea の方である。

(17) ˈGot the iˏdea?

Got the i-

a?

e

d

(16) の absolutely のピッチは、(16') の図示にみるとおり、漸増的に上昇する。-lute- に付けられている [˳] は、この音節がその漸増的上昇の中で文強勢を持つことを示している。

これで抑揚を形作る要素が出そろった。まとめて書くと次の通りである。

(18)「低下降調」	[ˎ]
「高下降調」	[ˋ]
「低上昇調」	[ˏ]
「高上昇調」	[ˊ]
「低平板調」	[ˌ]
「高平板調」	[ˈ]
「下降上昇調」	[ˇ]
「上昇下降調」	[ˆ]
「ピッチ変化に関与せず文強勢のみを持つ音節」	[˚], [˳]

「やれやれ、なんと複雑なことか！」という感想がでてくるかもしれない。しかし、後で明らかにするように、「下降上昇調」は「高下降調」と「低上昇調」を組み合わせたものほかならないし、「上昇下降調」は「低上昇調」と「高下降調」の組み合わせである。また、これも後で述べるとおり、「低平板調」と「高平板調」は、それぞれ「低上昇調」、「高下降調」が「弱化」した姿なのだ。

説明が大分長く続いた。ここまでにあげた抑揚の例を練習してほしい。抑揚の表す意味にはまだ触れていないのだが、とりあえず「型からはいる気持ち」で口慣らしをしよう。

練習 74

日本人は、日本語が「箸」、「橋」などのように、ピッチの高い低いで単語を区別している準・音調言語であるためか、ピッチの変化、つまりメロディーに強いのです。これは長年音声学を指導してきた経験から言えます。だから自信を持って練習してください。メロディーを取りやすいように、はじめはちょっと不自然ですがゆっくり発音し、つぎに普通の速さで言います。普通の速さが終わったら普通の速さで練習してください。

(9) [jʊ hæv ˈlʌvlɪ ˎaɪz]　You have ˈlovely ˎeyes.

(10) [jʊ hæv ˋlʌvlɪ ˇaɪz]　You have ˋlovely ˇeyes.

(11) [hɪ ˈdʌznt ˈlend ɪz bʊks tə ˎenɪbɒdɪ]

He ˈdoen't ˈlend his books to ˎanybody.

(12) [hɪ ˋdʌznt ˋlend ɪz bʊks tə ˇenɪbɒdɪ]

He ˋdoesn't ˋlend his books to ˇanybody.

(13) a.　[jʊ ˈkɑːnt ˚duː ˋðæt]　You ˈcan't ˚do ˋthat.

b.　[jʊ ˌkɑːnt ˳duː ˏðæt]　You ˌcan't ˳do ˏthat.

(14) [jʊ ˊlaɪk ɪt]　You ˊlike it?

(15') a.　　dә

[wʌn　　fl] ^Wonderful!

(15') b.　n

ʌ

[w　　dәfl] ^Wonderful!

(16) [haʊ ˏæpsәluːtlɪ ˋmɑːvlәs]　How ˏabso˚lutely ˋmarvellous!

★上昇と下降

(2) と (4)、あるいは (10) と (12) をもう一度見てほしい。どちらも最後の部分 (それぞれ、eyes, anybody の後半部) にピッチの上昇が見られる。上昇が示している手続き的意味は「判断の保留」である。(2) で判断保留の対象となっているのは、「目」から連想される顔の他の造作、スタイル、に関する評価である。だから「目以外の造作はどうも…」という言外の意味が生まれるのだ。(4) の判断保留の対象は何か？　それは、言ってみれば、

「not+anybody=nobody という等式」である。話し手は、この等式に「判断の保留」をしてみせることによって、「文字どおり“絶対誰にも貸さない”のではなく、気に入った人／信頼の置ける人には貸すが、その他の人については“誰にも貸さない”のである」旨を示唆しているのである。

では下降調の“意味”は何か？　これはしばしば「言い切り」「断定・主張」を表す、とされる。しかし第 3 章の (37B) を思い出してほしい。あの下線部にふさわしい抑揚を付けて示せばつぎのようになる。

(19) ˈPeter is well-ˋread, indeed.

下降調で言われているが、これはそもそも相手の言ったことを鸚鵡(おうむ)返しに反復しているのだから、「言い切り」でも、「断定・主張」でもない。下降調の持つ“意味”は「判断保留の不在」にすぎないのである。

下降と上昇の違いを示す例をいくつかあげてみよう。(13) の a. と b. の意味の違いは何か？　a. は親が小さな子に向かって、あるいは小学校の先生が生徒に向かって「そんなことをしてはいけない」と、権威を以てたしなめている発話としてふさわしい。それに対して b. からはかなりの「遠慮」がうかがえる。この遠慮は何によって表現されているか？　that に付された低いピッチで始まる上昇調によってである。こういう場面を想像してほしい。ワンマン社長がある係長の態度に腹を立てて「あんな生意気な奴はクビだ」と怒鳴っているとする。そばにいる平取締役は問題の係長が非常に有能で彼を辞めさせることは社にとって不利益をもたらすと考え、b. を発したとする。平取締役がワンマン社長をいさめる場合、「権威を以て」行うわけにはいかない。このヒラトリ氏は自分がそもそもこの発話を行うこと自体に対して判断保留をしている、あるいはしているように見せているのだ。「おことばに逆らうようで申し訳ないのですが…」というわけである。

1970 年代、アメリカの、今で言う性差(ジェンダー)撤廃主義者が、男は自分の名前を聞かれたとき、(20a) のように下降調で答えるが、女は (20b) のように上昇調で答えることが多いのは嘆かわしいと言っていた。

(20) a.　ˎJohn.

b.　ˈMariˊanne.

つまり、自分の名前という、本来判断保留の必要のない情報にまで判断保留のふりをする方が、「控えめで、慎ましやかで、可愛らしい」という印象を与える。それを社会的に強要されるほどアメリカ女性は抑圧されている、という趣旨だったのだろう。

著者は英語を習い始めた中学生のころ、「平叙文、命令文、感嘆文、疑問詞疑問文は下降調で終わり、Yes/No疑問文は上昇調で終わる」と教わった。これが誤りであることはすぐわかったが、最近の学生に訊くとやはり同じようなことを中・高時代に教えられたという。どうも発音教育はこの60年ほどの間、少しも進歩していないと見える。文(この中には(20)のような省略文も含める)の種類と上昇・下降の関係について見ていこう。

平叙文

すでに(10)、(12)、(13b)、(14)、(20b)で平叙文だが上昇調で終わる例を見てきた。一方、(9)、(11)、(13a)、(19)、(20a)は下降調で終わっている。要は「判断保留」があれば上昇調、なければ下降調が使われるのであって、平叙文という文法構造とは無関係である。

また、平叙文の途中に上昇調が使われることがある。

(21) He ˈclosed the ˏwindow, ˈput on his ˏcoat, ˈlocked the ˏdoor and ˈleft the ˎhouse.

これら3つの低上昇調は、「これでこの文は終わりだ」に対する判断保留であり、「この文はまだ終わっていませんよ」ということを示す役割を果たしている。典型的な例が、物や事を列挙する場合で、

(22) We have ˊKirin, Aˊsahi, ˊHeineken, ˊBudweiser and ˋCoors.

のˊBudweiserまでを聞いた客は、この店のビールはほかにもたくさんの種類があるのかもしれないと思う。しかし最後のˋCoorsを聞いたとたん、この5種で全部なのだなとわかる。

またこの上昇調には、「〜ではいかがですか?」という、「客は〜が好みである」に対する判断保留があるという解釈も可能である。ハイネケン好きの

客なら、ˊHeineken を聞いた時点で I'll have Heineken, please. と反応する。ただし、列挙する場合でも、相手を決めつけるようなときは、何の判断保留も必要がないから、

(23) You're ˌfond of ˋdrinking, ˋsmoking, ˋhorseraces, ˈhaving a ˚good ˋtime with ˈyoung ˋgirls…

と、下降調が連発される。
「カリフォルニア州の州都は？」というクイズの問いに、自信のある人は

(24) ˈSacraˎmento.

と下降調で答え、自信のない人は自分の発言内容に判断保留をしつつ、

(25) ˈSan Franˊcisco.

と上昇調で答える。

(26) I ˈwouldn't ˋmix with ˳those people.

は自分がこの発言をすることに判断保留を行わない、つまりかなり強い勧告（この文の最後に if I were you が略されていると考えると判りやすい：「私ならあんな連中とは付きあわないね」）であり、

(27) I ˈwouldn't ˋmix with ˏthose people.

は、判断保留を行っているため「差し出がましいようですが、ああいう連中とは付き合わない方がいいんじゃありませんか」といういくぶんの遠慮を持った忠告となっている。

命令文

命令文が本当の命令として使われるときは、権威を以て発せられるわけだか

ら判断保留があってはその効力が失われる。だから下降調が使われる。

(28) a. ˎStop it, you two!
　b. ˈDo as I ˎtell you.
　c. ˈGo aˋway!
　d. ˈShut ˋup!

また緊急の場合は、判断保留（発話の適否に対する）など行っている余裕はないからやはり下降調が使われる。

(29) a. ˋWatch it!
　b. ˈStay ˋback!
　c. ˋJump!（飛び降りろッ！）

一方、相手に優しいことばを掛けたり、慰めようとするときに命令文を使うこともある。こうした場合は、その発話が「命令であること」への修辞的判断保留を示すために上昇調が用いられ、発話がやわらげられる。

(30) a. ˈCome to ˏDaddy.
　b. ˋDon't ˏcry, baby.
　c. ˈBlow your ˏnose, dear.

また、相手にとって好ましい事態が起こることを願うときにも命令文が使われることがあるが。この場合も上昇調が使われる。やはり「命令であることへの修辞的判断保留」を示すことにより発話がやわらげられるからと言えよう。

(31) a. ˈSleep ˏtight.
　b. ˈHave a ˈsafe °trip ˏhome!
　c. EnˈJoy your ˏholiday!

感嘆文

感嘆文の用途はほとんどの場合、程度の差はあれ「感嘆」を表すところにある。判断保留をしていたのでは「感嘆」にならないため、ほぼ例外なしに下降調で言われる。

(32) a. What a ˈlovely ˈday for a ˎpicnic!
b. What ˈterrible ˈwine he ˎdrinks!
c. How ˈvery ˋnoble of you!
d. ˈHow riˎdiculous!

英語国民はアイロニーが好きだから、ピクニックの最中に大雨が降ってきても(32a)を発することがある。この場合は文字どおりの「感嘆」ではないが、使われる抑揚は同じである。というのはアイロニーとは誰かの言ったこと、あるいは言いそうなことを再現したもの(この点については拙著『語用論への招待』に詳しい)だから、それらしい抑揚でなければ効果がないからである。

感嘆文に上昇調が使われるのは相手が発した感嘆文を、皮肉や揶揄を目的として訂正する場合だけに限られると言えそうだ。

(33) A: ˈWhat a ˈneat ˎhouse!
B: ˈWhat a °neat ˇrabbit-hutch!

(34) A: ˈWhat a ˈlovely ˎswimsuit!
B: ˈWhat a ˈlovely ˇhandkerchief!

(33)のBは「かわいい(neat)かもしれないけど、こう小さくては家とは言えないね。ウサギ小屋だよ」と言っている。(34)のAは若い娘、Bはその父親であると思ってほしい。店のウィンドウのビキニを欲しがる娘に、父親は「そんな露出度の大きい水着を着ちゃいかん」と言っているわけである。

ここで、感嘆文ではないがそれに近い関係にある間投詞や挨拶表現などに触れておきたい。

(35) a. ˋWow!
b. Hurˋray!
c. ˋSuper!
d. Terˋrific!
e. ˋGreat!

などは喜びの表現だから、判断保留とはなじまない。当然、下降調で発せられる。驚きや口惜しさ、嫌悪を表す表現も同じである。

(36) a. My ˋgoodness!
b. ˋJesus!
c. To ˋhell with him!
d. ˈBloody ˈhell ˋblast it!

Shit! や Fuck! も同様だ。

挨拶のことばとして、ˋHi! だけなら下降調だが、挨拶にはたいてい呼びかけが付くからこの場合はそこの部分が下降上昇調の一部として上昇を受け持つ。また thank you などが後続すれば、これが上昇調で言われる。

(37) a. ˇHi, Bob!
b. ˈHow are ˇyou, Jane?
c. ˈFine, ˏthank you.
d. ˈNot ˋbad, ˏthanks.

大事なのは、別れの挨拶の抑揚である。これは上昇調でなければならない。

(38) a. ˈBye-ˏbye.
b. ˈGood ˏnight, dear.
c. ˈNight-ˏnight, dear.
d. ˈSee you ˏlater.

上昇調によって表されている修辞的判断保留の対象は、この場合「これで終わりである」ということであろう。ˈGood-ˎbye!（この挨拶語自体、あまり使われなくなっているが）などと下降調を使ったのでは、「もうお前なんかと会うものか！」という意味合いになってしまう。

相手の言ったことがよく聞こえなかった場合などに繰り返しを求めるときの

(39) a. ˊSorry?
b. Exˊcuse me?
c. ˊPardon me?
d. I ˈbeg your ˊpardon?

などは、示したように高い上昇調で言われる。高い上昇調は、後で述べるように軽い判断保留を表す。ちょっとの間席を外すときなどは

(40) Exˎcuse me. I've ˈgot to say a °brief hulˋlo to ̥that man.

のように、下降調がふさわしい。ついでながら、こうした場合は席を外す理由を述べるのが礼儀である。（黙って席を立つのは手洗いに行くときに限る。）同じように電話の相手を待たせるときも

(41) ˈWould you °hang ˎon while I ˌcheck it with my ˏwife?

などと、待たせる理由を告げることが常識、という点は日本語と異なる。

人混みで肘が軽く他人に触れてしまったときとか、飛行機が満席であることを告げる場合などは、

(42) ˇSorry.
(43) ˇSorry but there're ˈno ˈseats aˋvailable on that ̥flight.

のように最後を上昇調にするのが普通だが、本当に謝るのであれば、下降調でなければならない。ただ、つぎの例のように、相手にあることを告げ忘れたことに対する軽い謝罪であれば、下降上昇調でもかまわない。

(44) ¯I'm ˇsorry. I should have ˋtold you about it.

なお、[¯] は「文強勢はないが、ピッチは高い」音節を示す。これは文頭だけに現れ、発話の意味を強める。

また、sorry に so とか terribly などの強意の副詞を付ければ謝罪の意味は強くなるが、その場合、下降調は sorry 自体よりも副詞の方につけた方が効果がある。それは「私が sorry に感じるのは当然のことで、その程度が強い」旨が伝わるからである。

(45) a.　¯Oh, I'm ˋso ˳sorry.
　　b.　¯Oh, I'm ˋterribly ˳sorry.

sorry という語は謝罪だけでなく、相手やその親族の大けがや死などに対する同情・悔やみの意味も表す。この場合の抑揚は (45) と同じでよい。

Yes/No 疑問文

疑問文を使う目的の1つは、相手に質問をすることである。質問をするということは、相手に答える義務を課す、つまり多少なりとも負担をかけることになる。そこで質問者としては自分がその発話を行うことの適切性についての判断保留を少なくともしてみせる必要がある。そこで質問としての疑問文には上昇調が使われることが多いのだ。もう1つには、たとえば Do you like baseball? という質問を発するということは、You like baseball. が事実かどうかについて判断保留をしているので上昇調が使われる、ということも言えるかもしれない。Yes/No 疑問文を使った質問の例をいくつか挙げよう。

(46) a.　ˈIs that ˏCharlie?
　　b.　Have you ˈbeen to ˏMexico?
　　c.　ˈWould you ˈrather I ˏdidn't ˚help you?
　　d.　ˈDoes your ˏmother ˚know it?
　　e.　ˈMay I ˚have a ˏword with you?
　　f.　ˈCan I ˈget you something to ˏdrink?

もの当てクイズなど、「質問を発するのが当然な」状況では、判断保留をしてみせる必要がないから、下降調が使われる。つぎの例では、司会者と観衆だけが答えを知っているある動物が正答だと思ってほしい。

(47) a. Are they ˈbigger than ˎhorses?
  b. Can you ˈkeep them in a ˎhouse.
  c. Do you ˈsee them in the ˎstreets?
  d. Are they ˎhairy?
  e. Do they ˈhave ˎtusks?

答えが Yes であることをほぼ確信しながらも、念を押すために質問する場合にも、下降調が使われる。

(48) a. ˈIs she ˈreally ˎhappy about it?
  b. Do you ˈtruly ˋlove her?
  c. Have you ˈseen them toˋgether?

つぎの

(49) a. ˈAre you ˈquite ˎsure?
  b. ˈIs there ˈany ˎevidence?
  c. ˈCan he ˋprove his ˳alibi?

などは、もはや「情報提供を求める」ものというよりは、「証拠もないのに無責任な主張をしてはいけない」「立証できないアリバイを主張するのは無意味だ」という、論難と言ってよい。

Yes/No 疑問文が、「依頼」のために用いられることはよく知られている。下に示すとおり、上昇調が使われるのが普通である。

(50) a. ˈCan you ˚get me a ˏmartini?
  b. ˈWould you like to ˈsign your ˏname here, please?
  c. ˈMay I have a ˏlook at it?

d. ˈDo you think you can ˈlet me ˏhandle this ˚case?

e. ˈWould you ˚mind ˈmoving a ˏlong a little bit?

もちろんこれらに下降調が使われる場合もある。しかしそれは丁寧な依頼とはもはや呼べず、「〜してくれるのが当然なのに、どうしてしてくれないんだ」という非難の混じったものとなる。たとえば、

(51) ˈWould you ˚mind ˈmoving a ˎlong a little bit?

は、意訳すれば「(席を)詰めてくれたらよさそうなものなのに、気の利かない奴だ」となるだろう。

否定形の Yes/No 疑問文は、しばしば感嘆文と同じ働きをし、表記の上でも疑問符でなく感嘆符を伴う。判断保留をしたのでは「感嘆」にはならないから、下降調が用いられる。

(52) a. ˋIsn't she a ˳picture!

b. ˋAren't you ˳lucky!

c. ˋHasn't she a ˳lovely ˳voice!

この場合、下降調は上に示したように否定縮約形(Isn't など)に置かれる。後の方に置くと「感嘆の度合い」が下がってしまう。(52b)は「(お金持ちの伯父さんが留学費用を出してくれるって?)それは羨ましい限りだ」といった感嘆表現だが、

(53) Aren't you ˎlucky!

と言うと「あ、そう。運がいいね」程度のお座なりな感想になる。

このような上昇・下降の使い分けは、つぎのような付加疑問(斜体部)の抑揚とその機能に反映されている。

(54) a. She ˈhas a ˋbrain, ˏ*hasn't she*?

b. She ˈhas a ˋbrain, ˋ*hasn't she*?

(55) a. He ˈdoesn't ˚play very ˋwell, ˏ*does he*?
b. He ˈdoesn't ˚play very ˋwell, ˋ*does he*?

(54a) は、たとえば「その女性にはまだ会ったことはないが、君が結婚するというのなら頭が切れる人なんだろうね」という、半分以上は肯定の答えを予期しながらも一応情報提供を要請するものであるのに対し、(54b) はある女性について「彼女は頭が切れるねえ」と相手に「賛同」を求める発話である。同様に、(55a) が「その選手はあまり上手じゃないと聞いてるけど、どうなんだい？」という質問であるのに対し、(55b) は「あの選手あんまり上手じゃないねえ」という、賛同を求める発話である。

ところで、質問としての Yes/No 疑問文を読み上げる際の抑揚について面白い現象があるので紹介しておきたい。つぎは小説の朗読の一部だと思ってほしい。

(56) "Am I ˏpregnant?", she ˚asked.

日本語であれば、「"私、妊娠しているんですか？" と彼女は訊いた」を読み上げるとき、"　" 内の部分は上昇調で言っても、下線部は下降調で言う。ところが英語では pregnant の上昇調が she asked までついでに（？）続くのである。理屈に合わないがそういう習慣だから致し方ない。

なお、

(57) Can I get you ˊKirin, AˊSahi, ˊHeineken, ˊBudweiser or ˋCoors?

では最後に下降調が使われているが、別に詰問・論難等を表すわけではない。「お持ちできるビールの銘柄はこの 5 種です」、つまり、銘柄の種類についてはもう判断保留はないということを示しているだけである。

疑問詞疑問文

見ず知らずの人に、いきなり疑問詞疑問文を使って What time is it? とか Where is the station? などと訊くことはまずない。時間その他を尋ねるのであれば Excuse me. Have you got the time?/Could you direct me to the way to the station? などと言うか、疑問詞疑問文でも Yes/No 疑問文に埋め込んで Excuse me. Could you tell me what time it is? とか、Sorry to trouble you, but would you tell me where you can get those pamphlets? などと言うのが普通だ。

疑問詞疑問文は「X 疑問文」とも呼ばれる。それまでの話や状況の流れからある程度の状況は掴んでいるのだが、まだ未知数 X がある。その X を教えてくれ、というのが疑問詞疑問文の本来の機能である。ということは、疑問詞疑問文を発するときというのは、質問をすることに判断保留を行う (=質問することをすまながって見せる) 必要が少なくなっているときであることが多いと言える。そこで、話に夢中になって時の経つのを忘れていた人が慌てて発する (58a) や、友人の楽しそうな休暇旅行計画を聞かされて大いに興味を持った人が発する (58b) などでは下降調が普通だろう。

(58) a.　My goodness! ˈWhat time ˋis it?

b.　Fantastic! ˈWhen do you °plan to ˋleave?

もちろん、真夜中に玄関のドアをガンガン叩く奴がいれば、

(59) a.　ˈWhat do you ˋwant?

b.　ˈWhat's the ˋmatter?

と、下降調で、つまり判断保留などしないで誰何すべきである。凶器らしきものを手に持った男を見つけた警官は

(60) ˋHey. ˈWhat have you °got ˋthere?

と職務質問をするはずだ。(話は抑揚からそれるが、What do you want? は文そのものが詰問調だから、何かの相談のために研究室を訪ねてきた学生にこの文を使う先生は、かなり権柄ずくな人である。過去形を使って What <u>did</u> you want? とか What <u>was</u> it you <u>wanted</u> to see me about? と問うのが適切である。こうしたことは拙著『英語の使い方』(大修館書店) に詳しい。)

一方で、つぎのように上昇調で発せられる疑問詞疑問文もある。

(61) a. ˉHul ˏlo. ˋWhat have you ˳got ˏthere?

b. ˋWhat did you ˳ask ˳Father ˳Christmas to ˏbring you?

どちらも 3, 4 歳の幼児に向かっての発話だと思ってほしい。a. では幼児が手にしているのがデカレンジャーの模型とかリカちゃん人形であることはわかっているのだが、幼児との交流を図るために質問を発しているわけだ。文としては (60) と同じなのに、判断保留を装った上昇調が質問をやわらげているわけである。b. が幼児の親によって発せられたとしよう。幼児の欲しがっているものを買ってやりたいと思っているわけだから、これは本当の質問だ。上昇調は発話に「優しい響き」を与えるために使われている。(サンタクロース—イギリスでは普通 Father Christmas と呼ばれる—の存在を信じている幼児に「ヒミチュ (秘密)」などと答えられると親は大いに困るわけだ。)

練習 75

(19) [ˈpiːtər ɪz welˋred, ɪndiːd] ˈPeter is well-ˋread, indeed.

(20) a. [ˎdʒɒn] ˎJohn.

b. [ˈmærɪˊæn] ˈMariˊanne.

(21) [hɪ ˈkləʊzd ðə ˏwɪndəʊ, ˈpʊt ɒn ɪz ˏkəʊt, ˈlɒkt ðə ˏdɔː, ən ˈleft ðə ˎhaʊs]
He ˈclosed the ˏwindow, ˈput on his ˏcoat, ˈlocked the ˏdoor and ˈleft the ˎhouse.

(22) [wɪ hæv ˊkɪrɪn, əˊsɑːhɪ, ˊhaɪnɪkɪn, ˊbʌdwaɪzə, ən ˋkʊəz]
We have ˊKirin, Aˊsahi, ˊHeineken, ˊBudweiser and ˋCoors.

(23) [jɔː ˌfɒnd əv ˋdrɪŋkɪŋ, ˋsməʊkɪŋ, ˋhɔːsreɪsɪz, ˈhævɪŋ ə ˚gʊd ˚taɪm wɪð ˚jʌŋ ˋgɜːlz]
You're ˌfond of ˋdrinking, ˋsmoking, ˋhorseraces, ˈhaving a ˚good ˚time with ˚young ˋgirls…

(24) [ˈsækrəˋmentəʊ] ˈSacraˋmento.

(25) [ˈsæn frənˊsɪskəʊ] ˈSan Franˊcisco.

(26) [aɪ ˈwʊdnt ˋmɪks wɪð ˳ðəʊz piːpl] I ˈwouldn't ˋmix with ˳those people.

(27) [aɪ ˈwʊdnt ˋmɪks wɪð ˏðəʊz piːpl] I ˈwouldn't ˋmix with ˏthose people.

(28) a. [ˎstɒp ɪt, juː tuː] ˎStop it, you two!
b. [ˈduː əz aɪ ˎtel juː] ˈDo as I ˎtell you.
c. [ˈgəʊ əˋweɪ] ˈGo aˋway!
d. [ˈʃʌt ˋʌp] ˈShut ˋup!

(29) a. [ˋwɒtʃ ɪt] ˋWatch it!
b. [ˈsteɪ ˋbæk] ˈStay ˋback!
c. [ˋdʒʌmp] ˋJump!

(30) a. [ˈkʌm tə ˏdædɪ] ˈCome to ˏDaddy.
b. [ˋdəʊnt ˏkraɪ, beɪbɪ] ˋDon't ˏcry, baby.
c. [ˈbləʊ jɔː ˏnəʊz, dɪə] ˈBlow your ˏnose, dear.

(31) a. [ˈsliːp ˏtaɪt] ˈSleep ˏtight.
b. [ˈhæv ə ˈseɪf °trɪp ˏhəʊm] ˈHave a ˈsafe °trip ˏhome!
c. [ɪnˈdʒɔɪ jɔ ˏhɒlɪdeɪ] Enˈjoy your ˏholiday!

(32) a. [wɒt ə ˈlʌvlɪ ˈdeɪ fər ə ˎpɪknɪk] What a ˈlovely ˈday for a ˎpicnic!
b. [wɒt ˈterɪbl ˈwaɪn ɪ ˎdrɪnks] What ˈterrible ˈwine he ˎdrinks!
c. [haʊ ˈverɪ ˋnəʊbl əv juː] How ˈvery ˋnoble of you!
d. [ˈhaʊ rɪˎdɪkjʊləs] ˈHow riˎdiculous!

(33) A: [ˈwɒt ə ˈniːt ˎhaʊs] ˈWhat a ˈneat ˎhouse!
B: [ˈwɒt ə °niːt ˇræbɪthʌtʃ] ˈWhat a °neat ˇrabbit-hutch!

(34) A: [ˈwɒt ə ˈlʌvlɪ ˎswɪmsuːt] ˈWhat a ˈlovely ˎswimsuit!
B: [ˈwɒt ə ˈlʌvlɪ ˇhæŋkətʃɪf] ˈWhat a ˈlovely ˇhandkerchief!

(35) a. [ˋwaʊ] ˋWow!
b. [hʊˋreɪ] Hurˋray!
c. [ˋsuːpə] ˋSuper!
d. [təˋrɪfɪk] Terˋrific!
e. [ˋgreɪt] ˋGreat!

(36) a. [maɪ ˋgʊdnɪs] My ˋgoodness!
b. [ˋdʒiːzəs] ˋJesus!
c. [tə ˋhel wɪð ɪm] To ˋhell with him!
d. [ˈblʌdɪ ˈhel ˋblɑːst ɪt] ˈBloody ˈhell ˋblast it!

(37) a. [ˇhaɪ, bɒb] ˇHi, Bob!
b. [ˈhaʊ ə ˋjuː, ˏdʒeɪm] ˈHow are ˇyou, °Jane?

c. [ˈfaɪn ˏθæŋk juː] ˈFine, ˏthank you.

d. [ˈnɒt ˋbæd, ˏθæŋks] ˈNot ˋbad, ˏthanks.

(38) a. [ˈbaˏbaɪ] ˈBye-ˏbye.

b. [ˈgʊd ˏnaɪt, dɪə] ˈGood ˏnight, dear.

c. [ˈnaɪˏnaɪ, dɪə] ˈNight-ˏnight, dear.

d. [ˈsiː jʊ ˏleitə] ˈSee you ˏlater.

(39) a. [ˊsɒrɪ] ˊSorry?

b. [ɪksˊkjuːz miː] Exˊcuse me?

c. [ˊpɑːdn miː] ˊPardon me?

d. [aɪ ˈbeg jə ˊpɑːdn] I ˈbeg your ˊpardon?

(40) [ɪksˎkjuːz miː. aɪv ˈgɒt tə seɪ ə °briːf həlɚʊ tə ˳ðæt mæn]

Exˎcuse me. I've ˈgot to say a °brief hulˋlo to ˳that man.

(41) [ˈwʊdʒʊ °hæŋ ˎɒn waɪl aɪ ˌtʃek ɪt wɪð maɪ ˏwaɪf]

ˈWould you °hang ˎon while I ˌcheck it with my ˏwife?

(42) [ˇsɒrɪ] ˇSorry.

(43) [ˇsɒrɪ bət ðərə ˈnəʊ ˈsiːts əˋveɪləbl ɒn ˋðæt ˳flaɪt]

ˇSorry but there're ˈno ˈseats aˋvailable on ˋthat ˳flight.

(44) [ˉaɪm ˇsɒrɪ. aɪ ʃtf ˋtəʊldʒʊ əbaʊt ɪt]

ˉI'm ˇsorry. I should have ˋtold you about it.

(45) a. [ˉəʊ, aɪm ˋsəʊ ˳sɒrɪ] ˉOh, I'm ˋso sorry.

b. [ˉəʊ, aɪm ˋterɪblɪ ˳sɒrɪ] ˉOh, I'm ˋterribly sorry.

(46) a. [ˈɪz ðæt ˏtʃɑːlɪ] ˈIs that ˏCharlie?

b. [hæv jʊ ˈbiːn tə ˏmeksɪkəʊ] Have you ˈbeen to ˏMexico?

c. [ˈwʊdʒʊ ˈrɑːðər aɪ ˏdɪdnt °help juː]

ˈWould you ˈrather I ˏdidn't °help you?

d. [ˈdʌʒ jɔː ˏmʌðə °nəʊ ɪt] ˈDoes your ˏmother °know it?

e. [ˈmeɪ aɪ °hæv ə ˏwɜːd wɪð juː] ˈMay I °have a ˏword with you?

f. [ˈkæn aɪ ˈgetʃʊ sʌmθɪŋ tə ˏdrɪnk]

ˈCan I ˈget you something to ˏdrink?

(47) a. [ə ðeɪ ˈbɪgə ðən ˎhɔːsɪz] Are they ˈbigger than ˎhorses?

b. [kən jʊ ˈkiːp ðm ɪn ə ˎhaʊs] Can you ˈkeep them in a ˎhouse.

c. [djuː ˈsiː ðm ɪn ðə ˎstriːts] Do you ˈsee them in the ˎstreets?

d. [ə ðeɪ ˋhɛərɪ] Are they ˎhairy?

e. [dʊ ðeɪ ˈhæv ˎtʌsks] Do they ˈhave ˎtusks?

(48) a. [ˈɪz ʃɪ ˈrɪəlɪ ˎhæpɪ əbaʊt ɪt] ˈIs she ˈreally ˎhappy about it?

b. [djʊ ˈtru:lɪ ˋlʌv ə] Do you ˈtruly ˋlove her?

c. [həv jʊ ˈsi:n ðm təˋgeðə] Have you ˈseen them toˋgether?

(49) a. [ˈɑ: jʊ ˈkwaɪt ˎʃɔ:] ˈAre you ˈquite ˎsure?

b. [ˈɪz ðər ˈenɪ ˎevɪdns] ˈIs there ˈany ˎevidence?

c. [ˈkæn ɪ ˋpru:v ɪz ˳ælɪbaɪ] ˈCan he ˋprove his ˳alibi?

(50) a. [ˈkæn jʊ ˚get mɪ ə mɑ:ˏti:nɪ] ˈCan you ˚get me a marˏtini?

b. [ˈwʊdʒʊ laɪk tə ˈsaɪn jɔ: ˏneɪm hɪə, pli:z]

ˈWould you like to ˈsign your ˏname here, please?

c. [ˈmeɪ aɪ hæv ə ˏlʊk ət ɪt] ˈMay I have a ˏlook at it?

d. [ˈdu: jʊ θɪŋk jʊ kən ˈlet mɪ ˏhændl ðɪs keɪs]

ˈDo you think you can ˈlet me ˏhandle this ˚case?

e. [ˈwʊdʒʊ ˚maɪnd ˈmu:vɪŋ əˏlɒŋ ə lɪtl bɪt]

ˈWould you ˚mind ˈmoving aˏlong a little bit?

(51) [ˈwʊdʒʊ ˚maɪnd ˈmu:vɪŋ əˋlɒŋ ə lɪtl bɪt]

ˈWould you ˚mind ˈmoving aˋlong a little bit?

(52) a. [ˋɪznt ʃɪ ə ˳pɪktʃə] ˋIsn't she a ˳picture!

b. [ˋɑ:ntʃu: ˳lʌkɪ] ˋAren't you ˳lucky!

c. [ˋhæznt ʃɪ ə ˳lʌvlɪ ˳vɔɪs] ˋHasn't she a ˳lovely ˳voice!

(53) [ɑ:ntʃʊ ˎlʌkɪ] Aren't you ˎlucky!

(54) a. [ʃɪ ˈhæz ə ˋbreɪn, ˏhæznt ʃi:] She ˈhas a ˋbrain, ˏhasn't she?

b. [ʃɪ ˈhæz ə ˋbreɪn, ˋhæznt ʃi:] She ˈhas a ˋbrain, ˋhasn't she?

(55) a. [hɪ ˈdʌznt ˚pleɪ verɪ ˋwel, ˏdʌz i:]

He ˈdoesn't ˚play very ˋwell, ˏdoes he?

b. [hɪ ˈdʌznt ˚pleɪ verɪ ˋwel, ˋdʌz i:]

He ˈdoesn't ˚play very ˋwell, ˋdoes he?

(56) [əm aɪ ˏpregnənt, ʃɪ ˚ɑ:st] "Am I ˏpregnant?", she ˚asked.

(57) [kən aɪ getʃʊ ˊkɪrɪn, əˊsɑ:hɪ, ˊhaɪnɪkɪn, ˊbʌdwaɪzə ɔ: ˋkʊəz]

Can I get you ˊKirin, Aˊsahi, ˊHeineken, ˊBudweiser or ˋCoors?

(58) a. [maɪ ˎgʊdnɪs. ˈwɒt taɪm ˋɪz ɪt] My goodness! ˈWhat time ˋis it?

b. [fæn`tæstɪk! ˈwen djʊ ˚plæn tə `liːv]
Fan`tastic! ˈWhen do you ˚plan to `leave?

(59) a. [ˈwɒt djʊ `wɒnt] ˈWhat do you `want?
b. [ˈwɒts ðə `mætə] ˈWhat's the `matter?

(60) [`heɪ. ˈwɒt hæv jʊ ˚gɒt `ðɛə] `Hey. ˈWhat have you ˚got `there?

(61) a. [¯hʌˏləʊ. `wɒt hæv jʊ ˳gɒt ˏðɛə]
¯Hulˏlo. `What have you ˳got ˏthere?
b. [`wɒt dɪdʒʊ ˳ɑːsk ˳fɑːðə ˳krɪsməs tə ˏbrɪŋ juː]
`What did you ˳ask ˳Father ˳Christmas to ˏbring you?

★下降上昇調

下降上昇調については、これまでにいくつも例を見てきた。再録すると

(10) You have `lovely ˇeyes.
(12) He `doesn't `lend his books to ˇanybody.
(30) b. `Don't ˏcry, baby.
(33) B: ˈWhat a ˚neat ˇrabbit-hutch!
(34) B: ˈWhat a ˈlovely ˇhandkerchief!
(42) ˇSorry.
(61) a. (¯Hulˏlo.) `What have you ˳got ˏthere?
b. `What did you ˳ask ˳Father ˳Christmas to ˏbring you?

である。(10)、(12)、(33)、(34)、(42) では上昇と下降が 1 つの単語に与えられ、(30b)、(61) では 2 つの離れた場所に存在するが、いずれも下降上昇調である点には変わりがない。

では、下降上昇調の持つ“意味”とは何か？ 鋭敏な読者はすでに疑問を抱いているかもしれない。上昇調が「判断保留」で下降調が「判断保留の不在」を示すのだとすれば、両者が共に起こっている下降上昇調とはそもそも意味の上で矛盾しているではないか、と。だが、矛盾はない。判断保留ないしその不在の対象が異なるからである。(10) では、すでに説明したとおり、下降部分は You have lovely eyes. という文が表している命題に関しては判断保留がないことを示しており、上昇調は eyes から連想される鼻、口など、

他の造作や体型などが lovely であるかどうかについて判断を保留して（言外にけなして）いるのである。(12) については、これも前に説明したとおり、He doesn't lend his books to anybody. という命題には判断は保留されておらず、ただ not anybody が文字どおり nobody であるという解釈に判断保留をして見せ、「特定の人には貸すこともある」旨を示唆しているわけである。

(30b) は命令文だ。命令文を下降調だけで発したのでは文字どおり「命令」になってしまい、相手はますます激しく泣く可能性がある。終わりに上昇調を持ってくれば、話し手が「相手に泣くのをやめるよう要請すること」の妥当性への修辞的判断保留が示され、baby という呼びかけと一緒になって「良い子だから、もう泣くのはおよし」という優しい語りかけが生まれる。それならそもそもなぜ命令文を使うのか、という疑問が出るかもしれない。しかし、I should appreciate it very much if you stopped crying. などという馬鹿丁寧な言い方はあまりにもよそよそしく、冷たい感じを与え、逆効果だ。相手に直接訴えかける命令文がやはりふさわしい。

(33B) と (34B) は、それぞれ相手が言った house と swimsuit を冗談めかして「訂正」している。文字どおりの訂正であれば、それらが家ないし水着であることを否定するものだが、ここではそうではない。「そりゃまあ家には違いないけど、ああ小さいんじゃ、“ウサギ小屋” だねえ」「あんな布の少ない水着じゃあ、ハンカチを着てるようなもんだ」という趣旨である。下降調だけ使ったのでは、文字どおりの訂正のようにも聞こえるし、その家ないし水着を neat, lovely と評価している相手に真っ向から反対していることになってしまう。ここでの判断保留の対象は「文字どおりの訂正である」「相手による評価に異を唱えることの妥当性」の2点に加え、「このように小さい家屋は house と呼ぶよりウサギ小屋と呼ぶべきだ」「こんなに少しの布しか使っていない水着は、ハンカチと呼ぶ方がふさわしい」という話し手自身の主張の妥当性であると言ってよい。(42) については、sorry という語が、深甚な陳謝にも用いられうることから、上昇調は深甚さ・深刻さへの判断保留を表し、そのためにこの発話にある程度の軽さというか明るさを与えていると考えられる。とは言いながらも、(42) があくまでも陳謝性（？）を失わないのは、(39a) と異なって下降調もまた用いられているからである。

(61) の2文の場合は、まず上昇調が、疑問詞疑問文を使って情報提供を求めることの妥当性への修辞的判断保留によってこの発話に「穏やかさ」を与える。また文頭の高い下降調が判断保留を強く否定する働きをして修辞的な熱心さ（「良い子だから教えてよ」）を示しているのである。そのためこの場合は子供を「あやす」効果が上がるのだ。だから大人が他の大人のしていることを知ろうとして `What are you ˏdoing? などと訊けば、噴飯ものになってしまうのである。

下降上昇調の他の例を挙げよう。

(62) a. My `father was ˳born in ˏEdinburgh.

b. `Why can't you ˳come on ˏtime for ˚once?

c. `Must you ˳be so ˏobstinate?

d. `Do forˏgive me.

e. `What a ˏshame!

(62a) がたとえば「お母様がたしかエディンバラのお生まれでしたね」という発話に対する「いえ、エディンバラ生まれなのは父です」の意味のコメントであったとする。father に置かれた高い下降調は mother との対比を明白にする。つまりこれは相手の思い違いに対する明白な訂正である。もし下降調だけで終えてしまったら、これを相手をピシャリと言い負かすような響きを持ってしまう。そこで最後に上昇調を加えることにより、「相手を訂正することの当否」に対する修辞的判断保留を行ってこの発話に響きをやわらげているわけだ。同じ発話が、何人かの四方山話の中で、愛国的スコットランド人によるスコットランドの話に及んだときに、生まれも育ちもイングランドだがスコットランド人を父に持つ会話参加者によって発せられたとしよう。父がエディンバラ生まれであることに対してはもちろん判断保留はしていない。終わりに置かれた上昇調による判断保留の対象は、この発話が会話の今後の発展に対して持つ寄与である。この発話がきっかけで、昔のエディンバラの追憶、スコットランドのお国自慢、イングランドへの悪口等々に関する話が弾んでいくことを、話し手は期待しつつ (62a) を発したわけである。

(62b) は遅刻常習犯に向けられた発話である。下降調は強い要請を表している。相手が約束の時間を守るようになることを話し手が強く願っている事実については何の判断保留もない。上昇調が表す判断保留の対象は何か？

それは相手が話し手の要望に応じて今後時間厳守を心がけるようになる可能性である。つまり話し手は「この人のずぼらな性格はなかなか治らないだろうなあ」とは思いつつもこの発話を行っているわけで、この発話は強い要請には違いないものの、「懇願」の響きを持っている。(62c)も同様だ。やはり「この人の頑固さには度し難いものがある」とは思いながら、何とか説得に応じてくれるこうに強く要請しているわけだ。やはり「懇願」なのである。(62b、c)の2例を「本格的懇願」とすれば、(61)の2例は「装われた懇願」ということになろう。

(62d)は強意のためにdoが使われていることからも、文型的には強い謝罪である。しかし、相手が許してくれるかどうかも判らないような大失敗に関する謝罪なら下降調のみで終わらねばならない。上昇調による判断保留の対象は「相手が許してくれないこと」ないし「これが深刻な事態に及ぶこと」である。結婚記念日や細君の誕生日の祝いをうっかり忘れてしまう程度の「微罪」を犯した亭主が使いそうな抑揚だ。「ごめんね。あとでなんか埋め合わせ付けるからさ、ね？」といったところか。(62e)も同様である。「せっかくの連休に家族旅行に行ったらずーっと雨に祟られちゃった」と嘆く友人にまず下降調で深い同情を示しているのではあるが、同時に、上昇調によって「深刻な事態であった」「取り返しの付かない悲劇である」に対する判断保留を見せている。「そりゃお気の毒に。でもまあこのつぎはきっと天気に恵まれるよ」といったところだろう。相手の肉親が死んだというような状況への同情には、この抑揚は使えない。

練習 76

これまでにすでに練習した例も重複して入っていますが、それも含めて下降上昇調をしっかり身に付けましょう。

(10) [jʊ hæv ˋlʌvlɪ ˇaɪz] You have ˋlovely ˇeyes.

(12) [hɪ ˋdʌznt ˋlend ɪz bʊks tə ˇenɪbɒdɪ]

He ˋdoesn't ˋlend his books to ˇanybody.

(30) b.　[ˋdəʊnt ˏkraɪ, beɪbɪ] ˋDon't ˏcry, baby.

(33) B:　[ˈwɒt ə °niːt ˇræbɪthʌtʃ] ˈWhat a °neat ˇrabbit-hutch!

(34) B:　[ˈwɒt ə ˈlʌvlɪ ˇhæŋkətʃɪf] ˈWhat a ˈlovely ˇhandkerchief!

(42) [ˇsɒrɪ] ˇSorry.

(61) a. [¯hʌˏləʊ. ˋwɒt hæv jʊ ˳gɒt ˏðɛə]

¯Hulˏlo. ˋWhat have you ˳got ˏthere?

(61) b. [ˋwɒt dɪdʒʊ ˳ɑːsk ˳fɑːðə ˳krɪsməs tə ˏbrɪŋ juː]

ˋWhat did you ˳ask ˳Father ˳Christmas to ˏbring you?

(62) a. [maɪ ˋfɑːðə wəz ˳bɔːn ɪn ˏedɪmbrə]

My ˋfather was ˳born in ˏEdinburgh.

b. [ˋwaɪ kɑːntʃʊ ˳kʌm ɒn ˏtaɪm fə °wʌns]

ˋWhy can't you ˳come on ˏtime for °once?

c. [ˋmʌstʃʊ ˳biː səʊ ˏɒbstɪnət] ˋMust you ˳be so ˏobstinate?

d. [ˋduː fəˏgɪv miː] ˋDo forˏgive me.

e. [ˋwɒt ə ˏʃeɪm] ˋWhat a ˏshame!

★上昇下降調

まず例を挙げよう。〔　〕内は先行する相手の発話を表すものとする。

(63) a. 〔Would you lend me a hand?〕ˈYou're a ^nuisance.

b. 〔Would you lend me a hand?〕ˈI'd be de^lighted to.

c. 〔What d'you think of my roses?〕^Aren't they de˳lightful!

d. 〔I'm at my wits' end.〕Could ^I ˳help at ˳all?

e. 〔I'm terribly worried about it.〕ˈWhy should it °worry ^you?

f. 〔There must be someone who'll help.〕^Who, though?

g. 〔May I take this chair?〕^Do.

h. 〔As a matter of fact, I hate this work.〕^Tell them you ˳hate it.

i. 〔Will you mind lending me a hand?〕With ^pleasure!

j. 〔John says it's a lie.〕^Nonsense!

k. 〔Are you ready?〕Not ^yet.

(64) a. 〔Have you been here long?〕I've been ˏwaiting for ˋages.

b. 〔Which one of your horses can I play?〕

You can play ˏany horse you ˋlike.

c. 〔I'll come home early.〕D'you ˏreally ˋmean it?

d. 〔Do you remember Sheila?〕Shall I ˏever forˋget her?

e.　〔Bob finally persuaded her to marry him.〕
　　ˏHow did he ˚manage to do ˋthat?

f.　〔I'll return it to you soon.〕 ˏWhen will ˋthat be?

g.　〔What shall I do?〕 ˏTry it aˋgain.

h.　〔May I turn the radio on?〕 ˏTurn it on when˚ever you ˋfeel ˳like it.

i.　〔She's coming home for Christmas.〕 ˏHow ˋnice!

j.　〔You're a bit grumpy today.〕 ˏNot in the ˋleast!

(63) では上昇下降調が単一の単語に、(64) では大なり小なり離れた箇所に上昇と下降が置かれているが、その機能は同じである。まず下降調は話し手が発話の内容に対して判断保留を行っていない、むしろ断定していることを示している。高い上昇調は相手が前提的に持っていると見られる考えや、発話の内容に対するいくぶんの驚きを含んだ強い判断保留（否定に近い）を表している。おのおのの例について判断保留の対象を「　」内に、それを盛り込んだ意訳を〈　〉内に示す。

(63') a.　「相手の依頼心がいつかは治るという見込み」
　　〈また他人（ひと）頼みかい。迷惑な奴だ。少しは自立心を持てよ。〉

b.　「相手はこちらに遠慮すべき立場にいる」
　　〈貴女のためなら、御依頼を受けなくたって、何でも致しますよ。〉

c.　「自分が辛口の批評をすると相手が思っている」
　　〈見事だ！　訊くまでもないし言うまでもないほどだ。〉

d.　「相手がこちらに助力の能力ないし意思がないと思っている」
　　〈私というものがいるじゃありませんか。お力になれるし、喜んでお助けしますよ。〉

e.　「相手が心配する義務・責任を感じていること」
　　〈貴方が心配してやる義理はありませんよ。放っておきなさい。〉

f.　「誰か助けてくれる人がいると相手が思っていること」
　　〈そんな人がいるわけありませんよ。お気の毒だが。〉

g.　「椅子を持ち去るのにこちらの許可が必要だと相手が思っていること」〈どうぞどうぞ。私などにお断りになる必要はありませんよ。〉

h.　「仕事を命じた人に不平は言えないと相手が思っていること」

〈連中にこんな仕事は嫌だと堂々と言ってやりゃいいじゃないか。遠慮することないよ。〉

i. 「こちらが手助けをしないのではないかと相手が思っていること」〈ええ、御依頼を受けなくたって喜んで致しますよ。〉

j. 「相手がジョンの言い分を幾分なりとも信じていること」〈何を言ってるんだ、ジョンの奴め！　証拠を突きつけてやるよ。君も君だよ。あいつの言い分を信じるなんて！〉

k. 「こちらがごく短時間に支度が出来ると相手が思っていること」〈だって行くことに決めたのは2分前じゃないの。まだ支度できるわけないでしょ。〉

(64') a. 「こちらをそれほど待たせなかったと相手が考えていること」〈冗談じゃない。何十分待ったと思ってるんだ。〉

b. 「どの馬を使っていいかについてこちらの許可が必要だと相手が思っていること」〈そりゃもう、君の好きなのを使い給え。一々訊く必要はないよ。〉

c. 「相手は本気で約束をしている」〈本当かい？　怪しいもんだ。〉

d. 「こちらがシーラを覚えていないのではないかと相手が思っていること」〈覚えてるかどころじゃないよ。あんなに素晴らしい女性（嫌な奴 etc.）を忘れるわけないさ。〉

e. 「ボブがその女性に結婚を承諾させたという事実」〈本当かい？　驚いたなあ。どんな術を使ったんだろう。〉

f. 「相手の‘すぐ’が文字どおりに‘すぐ’であること」〈フン。君の言う‘すぐ’ってのはいつのことだい？〉

g. 「相手が取るべき方策を考え出せないこと」〈どうしようもこうしようもない。もう1度挑戦する以外に道はないだろうが。〉

h. 「ラジオをつけることに相手が遠慮を感じていること」〈聴きたいときはいつでもつけなさい。遠慮は要らないんだよ。〉

i. 「娘がクリスマスにも帰ってこない可能性」〈そりゃ嬉しい驚きだ。よかったよかった。〉

j. 「こちらが不機嫌だと相手が判断していること」〈とんでもない。不機嫌なはずないだろ。〉

では抑揚の形について解説しよう。便宜上、(64)から始める。i のように、隣り合った 1 音節の単語が、それぞれ上昇と下降を受け持っている場合は、how 内部で上昇が起こり、上昇の頂点より幾分高いピッチから nice の下降が始まる。上昇と下降の間にいくつかの音節が介在するとき、たとえば e の場合のように、[ˏ] から [ˋ] の間にいくつもの音節が介在するときは、[ˏ] 直後の音節が順次にピッチをあげてゆく。つぎの (65) に図示するとおりである。

(65)
t
do
to
-age
man-　h
he
did
How　a
t?

なおこの場合の that は文尾にあるため、(65) に見るとおり単語内部にピッチの下降が見られるが、(64f) の that は、そのあとに be という 1 音節が続くため、

(66)　that
will
When
be?

に見るとおり、that が短母音と無声子音で終わっているので、that 自身は高い平板調、be はごく低い平板調、という形を示す。つまり、(64e) の下降を「下り坂を降りるような」下降であるとすれば、(64f) の that と be は階段を下りるような下がり方をするわけである。(64d) の -get her についても同じことが言える。しかしネイティヴ・スピーカーには (64e) の that にも、(64f)

の -get にも「下り坂」的下降を感じ、かつ機能は同じであるため、この本でも「下降調」として分類する。(64c) の mean、(64h) の feel は、長母音を持ち、かつ有声子音で終わっているため、文尾にないにもかかわらずその単語自身の中に下り坂的ピッチの下降を持つ。この点は練習 77 を行う際、十分注意してほしい。

(63) の緒例について述べる。まず、k の yet だが、短母音が無声子音で閉じられているこの語も、文尾にあるため、上昇下降がつぎに示すようにこの単語内部で起こる。つまり [e] は事実上引き延ばして発音されるのである。

```
(67)        e
          e   e
        e       e
      ye          et
```

(63e) の you、(63g) の Do は長母音を持つ語であり、かつ文末にあるため、(67) と同じピッチの動きを示す。(63c) の Aren't、(63d) の I は文末にはないが、(67) と同じピッチの動きを示し、残りの語は低いピッチにとどまる。(63a) の nuisance、(63b) の delighted to、(63h) の Tell them you hate it.、(63i) の pleasure、(63j) の Nonsense では、文強勢のある音節が上昇を示し、残りの音節は低いピッチにとどまる。(63f) の Who, though? でも、Who のみが上昇、though が低いピッチにとどまる (つまり、a, b, h, i, j と同じ型を示す) 場合もあるが、Who と though の間に少し間が空けば、Who が (67) の形を取り、though が低いピッチを示す。文末以外のさまざまなピッチ変化に明確な原理を発見できないのが残念だが、練習 77 を通じてそのあたりの「勘」を養って貰えれば幸いである。

練習 77

(63) a. [ˈjuːərə ^njuːsns] ˈYou're a ^nuisance.

b. [ˈaɪd bɪ dɪ^laɪtɪd tuː] ˈI'd be de^lighted to.

c. [^ɑːnt ðeɪ dɪ˳laɪtfl] ^Aren't they de˳lightful!

d. [kəd ^aɪ ˳help ət ˳ɔːl]

Could ^I ˳help at ˳all?

e. [ˈwaɪ ʃʊd ɪt ˚wʌrɪ ^juː] ˈWhy should it ˚worry ^you?

f. [^huː, ðəʊ] ^Who, though?

g. [^duː] ^Do.

h. [^tel ðəm jʊ ˳heɪt ɪt] ^Tell them you ˳hate it.

i. [wɪð ^pleʒə] With ^pleasure!

j. [^nɒnsns] ^Nonsense!

k. [nɒt ^jet] Not ^yet.

(64) a. [aɪv bɪn ˏweɪtɪŋ fər ˋeɪdʒɪz] I've been ˏwaiting for ˋages.

b. [jʊ kən pleɪ ˏenɪ hɔːʃʊ ˋlaɪk] You can play ˏany horse you ˋlike.

c. [djuː ˏrɪəlɪ ˋmiːn ɪt] D'you ˏreally ˋmean it?

d. [ʃəl aɪ ˏevə fəˋget hə] Shall I ˏever forˋget her?

e. [ˏhaʊ dɪd ɪ ˚mænɪdʒ tə duː ˋðæt]

ˏHow did he ˳manage to do ˋthat?

f. [ˏwen wɪl ˋðæt biː] ˏWhen will ˋthat be?

g. [ˏtraː ɪt əˋgen] ˏTry it aˋgain.

h. [ˏtɜːn ɪt ɒn wen˚evə jʊ ˋfiːl ˳laɪk ɪt]

ˏTurn it on when˚ever you ˋfeel ˳like it.

i. [ˏhaʊ ˋnaɪs] ˏHow ˋnice!

j. [ˏnɒt ɪn ðə ˋliːst] ˏNot in the ˋleast!

★平板調

(18)に関する説明のところで、高平板調は高下降調が、低平板調は低上昇調が、それぞれ「弱化」したものであると言った。ここでもう少し詳しく見ていこう。

(68) He ˋdoesn't ˋlend his books to ˎanybody.

ここでは高下降調が2つ連続して使われている。「判断保留の不在」が連続していることにより、「何度言ったら判るんだ。彼は誰にも本を貸さないんだってば！」というきわめて強調的な言い方である。文強勢が多ければその分発話が強調される、と前に言った。その文強勢がさらにピッチの動き（この場合下降）を伴っていれば、強調度はさらに高まる。だから強調の必要性が大きければ、たとえば(68)のような抑揚が使われる。しかし伝達においてはつねに高い強調が必要とされるわけではなく、一方、限られた時間の中で多くの情報を伝える必要性も存在する。そこで高下降調を高平板調に換えれば、その分時間もエネルギーも倹約される。倹約される時間はたかだか数ミリセカンドであろうし、ピッチを変化させるのを省くことによるエネルギーの節約もごく微量なものだろう。しかしどんなに些細であろうとも努力を省きたいというのが人間の性(さが)である。この結果生ずるのが、

(11) He ˈdoen’t ˈlend his books to ˎanybody.

にほかならない。さらに lend his books to の高平板調によって生じるピッチの変化を減らせば、つまり [ˈ] を [°] に変えれば、必要エネルギーのより少ない――つまり doesn’t から to までを同一のピッチで発する――(69)が生まれる。

(69) He ˈdoesn’t °lend his books to ˎanybody.

つぎの 4 例も比較してほしい。強調度がこの順に下がり、その一方で効率が良くなっていくことが観察できる。

(70) a. ˋFancy ˋanyone ˋwanting to do ˋthat!
b. ˈFancy ˈanyone ˈwanting to do ˋthat!
c. ˈFancy °anyone ˈwanting to do ˋthat!
d. ˈFancy °anyone °wanting to do ˋthat!

今度は低平板調に話を移す。つぎの例には低上昇調の連続が見られる。

(71) ˏWhy on ˏearth ˏdid you ˏsay you ˋliked it?

ここには相手の行動に対する強い判断保留――実質的には批判――が見られる。相手の行動ないし性格に対する、かなりしつこい、ネチネチしたとがめ

方である。低上昇調の数をいくぶん減らして、つぎのようにすればどうか？

(72) ˏWhy on °earth ˏdid you °say you ˋliked it?

しつこさが幾分減り、それと同時に伝達の速度的効率は向上する。さらに低上昇調を1つに絞ってみよう。

(73) ˏWhy on °earth did you °say you ˋliked it?

これこそまさに、すでにおなじみの上昇下降調にほかならない。相手が好きでもないことを好きだと言った事実に対する「あきれた」という気持ちは残っているものの、執拗さは影を潜めていると言えよう。もう1歩進めて低上昇調をつぎのように低平板調にまで弱化させればどうか？

(74) ˌWhy on ˳earth ˳did you ˳say you ˋliked it?

「あきれた」という感じはほとんど姿を消して、物静かに相手の行動をたしなめ、かつ本物の質問——なぜ好きでもないことを好きだと言ったかを問う——という側面もあわせ持つことになる。

これで高平板調と低平板調が、それぞれ高下降調・低上昇調の弱化したものであることがわかり、(18)の一覧表が持つ複雑さが見かけだけのものであることが納得できると思う。

さて、これまで「音調としては平板である」と呼んだものの中に、文頭にあって何も音調・強勢記号が付けられていないものがあった。再録して問題の部分を斜体にするとつぎのようになる。

(9) *You have* ˈlovely ˎeyes.

(64) a. *I've been* ˏwaiting for ˋages.

b. *You can play* ˏany horse you ˋlike.

これらの部分は、話し手の声域の最低部よりやや上のピッチで発せられ、かつ手早く言われるのが特徴である。情報上の重要性が少なく、したがって文強勢を持たないためである。すでにこれまでの練習に含まれているが、確認のため練習 78 にも含めておこう。こうした部分は、いわばディフォルトな価として低声・平板になっているだけの話なので、「平板調」の中には含めない。

もう 1 つ、つぎに再録する (44) に出てきた [¯] で表される抑揚がある。

(44) ¯I'm ˅sorry. I should have `told you about it.

あの箇所では単に「文強勢はないがピッチが高く、文頭にのみ起こり、発話の意味を強める」としか説明しなかった。ほかの例をいくつか挙げよう。

(75) a. ¯But then ˏwhat'll °happen to my `passport?
b. ¯Does she ˏreally °have to do °that?
c. ¯Wasn't he ˏnice to you?
d. ¯How very ˎkind of you!
e. ¯The ˎbrute!

[¯] のあとには、どのみちあまり数多くの音節が来ないが、これらの音節は、ほかの記号 ([ˏ], [ˎ] など) が来るまでは高い平板的ピッチを維持する。文強勢がないのだから、高平板調ではない。しいて名前を付けるなら「文頭無強勢高ピッチ」でもいいかもしれないが、記号の形状から「横棒」でも差し支えないだろう。この「横棒」にはどんな役目があるのか？ 「発話を高いピッチで始めることにより、話し手の高い関心を示す」というところだろう。第 3 章「強勢」の「★終わり強ければすべて強し」の項で文強勢を発話の終わりの方に持ってくると発話の力が強くなることを学んだ (同章 (45) 参照)。この現象と、発話の初めのピッチを高めると発話の力が強くなることは、一脈相通ずるところがある。

高平板調と低平板調に話を戻す。学習者は一般的に平板調が、こと平板調の中に音節がたくさん含まれている場合、大の苦手で、どうしても上げるなり下げるなりしてピッチを乱してしまいがちだ。これはある意味で当然とも言える。というのは、平板調は上に述べたとおり、ネイティヴにとっては効率を上げるために無意識に行うことであるのに対して、まだ英語の口の動きに習熟していない外国人学習者にとっては、そもそも早口で英単語の連続を発することが難しいからだ。しかし第 4 章で扱った音脱落・同化などの場合と同じく、外国人学習者がそれに慣れるのを待つわけにはいかない。そこで平板調を正しく獲得するには、最初はゆっくりとピッチを動かさないように気を付けながら——ただし、文強勢のある音節は長く、ない音節は短く発音することに気を配りつつ——練習し、だんだんとテンポを速めてゆくのが唯一の方法である。最初のうちはお経を読んでいるようでおかしいだろうが、やむを得ない。つぎの例は練習 78 に含まれている。

(76) a.　ˈNo ˋwonder ˳these ˳shops are ˳having to ˳close ˏdown.
　　b.　I'll ˋtell you if you ˳promise me not to re˳peat it to ˳other ˏpeople.
　　c.　ˈWhat in the ˚world are you ˚trying to ˋdo?
　　d.　That's the ˈbest news I've ˚heard for a ˋlong time.

★独立の平板調

発話が上昇も下降も含まず、平板調だけで発せられることがある。このことに気付いたのは半世紀前のイギリス留学中のことだった。夏休みの外国人対象英語英文学講習会で、受講者が 10 人ほどのグループに分かれてイギリス人を司会者に英語でディスカッションをする、という機会があった。受講者には何人かフランス人がいた。議論が白熱してきたらフランス人同士はフランス語で議論を始めてしまった。司会者（若い女性だった）は苦笑いをしてつぎのように言った。（以下、独立平板調を→で表すことにする。）

(77) → English.

独立平板調の "意味" は、「この発話は、分かり切った、当然のことを言っているので、深刻に、あるいは大まじめに取らないでほしい」ということである。受講者はみな成人であったし、司会者も同じぐらいの年頃だった。そういう遠慮もあってか、独立平板調を使ったのであろう。意訳すれば「あらあら、困ったわね。英語のはずじゃなかった？」とでもいうところか。

アメリカに、観光業なのだが、田園地帯に家があるためいろいろな動物を飼っている友人がいる。あるとき、どういうわけか鶏がむやみに卵を産み始めた。筆者のホテルへゆで卵を山のように持ってきて「なんとか少し手伝ってくれ。このところ毎日卵ばかり食うはめになって困ってるんだよ」と言う。このときも独立平板調が使われていた。

(78) So we're eating → fried eggs, → boiled eggs, → poached eggs
→ scrambled eggs, → omelettes…

卵ばかり食べている、という前提のもとでは、どのような料理法かはほぼ完全に予想が付く。話し手としては何も新しい情報を伝えるつもりはなく、卵に祟られて(?)いるさまを余剰的に述べている、つまり「分かり切った、深刻でない」叙述だから独立平板調を使ったわけだ。彼がもし卵を食べるという習慣のない異星人に出逢って「卵を食べるって、どう料理するんです？」と訊かれたら、たとえば、

(79) Well, you eat them ˏfried, ˏboiled, ˏpoached, ˏscrambled…

のように、上昇調などを使って答えることだろう。

もう1つの例は、日本でアメリカ人を含めた数人と一緒に空き地を借りてポロのまねごとをしていたときに採取したものである。人数が足りないので、選手・審判を交代で勤めた。それまで審判役だったアメリカの友人がホイッスルを差し出して今度はお前が審判をやれと言う。ホイッスルを受け取った筆者は「お前まさか herpes 持ちじゃないだろうね」と冗談を言った。ヘルペスにもいろいろあるが、これは性交や唾液を通じて伝染する広義の性病である。エイズのような深刻な病気ではないのでアメリカではよく冗談の種にされる。友人はつぎのように応じた。

(80) Well, I've got → herpes, → AIDS, → bird flu, → syphilis…

むろん冗談で、「本気じゃないよ」という気持ちが独立平板調を使わせたわけである。

音程の異なる2つの平板調が1つの発話に使われることもある。これも「ごく当たり前の」「お決まりの」ことを伝達しているのだ、ということを相

手に知らせる役割を果たす。ロンドンの下宿で夕食の支度ができたことを知らせる下宿の小母さんの

(81) → Kuː　　　　→ diːn
　　　　→ niː,　　　　→ neːr.

という半世紀前の声が懐かしい。別れの挨拶でも、ほぼ毎日のように顔を合わせる間柄であれば、

(82) → See
　　　　→ you.

がよく使われる。

★「低」と「高」の差

高下降調と低下降調、高平板調と低平板調などの間の機能の差をこれまで説明してこなかった。まず、高いピッチの使用は、低いピッチの使用に比べて「感情表出が高い」ことを指摘したい。下降調について言えば、何かを素晴らしい、歓迎すべきものと感じるコメントを述べる際は、(35)（下に再録）で見たように高下降調を使うのが適切であり、(83) のように低下降調では、発話の意味的内容を音調が裏切る形となり、おざなりの賛辞になってしまう。

(35) a. ˋWow!
b. Hurˋray!
c. ˋSuper!
d. Terˋrific!
e. ˋGreat!

(83) a. ˎWow!
b. Hurˎay!
c. ˎSuper!
d. Terˎrific!

e. ˎGreat!

(54)・(55) で見た付加疑問を独立に使って相づちとして用いることがある。この場合も相手の発言内容に興味を持ち、歓迎するのであれば (84) に示すように高下降調でなければならない。

(84) a. 〔I've just got back from Paris Fashion Week.〕ˋHave you?
b. 〔She's the loveliest girl I've ever seen.〕ˋIs she?
c. 〔Now he says he'll really quit smoking.〕ˋDoes he?

これならばあとに「パリコレとは素敵ね。誰の新作が良かった？」「そういう人と結婚できるとは君は幸せだね」「それは良かった」などのことばが続きそうである。それに対して

(85) a. 〔I've just got back from Paris Fashion Week.〕ˎHave you?
b. 〔She's the loveliest girl I've ever seen.〕ˎIs she?
c. 〔He promises he'll really quit smoking.〕ˎDoes he?

のように低下降調を使うと、口には出さないまでも話し手の「それがどうした？　ファッション・ショーなんて下らん」「君の婚約者が美人だろうが不美人だろうがこっちの知ったことか」「なあに口先だけで、また吸い出すさ」といった気持ちが透けて見える。

といって、高下降調が万能なわけではない。相手または第 3 者の不幸に同情したりする場合は低下降調の出番である。本当の同情であるなら、ˋTragic! では具合が悪い。高下降調の持つ特徴の 1 つである「明るさ」が発話内容とチグハグになってしまう。やはり、

(86) a. ˎTragic!
b. ˌHow ˎtragic!
c. ˌWhat a ˎpity!
d. ˌToo ˎbad.
e. I'm ˎsorry to ˳hear ˳that.

などのように低いピッチに終始した方が「筆舌に尽くしがたい」同情心を表現できる。命令の場合もそうで、超・高下降調を用いた、悲鳴にも近い ˋStop it! などよりも、落ち着いた低下降調の

(87) ˎStop it!

の方が効果的であることが多い。

上昇調に話を移そう。低上昇調は、これまでにいくつも例を見てきたとおり、非常に低い位置から始まる。高上昇調については、(20a) と (39a ～ d) を除いてあまり多くに例をあげなかったが、それらの例から判るとおり、かなり高いピッチからさらに上昇が起こる。低上昇調・高上昇調共に「判断保留」を表す点では同じだが、その「保留度」が前者では重く、後者では軽い。だから、親しい間柄の人から名前を呼ばれれば、それは何かの情報提示が始まるという合図だから、軽く

(88) ˊYes?

と答えるのが普通だ。相手はまだ情報を伝えていないのだから、その内容について判断は保留せざるを得ないが、その保留とは中立的であるというか白紙である。ところが、たとえ友人からでも、「君、お金の持ち合わせはあるかい？」と訊かれれば、

(89) ˏYes.

と答える。意訳すれば「そりゃまあ、持ってるけど」となろう。相手の意図が「持ってるなら貸せ」というのか、「少し高いけど、上等なレストランに行こう」ということなのか、測りかねるので、相手の意図に関して強い判断保留を行うからである。

(90) a. 〔You can't smoke in here.〕 I ˊcan't?
　　b. 〔You can't smoke in here.〕 I ˏcan't?

の a, b の差は何か？　a. では「あ、そうかい？」と相手の注意を比較的素直に受け入れる口調であるのに対して、b では「え？　そんな決まりがあるのかい？」ないしは、「You can't…なんて偉そうな言い方をする権利が君にはあるのか？」という強い判断保留が表される。

高上昇調にはまた、平叙文や、単独の名詞を疑問文にする機能がある。

(91) a.　You ˊlike it?
　　b.　He's ˊdefinitely coming?
　　c.　ˊSugar?
　　d.　ˊMilk?

で、c は Do you take sugar?、d は Do you take milk? の意味で、コーヒーや紅茶の飲み方の好みを訊いているわけである。

(92) a.　〔I saw him in Mokuleia.〕You saw him ˊwhere?
　　b.　〔I saw him in a porn shop.〕You saw him ˏwhere?

で、a は単に地名が耳慣れないものだったので（Mokuleia はハワイ・オアフ島の地名）聞き返しているだけだが、b からは「え？あの真面目男が？まさか」という強い判断保留が読みとれる。

(93) a.　〔You owe me two thousand bucks.〕ˊWhat did you °say?
　　b.　〔You owe me two thousand bucks.〕ˏWhat did you °say?

の a. と b. の違いも同様だ。a. は単に相手の発話が聞き取れなかったので、あるいは何かの冗談だと思って聞き返しているのだと解せるが、b. は「何だって？　とんでもないことを言うんじゃないぞ」と意訳できる口調である。

このように、高下降調・低下降調、高上昇調・低上昇調、そして下降調・上昇調の「弱化形」である高平板調・低平板調それぞれの間にある役割の違いを十分に習得してほしい。

練習 78

(68) [hɪ ˋdʌznt ˋlend ɪz bʊks tʊ ˎenɪbɒdɪ]
He ˋdoesn't ˋlend his books to ˎanybody.

(11) [hɪ ˈdʌznt ˈlend ɪz bʊks tʊ ˎenɪbɒdɪ]
He ˈdoen't ˈlend his books to ˎanybody.

(69) [hɪ ˈdʌznt ˚lend ɪz bʊks tʊ ˎenɪbɒdɪ]
He ˈdoesn't ˚lend his books to ˎanybody.

(70) a. [ˋfænsɪ ˋenɪwʌn ˋwɒntɪŋ tə duː ˋðæt]
ˋFancy ˋanyone ˋwanting to do ˋthat!

b. [ˈfænsɪ ˈenɪwʌn ˈwɒntɪŋ tə duː ˋðæt]
ˈFancy ˈanyone ˈwanting to do ˋthat!

c. [ˈfænsɪ ˚enɪwʌn ˈwɒntɪŋ tə duː ˋðæt]
ˈFancy ˚anyone ˈwanting to do ˋthat!

d. [ˈfænsɪ ˚enɪwʌn ˚wɒntɪŋ tə duː ˋðæt]
ˈFancy ˚anyone ˚wanting to do ˋthat!

(71) [ˏwaɪ ɒn ˏɜːθ ˏdɪdʒʊ ˏseɪ jʊ ˋlaɪkt ɪt]
ˏWhy on ˏearth ˏdid you ˏsay you ˋliked it?

(72) [ˏwaɪ ɒn ˚ɜːθ ˏdɪdʒʊ ˚seɪ jʊ ˋlaɪkt ɪt]
ˏWhy on ˚earth ˏdid you ˚say you ˋliked it?

(73) [ˏwaɪ ɒn ˚ɜːθ dɪdʒʊ ˚seɪ jʊ ˋlaɪkt ɪt]
ˏWhy on ˚earth did you ˚say you ˋliked it?

(74) [ˌwaɪ ɒn ˳ɜːθ ˳dɪdʒʊ ˳seɪ jʊ ˋlaɪkt ɪt]
ˌWhy on ˳earth ˳did you ˳say you ˋliked it?

(9) [jʊ hæv ˈlʌvlɪ ˎaɪz]　You have ˈlovely ˎeyes.

(64a) [aɪv bɪn ˏweɪtɪŋ fə ˋeɪdʒɪz]
I've been ˏwaiting for ˋages.

(64b) [jʊ kŋ pleɪ ˏenɪ hɔːʃʊ ˋlaɪk]
You can play ˏany horse you ˋlike.

(44) [ˉaɪm ˎsɒrɪ. aɪ ʃtf ˋtəʊldʒʊ əbaʊt ɪt]
ˉI'm ˎsorry. I should have ˋtold you about it.

(75) a. [ˉbət ðen ˏwɒtl ˚hæpm tə maɪ ˋpɑːspɔːt]

¯But then ˏwhat'll °happen to my ˋpassport?

b. [¯dʌʒ ʃɪ ˏrɪəlɪ °hæf tə duː °ðæt]

¯Does she ˏreally °have to do °that?

c. [¯wɒznt ɪ ˏnaɪs tə juː] ¯Wasn't he ˏnice to you?

d. [¯haʊ verɪ ˎkaɪnd əv juː] ¯How very ˎkind of you!

e. [¯ðə ˎbruːt] ¯The ˎbrute!

(76) a. [ˈnəʊ ˋwʌndə ˳ðiːʒ ˳ʃɒps ə ˳hævɪŋ tə ˳kləʊz ˏdaʊn]

ˈNo ˋwonder ˳these ˳shops are ˳having to ˳close ˏdown.

b. [aɪl ˋtel jʊ ɪf jʊ ˳prɒmɪs mɪ ˳nɒt tə rɪ˳piːt ɪt tə ˳ʌðə ˏpiːpl]

I'll ˋtell you if you ˳promise me ˳not to re˳peat it to ˳other ˏpeople.

c. [ˈwɒt ɪn ðə °wɜːld ə jʊ °traɪɪŋ tə ˋduː]

ˈWhat in the °world are you °trying to ˋdo?

d. [ðæts ðə ˈbest njuːz aɪv °hɜːd fər ə ˋlɒŋ taɪm]

That's the ˈbest news I've °heard for a ˋlong time.

(77) [→ ɪːŋglɪːʃ] → English.

(78) [səʊ wɪə iːtɪŋ → fraɪd egz, → bɔɪld egz, → pəʊtʃt egz, → skræmbld egz, → ɒmləts] So we're eating → fried eggs, → boiled eggs, → poached eggs → scrambled eggs, → omelettes…

(79) [wel, jʊ iːt ðm ˏfraɪd, ˏbɔɪld, ˏpəʊtʃt, ˏskræmbld]

Well, you eat them ˏfried, ˏboiled, ˏpaoched, ˏscrambled…

(80) [wel, aɪv gɒt → hɜːpiːz, → eɪdz, → bɜːd fluː, → sɪflɪs]

Well, I've got → herpes, → AIDS, → bird flu, → syphilis…

(81) [→ kʊː → dɪː → Kuː → diːn

→ nɪː → nɔː] → niː, → neːr.

(82) [→ siː → See

→ juː] → you.

(35) a. [ˋwaʊ] ˋWow!

b. [hʊˋreɪ] Hurˋray!

c. [ˋsuːpə] ˋSuper!

d. [təˋrɪfɪk] Terˋrific!

e. [gəːˋreɪt] ˋGreat! (「感動」をより多く示すため、[g] と [r] の

間に [əː] 挿入したもの）

(84) a. [ˋhæv juː]　ˋHave you?

b. [ˋɪʒ ʃiː]　ˋIs she?

c. [ˋdʌz hiː]　ˋDoes he?

(85) a. [ˎhæv juː]　ˎHave you?

b. [ˎɪʒ ʃː]　ˎIs she?

c. [ˎdʌz hiː]　ˎDoes he?

(86) a. [ˎtrædʒɪk]　ˎTragic!

b. [ˌhaʊ ˎtrædʒɪk]　ˌHow ˎtragic!

c. [ˌwɒt ə ˎpɪtɪ]　ˌWhat a ˎpity!

d. [ˌtuː ˎbæd]　ˌToo ˎbad.

e. [aɪm ˎsɒrɪ tə ˳hɪə ˳ðæt]　I'm ˎsorry to ˳hear ˳that.

(87) [ˎstɒp ɪt]　ˎStop it!

(88) [ˊjes]　ˊYes?

(89) [ˏjes]　ˏYes.

(90) a. [aɪ ˊkɑːnt]　I ˊcan't?

b. [aɪ ˏkɑːnt]　I ˏcan't?

(91) a. [jʊ ˊlaɪk ɪt]　You ˊlike it?

b. [hiːz ˊdefnətlɪ kʌmɪŋ]　He's ˊdefinitely coming?

c. [ˊʃʊgə]　ˊSugar?

d. [ˊmɪlk]　ˊMilk?

(92) a. [jʊ sɔː ɪm ˊwɛə]　You saw him ˊwhere?

b. [jʊ sɔː ɪm ˏwɛə]　You saw him ˏwhere?

(93) a. [ˊwɒt dɪdʒʊ °seɪ]　ˊWhat did you °say?

b. [ˏwɒt dɪdʒʊ °seɪ]　ˏWhat did you °say?

第６章　会話、シェイクスピア、コクニー

これはいわば仕上げのための章である。まず 6.1 で日常会話の発音練習をしてほしい。特に重要な論点について話し合いが行われているわけではなく、登場人物もごく気楽に、何気なくことばを交わしているだけだ。日常会話の典型と言えよう。6.2 と 6.3 は参考資料と考えてほしい。音声学を勉強すると、シェイクスピアのセリフも一応それらしく朗唱することができ、非標準英語の代表のようなコクニーの真似も可能になることを示すためのものである。6.4 はいわば口直し・耳直しのために付けた。

なお、6.1 および 6.3 では、これまで使用されなかった音調強勢記号 [ˮ] が登場する。これは、その前にある平板調 [ˈ] よりもピッチの高い平板調を示す。

6.1　日常会話

太郎とその新妻ジェイン（アメリカ人）が新婚旅行にハワイに出かける。ワイキキ（オアフ島の南海岸にある）からポロ競技をするために山を越え、北海岸にゆく途中の車の中でのいわばとりとめのない会話である。なるべく口語的表現を使うように心がけた（ただし、太郎が「声門閉鎖音」の説明をするところは、わざと学者ぶった話し方をしているので例外である）。

まず普通の綴りで書かれた版を読み、【内容への注】を参考にして何が話し合われているのかを掴み、それから【音声記号版】と【音声への注】で練習をしてほしい。普通の綴りの方だけで練習をすると、音の脱落や同化、とりわけイントネーションが習得できない。

79 Taro & Jane

【普通の綴り版】

Taro　Here's the rent-a-car we're going to use while we're in Hawaii, Jane.

Jane　Wow. that's classy. What make is it?

Taro　It's a Mercedes. A German car.

Jane　Why didn't you rent a Japanese car or an American car? Either one of those is cheaper.

Taro　Well, you know, German cars have a snob value. Now let's go.

Jane　Okay. But first let's see if we have everything. I see our polo mallets and helmets in the back seat; the ice-chest for our drinks is there, too… Oh, where did you put our boots , Taro?

Taro　Oh, I put them in the boot.

Jane　Boots in the boot? What d'you mean?

Taro　Er---the trunk. That's the American word for a car-boot, right?

Jane　Why do you keep on using British words, Taro? I know you spent two years in London when you were a student, but you're married to an American now, and, besides, we are in America.

Taro　Yes, ma'am. Whatever you say, ma'am. [Sings.] "I'd do anything for you./Anything you'd want me to./All I want is kissing you and music, music, music…" Now we're all set. Off we go! [Goes on singing] "Closer, my dear, come closer. The nicest part of any melody is when you're dancing close to me…"

Jane　Ugh! I'd rather listen to music over the "wireless".

Taro　Wireless! C'mon, Jane. They no longer talk about wirelesses in Britain. They call them radios.

Jane　[Giggling] Well, all right. Where's the radio? Oh, this car's got a navigation system. Let's try it.

CNS　「この先 800 メートルほど直進です。」

Jane　Wow! It speaks Japanese.

Taro　Amazing, isn't it?

Jane Well, not really. This is Hawaii after all. Wait, wait! Taro! Why did you make a left? The direction said, “Straight ahead for 800 meters”.

Taro I know. That’s because they want us to take Kalanianaole Highway. That’s a very scenic drive, going along the east coast of the island, but I know a shorter route [ruːt].

Jane Route [raʊt].

Taro Well, according to my dictionaries, both forms can be used in American English.

Jane But MY pronunciation is [raʊt].

Taro Aye, aye, ma’am. Now, for this short [raʊt], you go by this road —— Pali Highway. It’s another scenic drive, but it’s a steep uphill road: we’re going over Ko’olau Mountain Range to the North Shore of the island.

Jane What’s the name of the mountain again?

Taro Ko’olau.

Jane See? That’s why I keep telling you to quit smoking. You’re coughing in the middle of a word.

Taro I didn’t cough. It was a glottal stop. You see, the glottal stop is distinctive in Hawaiian.

Jane Would you like to elaborate on that point, Professor?

Taro Ahem, roughly speaking, a speech sound is distinctive when the use of that sound brings about a change in word meanings. English does have the glottal stop, but whether you say [swéʔʃɜ̀ːʔ] or [swétʃɜ̀ːt], the meaning of the word remains the same. So, the glottal stop is not distinctive in English. In Hawaiian, on the other hand, *pau* means “finished” whereas *pa’u* means “soot”; *koi* is a verb meaning “to urge”, and *ko’i* stands for a kind of an ax.

Jane Thank you, Professor. Look, it’s beginning to rain.

Taro It’s nearly always raining on the top of Pali Highway. But as you go down to the foot of the mountain, it’ll clear up. Anyway, I’d better put on the windscreen wipers.

Jane　WindSHIELD wipers.

Taro　Windshield wipers, of course. Now we are nearly at the base of the Ko'olau Mountain Range, and the Hawaiian sun is shining over us.

Jane　Right. Oh, look at that beautiful rainbow!

Taro　Lovely, isn't it? Why don't we drive to the end of that rainbow?

Jane　A good idea! And if we find a pot of gold, you can buy any of those expensive cars you're always talking about---a Bugatti, a Bristol, a Lamborghini, a Bentley Continental; although I only know them by names.

Taro　But these cars guzzle a lot of petrol —— I mean, a lot of gas.

Jane　Should a person with a pot of gold have to worry about gas?

Taro　Ha-ha! You're darn right! And, Jane, you'll find a whole bunch of jewelry there —— enormous diamond rings, huge emerald pendants —— I wouldn't expect much, though, in the way of fur coats, cos they were made millions of years ago and must be worn out now. And in any case, the fur might have very well come from saber-toothed tigers!

【内容への注】(数字は行番号)

4.　Mercedes = Mercedes Benz　日本では「ベンツ」という呼び名の方が普通である。

7.　snob value　他人に「格好がいい」と思わせる物や行い。

9.　ice-chest　持ち運び用冷蔵箱。

12.　boot　自動車のトランク(イギリス英語)

17.　ma'am　奥方様。むろん太郎は半分おどけて使っているのである。
Whatever you say.　何ごともおっしゃるとおりに致します。

22.　wireless　古いイギリス英語で「ラジオ」を指したが、前世紀半ばにはほぼ廃れていた。

23.　talk about ~　~ということばを用いる。

26.　(car) navigation system　カーナビ。

31. make a left = make a left turn　左折する。
direction = voice direction　（カーナビの）音声案内。

42. Ko'olau　ハワイ語の正式な綴りでは、声門閉鎖音 [ʔ] を表すのに ['] を用いる。Hawaii も Oahu も、ハワイ語としての綴りは Hawai'i、O'ahu である。

44. What's the name of the mountain again?　again は相手に何かをもう一度言ってもらいたいときにも使う。

49. distinctive　すぐあとの太郎の説明にあるとおり、意味の区別に関係するので「示差的」と訳される。

53. does have　確かに持っている。

64. of course は、言い間違いを直されたり、物忘れを指摘されたときに発する。この場合はうっかりイギリス英語 windsreen を使ってしまったことについて用いられている。「あ、そうだ。windshield って言わなくちゃいけないんだったよね」。

68. 虹の根っこ（？）には黄金のつぼを初めとする財宝が埋まっているという言い伝えが欧米には昔からある。これ以降の 2 人の会話はこれを基にした他愛のないおしゃべり。

73. petrol はガソリンを意味するイギリス英語。今度はジェインに叱られる前に自分で gas と言い直している。

77. though を文の終わりや途中に使うことは会話では普通であり、最近では学術論文に用いられることさえある。
in the way of ~　～に関しては : cos = because。

80. saber-toothed tiger　剣歯虎、サーベル・タイガー。2600 万年前に出現、180 万年前に絶滅したネコ類の猛獣。

【音声記号版】

Taro　ˈhɪəz ðə ˋrentə ˳kɑː wɪə gəʊɪŋ tə ˌjuːz waɪl wɪər ɪn həˏwaɪ, ˚dʒeɪn.
Jane　ˋwaʊ, ˋðæts ˏklæsiː. ˈwɑt ˈˈmeɪk ˋɪz ɪt?
Taro　ɪts ə məˋseɪdiːz. ə ˋdʒɜːmn ˳kɑː.
Jane　ˈwaɪ dɪdntʃuː ˈrent ə dʒæpəˋniːz ˳kɑɚ ˈɔɚ ən əˋmerɪkən ˳kɑɚ?
ˋiːðɚ wʌn əv ˋðoʊz ɪz ˋtʃiːpɚ.
Taro　wel, ˉjʊ ˏnəʊ ˋdʒɜːmn ˳kɑːz hæv ə ˋsnɒb væljuː. ˈnaʊ lets ˋgəʊ.
Jane　ˉoʊˏkeɪ. bət ˈfɜːst ˈlets ˚siː ɪf wiː ˈhæv ˋevrɪθɪŋ. aɪ ˈsiː ɑɚ ˈpoʊloʊ

ˏmælɪts ən ˎhelməts ɪn̪ ðə ˋbæk ˏsiːt, ˍðɪ ˈaɪs tʃest fɚ ɑɚ ˈdrɪnks ˍɪz ðɛɚ, ˋtuː--- ˋoʊ, ˈwɛɚ dɪʒdʊ ˈpʊt ɑɚ ˋbuːts, tæroʊ?

Taro əʊ aɪ ˈpʊt ðm ɪn ðə ˋbuːt.

Jane ˈbuːts ɪn ðə ˏbuːt? ˈw̥ɑt djuː ˋmiːn?

Taro əː---ðə ˋtrʌŋk. ˋðæts ðɪ əˋmerɪkən wɜːd fər ə ˋkɑːbuːt, ˏraɪt?

Jane ˈwaɪ dʊ jʊ ˋkiːp ˍɑn ˋjuːzɪŋ ˋbrɪtɪʃ ˳wɝdz, ˏtæroʊ? aɪ ˋnoʊ juː ˳spent ˌtuː ˳jɪɚz ɪn ˋlʌndən w̥en jʊ wɚ ə ˇstjuːdənt, bət ˈjʊɚ ˈmæriːd tʊ ən əˋmerɪkən ˳naʊ, ən, bɪˋsaɪdz, wɪɚ ˋɪn əˋmerɪkə.

Taro ˋjes, mæm. wɒtˈevə jʊ ˋseɪ mæm. [Sings.] “I’d do anything for you./Anything you’d want me to./All I want is kissing you and music, music, music…” naʊ wɪə ˈɔːl ˎset. ɒf wiː gəʊ! [Goes on singing] “Closer, my dear, come closer. The nicest part of any melody is when you’re dancing close to me…”

Jane ʌːx! aɪd ˋræðɚ ˋlɪsn tə ˋmjuːzɪk ˈoʊvɚ ðə ˋwaɪɚləs.

Taro ^waɪəlɪs! kəˋmɒn, dʒeɪn. ðeɪ ˈnəʊ ˋlɒŋgə ˳tɔːk əbaʊt ˏwaɪəlɪsɪz ɪn ˚brɪtn. ðeɪ ˈkɔːl ðm ˋreɪdɪəʊz.

Jane [Giggling] wel, ˈoʊˏkeɪ. ˈwɛɚz ðə ˋreɪdɪoʊ? ˋoʊ, ˋðɪs ˳kɑɚz gɑt ə næviˋgeɪʃən ˳sɪstəm. ˈlets ˋtraɪ ɪt.

CNS 「この先 800 メートルほど直進です。」

Jane ˋwaʊ! ˉɪt ˏspiːks dʒæpəˋniːz.

Taro əˋmeɪzɪŋ, ˋɪznt ɪt?

Jane wel, ˋnɑt ˇrɪəliː ˈðɪs ˋɪz həˋwaɪiː ˌæftɚ ˏɔːl. ˋweɪt, ˋweɪt. ˋtæroʊ! ˈwaɪ dɪdʒʊ ˚meɪk ə ˋleft? ðə dəˋrekʃn sed, “ˏstreɪt əˋhed fɚ ˏ800 ˋmiːtɚz”.

Taro aɪ ˎnəʊ. ˋðæts bɪkəz ðeɪ ˳wɒnt əs tə ˳teɪk kəˈlɑːnɪənaˈole ˋhaɪweɪ. ðæts ə ˈverɪ ˋsiːnik ˳draɪv, ˳gəʊɪŋ əˌlɒŋ ðɪ ˈiːst ˈkəʊst əv ðɪ ˏaɪlənd, bət aɪ ˈnəʊ ə ˋʃɔːtə ˳ruːt.

Jane ˋraʊt.

Taro wel, əˈkɔːdɪŋ tə maɪ ˇdɪkʃnəriːz, ˈbəʊθ ˈfɔːmz kəm bɪ ˈjuːzd ɪn əˋmerɪkən ˏɪŋglɪʃ.

Jane bət ˋmaɪ prə˳nʌnsɪˏeɪʃn ɪz ˋraʊt!

Taro ˈaɪ, ˋaɪ, mæm. naʊ, fə ˋðɪs ʃɔːt ˇraʊt, jʊ ˈgəʊ baɪ ˋðɪs ˳rəʊd---ˈpɑli

ˋhaɪweɪ. ɪts əˋnʌðə ˋsiːnik ˏdraɪv, bət ɪts ə ˈstiːp ˋʌphɪl rəʊd. wɪə ˈgəʊɪŋ əʊvə ðə koˋʔolau ˋmaʊntn̩ ˏreɪndʒ tə ðə ˈnɔːθ ˈʃɔːr əv ðɪ ˋaɪlənd.

Jane　ˈwɑts ðə ˈneɪm əv ðə ˊmaʊntən ə°gen?

Taro　koˋʔolau.

Jane　ˌsiː? ˋðæts waɪ ˈaɪ ˌkiːp ˋtelɪŋ jə tə ˈkwɪt ˋsmoʊkɪŋ. jʊə ˋkɑːfɪŋ ɪn ðə ˏmɪdl əv ə ˋwɝːd.

Taro　ˉaɪ ˌdɪdnt ˏkɒf. ɪt wəz ə ˈglɒtl ˋstɒp. jʊ ˊsiː, ðə ˈglɒtl ˏstɒp ɪz dɪsˋtɪnktɪv ɪn həˋwaɪən.

Jane　wʊˈdʒuː ˋlaɪk tʊ ɪˈlæbəreɪt ɑn °ðæt ˋpɔɪnt, prəˊfesɚ?

Taro　əˋhem. ˋrʌflɪ ˏspiːkɪŋ, ə ˈspiːtʃ °saʊnd ɪz dɪsˋtɪnktɪv wen ðə ˈjuːs əv ðæt ˏsaʊnd ˈbrɪŋz əˈbaʊt ə ˋtʃeɪndʒ ɪn ˋwɜːd ˳miːnɪŋz. ˈɪŋglɪʃ ˋdʌz hæv ðə ˳glɒtl ˏstɒp, bət ˈweðə jʊ seɪ ˋsweʔ˳ʃɜːʔ ɔː ˏswet°ʃɜ̃ːt, ðə ˋmiːnɪŋ əv ðə ˏwɜːd rɪˋmeɪnz ðə seɪm. ˋsəʊ, ðə ˳glɒtl ˳stɒp ɪz ˋnɒt dɪsˋtɪnktɪv ɪn ˋɪŋglɪʃ. ɪn həˋwaɪən, ɒn ðɪ ˏʌðə °hænd, ˋ*pau* miːnz ˏfɪnɪʃt, weərəz ˋ*paʔu* miːnz ˋsʊt; ˋ*koi* ɪz ə ˈvɜːb miːnɪŋ tə ˇɜːdʒ, ən ˋ*koʔi* ˳stændz fər ə kaɪnd əv ən æks.

Jane　ˈθæŋkjuː, prəˋfesɚ. ˋlʊk, ɪts ˏbɪgɪnɪŋ tə ˋreɪn.

Taro　ɪts ˈnɪəlɪ ˋɔːlwɪz ˳reɪnɪŋ ɒn ðə ˳tɒp əv ˳pɑli ˏhaɪweɪ. bət əʒuː ˈgəʊ ˋdaʊn tə ðə ˈfʊt əv ðə ˏmaʊntn, ɪtl ˈklɪər ˋʌp. ˋenɪweɪ, aɪd ˈbetə ˈpʊt °ɒn ðə ˋwɪnskriːn ˳waɪpəz.

Jane　ˈwɪndˋʃiːld ˳waɪpɚz.

Taro　ˋwɪndʃiːld˳waɪpəz, ɒf ˋkɔːs. ˈnaʊ wɪə ˈnɪəlɪ ət ðə ˈbeɪs əv ðə koˋʔolau ˋmaʊntn̩ ˳reɪndʒ, əŋ̈ ðə həˋwaɪən ˈsʌn ɪz ˈʃaɪnɪŋ ˋəʊvər əs.

Jane　ˎraɪt. ˋoʊ, ˋlʊk ət °ðæt bɪːˋjuːtɪfl ˆreɪnboʊ!

Taro　ˋlʌvlɪ, ˎɪzn ɪt? ˈwaɪ dəʊnt wiː ˈdraɪv tə ðɪ ˋend əv ðæt ˳reɪnboʊ?

Jane　ə ˋgʊd aɪˎdɪə! ənd ɪf wiː ˋfaɪnd ə ˋpɑt əv ˇgoʊld, ˉjʊ kəm ˈbaɪ ˋʔenɪ əv ˈðoʊz ɪksˋpensɪv ˋkɑɚz jʊə ˋɔːlwɪz ˋtɔːkɪŋ əbaʊt--- ə bʊ → gæːt̬iː, ə → brɪstl, ə læmbɔɚ → giːniː, → ə bentlɪ kɑ̃ʔˏnentl---ɔːlˈðoʊ aɪ ˋoʊnlɪ ˋnoʊ ðm baɪ ˋneɪmz.

Taro　bət ˈðiːz °kɑːz ˈgʌzl ə ˈˈlɒt əv ˋpetrəl---a miːn, ə ˈlɒt əv ˋgæs.

Jane　ʃʊd ə ˏpɝːsn ˏwɪð ə ˈpɑt əv ˏgoʊld ˏhæftə ˏwɝːriː ə_baʊt ˈgæs?

Taro　həhə. jɔː ˈdɑːn ˎraɪt! ˋænd, ˳dʒeɪn, ˋjuːl ˳faɪnd ə ˈhəʊl ˋbʌntʃ əv ˋdʒuːlrɪ ðɛə---ɪ → nɔːməs °daːmnd rɪŋz, → çuːdʒ °emrəld °pendənts. aɪ ˈwʊdnt ɪksˈpekt ˋmʌtʃ, ˌðəʊ, ɪn ðə ˈweɪ əv ˋfɜː ˳kəʊts, kəz ðeɪ wə ˈmeɪd ˈˈmɪljənz əv ˋjɜːz əˏgəʊ ən məs bɪ ˈwɔːn ˋaʊt naʊ. ənd ɪn ˋenɪ ˏkeɪs, ðə ˈfɜː ˈmaɪt əv ˈˈverɪ °wel ˋkʌm frəm ˏseɪbə ˏtuːθt ˋtaɪgəz!

【音声への注】(数字は行番号)

1.　このJaneのように軽い呼びかけ語には強い強勢は用いられない。[°]が普通である。

2.　Janeは、2番目の発話からも明らかなとおり、車のsnob valueよりも経済性を重んじている。classyに使われている上昇調は、経済性に対する「判断保留」を示す。

4.　Japanese car, American carに置かれた下降調が、この疑問詞疑問文を修辞的なものにしている。「日本車かアメリカ車を借りた方がよかったのに」。

7–9.　I seeからtooまでは、荷物を目で点検しているので全体にテンポが遅い。mallet, seatに使われている上昇調は、「点検終了に対する判断保留」、つまり「点検はまだ終わっていない」ことを示している。冷蔵箱を確認して忘れ物がないと思ったのでtooには下降調を用いている。次の瞬間、長靴が後部座席に無いことに気付くのだが。

11.　Janeは疑問詞やそれと同型の接続詞のwh-をある時には有声の[w]、別の時には無声の[w̥]で発音している。(この行のwhatや14行のwhenでは無声、9行のwhere、13行のwhyでは有声。)使い分けの原則は特にないようだ。日本人の中にも、助詞の「が」に、ある時は[ga]、ある時は[ŋa]を使う人がいるのと同じ現象のように思える。

13.　keep, using, Britishに見られる高下降調の連続は、この発話を強調的なものにしている。ともすればイギリス用語を使ってしまう太郎への非難とはいかないまでも「お小言」なわけだ。Taroに強勢が置かれているのも発話強調が目的。

14.　you'reのyouが強調されていることに注意。「アメリカ人と結婚したわけではない人」との対比が示されている。

15.　前置詞句を強調する方法の一つとして、前置詞自身に強勢を置くことがある。

ˋin Aˋmerica 「イギリスにいるのならまだしも、他ならぬアメリカに来ているのだから。」

20. これはアメリカのポピュラー・ソングなので、「イギリス英語派」の太郎も dancing の部分を [dɑ́ːnsɪŋ] でなく [dǽnsɪŋ] と発音している。

21. wireless の前に幾分の休止を置いているのは、太郎をからかうためこのイギリスでも廃れた単語を際立たせるのが目的である。

22. wireless の上昇下降調は驚きを示している。イギリスではいまだにラジオのことを wireless と呼んでいると Jane が信じているのだと、幾分単純な太郎は思い込んでしまったからである。

2 番目の wirelesses に置かれた上昇調に注意。Jane の思い違い（実はからかっただけなのだが）を「訂正する権利に関する判断保留」を表している。ここに下降調を使うとピシャリとはねつけるような（怒ったような）訂正になってしまう。

29. ˈðɪs ˋɪz həˋwaɪiː　すべての語、特に意味量の少ない is に強勢を置くことによる強調。「何と言ったって（日本人観光客の多い）ハワイですもの」。

ˋtæroʊ 注意を喚起するための強い呼びかけなので、高下降調が使われている。

30. street と 800 に置かれた低上昇調は、カーナビの音声案内と太郎の運転との食い違いについての強い判断保留を示す。

36. dictionaries に置かれた下降上昇調は、それ以外の情報源、つまり実地の体験との対比を示す。「字引から得た知識にすぎないけどさ」。

37. 文尾（English）に置かれた低上昇調は、第 22 行への注に記したのと同じく、「遠慮しながらの反論」を示す。

38. Jane はこの発話を下降調で終えている。つまり何の判断保留もしていない。どうやらこの夫婦、嬶（かかあ）天下になりそうである。

45. ˌsiː 「言わなくても太郎が判っていなければならないこと」、つまり That's why …以下のことを述べる前置きなため、低平板調が使われている。

Jane の [kɑːf] と、次の行の太郎による [kɒf]（米英の違い）に注意。

48. prəˊfesɚ　太郎はもちろん教授ではない。しかしその太郎が音声学用語などを持ち出し始めたので、いくぶんかの揶揄を込めながらこの語を、しかも強勢を使って用いている。elaborate などという多少固い単語を使っているのも同じ目的から。「ご高説を承りましょう、学者先生」。

51. ˋdʌz hæv　強調のため動詞の前に助動詞 do, does, did を加えるときは、そこに強勢を置き、元々の動詞には置かない。類例：But I ˋdo like pho˳netics./I ˋdid ˳post the ˳letter./ˋDo be ˏsensible.

56. prəˋfesɚ　第 56 行の注と同じ趣旨から強勢を与えられている（上昇・下降の違いはあるが）。なお、本物の教授に professor という呼びかけはあまりしないようだ。John Smith 教授なら、Professor Smith、Mary Brown 教授なら Professor Brown である。ただし、現今の英米の大学では、学生が自分の先生に向かって Professor + 苗字で呼びかけることはまずなく、John とか Mary と first name を使うのが普通である。

ɪts ˏbɪgɪnɪŋ tə ˋreɪn　この上昇下降調は驚き・困惑を表す。雨が降っては観光に、特にポロ競技に大いに支障を生ずるからである。

57. əʒuː の [ʒ] は、as you [əz juː] の [z + j] から合着により生じたもの。

59. ˋwɪnskriːn　この環境での [d] はしばしば脱落する。

60. ˈwɪndˋʃiːld　-shield の部分にある強勢は、太郎が使ったイギリス式用語とアメリカ式用語の違いを際立たせるために、いわば「臨時に」置かれたもの。

64. ˎraɪt.　低上昇調は、あまり気乗りのしない相づちを表している。しかし直後の Jane は虹の美しさには大いに感嘆している。

bɪːˋjuːtɪfl　単語を強調する一つの手段として、余分な母音（この場合は [ɪː]）を加えることがある。類例：[kuːˋwɪk] (Quick!), [gəːˋreɪt] (Great!)。

^reɪnboʊ　上昇下降調は驚嘆を示している。

66. ə ˋgʊd aɪˎdɪə!　虹の美しさに空想力をかき立てられたのか、いささか子供っぽい太郎に調子を合わせるためか、Jane は少なくとも表面上、大いに賛意を表明している。お座なりな相づちだったら ə ˌgʊd aɪˏdɪə.。なお、記号としては示さなかったが Jane は good の母音を円唇性をゆるめて使っている。[gɯd] と表記してもいいほどだ。アメリカ人（特に女性）は、賛辞として good を使うとき、こういう発音をすることが多い。

67. ˋʔenɪ　母音で始まる語を強調するにはその前に声門閉鎖音を使う。

類例：ˋʔevrɪθɪŋ ˳went ˎrɒŋ tədeɪ. (Everything went wrong today.)

68. 平板調が 3 つ連続で使われているのは、すぐ前に expensive cars という表現が使われており、車の名称は太郎にとって先刻承知のことであるため。

70. a miːn　言い直しを知らせる I mean のように、手早く発せられるときの I [aɪ] からは、しばしば [ɪ] が脱落する。

71. 太郎が空想と現実を混同してしまっているので、Jane は上昇調を頻発して大いに「判断保留」を示し、太郎をからかっている。

73.　2つの平板調は、67–68への注にあるのと同じ理由から使われている。

6.2　シェイクスピア

シェイクスピアの英語は、大学新入生の学力からすると難しい。だから1年生の英語の教科書にシェイクスピアの作品を選ぶ大学教師はいない。シェイクスピア「研究」はもっと学年が進んでから行われている。

しかし「研究」を離れれば、そこに違う姿が現れる。シェイクスピアはその作品を役者に「喋らせる」、そして観客に「聞かせる」ために書いたのである。つまりそれは本来的に「音声」なのだ。名台詞を音声で聞き、ときに自ら「再現」してみるのは楽しいことだ。日本の芝居・演劇についても事情は同じで、お嬢吉三（きちさ）の「月も朧に白魚の…」とか弁慶の「肝に彫（え）りつけ、人にな語りそ…大日本の神祇諸仏菩薩も照覧なれ。畏み畏み、敬って申すと云々。斯くの通～りぃ」などとやってみると大層気持ちがいい。歌もそうだ。別に正式に声楽を勉強した人でなくとも、好きな歌を口ずさみたくなることは誰にでもあることだろう。

あるシェイクスピア俳優に、「イギリス人観客でも当時の英語がすべて分かる人ばかりではあるまい。何か支障はないか？」と訊いたことがある。答えは「支障はない。そういう人には台詞全体を通じて雰囲気を掴んでもらえれば十分だ」であった。確かにその通りだろう。幼時の筆者は『軍艦マーチ』の「真金（まかね）のその船日本（ひのもと）に仇なす国を攻めよかし」という歌詞を聞いて、しばらくの間は「攻めよかす」という動詞があるのだと思っていたし、『安宅（あたか）』の「方々は何ゆゑに斯ほど賎しき強力（ごうりき）に太刀（たち）刀（かたな）を抜き給ふは、眼垂れ顔の振る舞ひ、臆病の至りかと…」の「眼垂れ顔」は「目尻の下がった顔」かと長年考えていたが、成人してから調べたら「目を伏せて敵の顔をまともに見られないような弱虫面」だとわかった。

シェイクスピアの台詞を部分的にも知っておくことの効用はまだある。第二次大戦終了(1945年)後間もなくのこと、ロンドン駐在になった新聞記者がいた。イギリスの対日感情はまだすこぶる悪く(こういう点ではアメリカ人の方が度量が広いようだ)、最初は大層居心地が悪かったそうだ。ところがこの記者がシェイクスピアに造詣が深いことを知るや、俄然厚遇されるようになったという。我々の文化を解する「ちゃんとした奴」だ、と認識したのだろう。(公平に言えば、向こうにも『源氏物語』、『万葉集』、あるいは能・歌舞伎に関する知識を持ってほしいところだが。)読者の中には、将来、外交官、政治家、商社マンになる人もあると思う。こうした職にある人にとって、交渉相手の国の文化に関して少しでも知識を持っているというのは極めて重要なことなのである。

この節では『ハムレット』、『オセロウ』、『マクベス』、『ヘンリー五世』からの抜粋を取り上げる。まず【訳】を読んで大体の意味をつかんでほしい。【注】では、語彙や文法に関するものは最小限に抑え、音声的な点に重点を置いた。その上で鑑賞し、できることなら練習の材料に使ってくれれば嬉しい。

『ハムレット』第２幕第２場

王子ハムレットは、父である王を謀殺される。犯人は叔父クローディアスであるらしいのだが確証がない。しかもその叔父が王位に就く。それのみか母は新王である叔父と結婚してしまう。実はハムレットには父の亡霊が現れ、自分がクローディアスに殺された有様を物語るのだが、そのころの西洋の亡霊には２種類あったと見え、本物の亡霊(?)と、悪魔が故人の姿をとって人間に悪事をそそのかすために出現する偽亡霊があったらしい。もし後者であれば、その言うことを信じてクローディアスを手に掛ければ、無実の人間を殺すことになる。そこでハムレットは復讐に踏み切れないのだ。そうした折から、旅役者の一座が城を訪れる。役者たちが架空の物語を演ずるにも本当の悲しみを表すのを見てハムレットが自分の不決断を悔やみ、責める場面である。なお数字は場(scene)ごとの行の通し番号。

80 Hamlet

Hamlet: ˈOh ˌwhat a ˊrogue and ˈpeasant ˋslave am I!
ˈIs it not ˎmonstrous that ˈthis ˋplayer here,
ˌBut ˈin a ˋfiction, in a ˋdream of ˎpassion,
Could ˈforce his ˇsoul ˈso to his ˈown conˏceit,
That ˈfrom her ˇworking, ˈall his visage ˎwann'd;

ˋTears ˉin his ˎeyes, disˋtraction in 's asˋpect,
A ˈbroken ˋvoice, and his ˈwhole ˋfunction ˇsuiting
With ˇforms, to his conˋceit? And ˈall for ˎnothing?
All for, for ˋHecuba?
ˈWhat's ˋHecuba to ˋhim, or ˈhe to ˎHecuba,
That ˈhe should ˋweep for her? ˈWhat would he ˎdo,
ˈHad he the ˇmotive and the ˋcue for ˇpassion
That ˋI have? He would ˈdrown the ˈstage with ˊtears,
And ˈcleave the ˋgeneral ˊear with ˈhorrid ˋspeech:
ˌMake ˈmad the ˇguilty, and apˈpal the ˋfree,
Conˈfound the ˊignorant, and aˈmaze inˋdeed,
The ˈvery ˋfaculties of ˈeyes and ˎears. Yet ˎI,
A ˇdull and ˈmuddy-ˈmettled ˋrascal, ˋpeak
Like ˋjohn-a-dreams, ˈunˈpregnant of my ˎcause,
And ˈcan ˊsay ˋnothing: ˋno, ˋnot for a ˋking,
Upˈon whose ˋproperty, and ˋmost ˋdear ˋlife.
A ˋdamn'd deˋfeat was ˌmade.
ˋWho ˋcalls me ˎvillain? ˈbreaks my ˋpate aˌcross?
ˋTweaks me by th' ˎnose? ˋgives me the ˋlie i' th' ˋthroat,
As ˈdeep as to the ˎlungs? ˈplucks ˈoff my ˊbeard,
And ˋblows it in my ˋface? ˈWho ˈdoes me ˋthis?
→ Ha? (Tut,) ˎSwounds, ˈI ˌshould ˇtake it: for it ˈcannot ˇbe
ˈBut I am ˈpigeon-ˎliver'd, and ˈlack ˇgall
To ˈmake opˋpression ˋbitter, ˌor ˌere ˌthis,
ˌI should have ˌfatted ˌall the ˌregion ˋkites
With this ˋslave's ˋoffal, ˌbloody, ˌbawdy, ˌvillain,
Reˌmorseless, ˌtreacherous, ˌlecherous, ˌkindless ˋvillain!
ˋO ˋVengeance!

【訳】

ハムレット：ああ、この私は何という卑しい、駄目な男なのだろう。
それにしても不思議ではないか、あの役者などというものは。
たかが作りごと、架空の情熱を基に、
自分の魂を自分の想像で動かし、
その魂の働きで、顔色を蒼ざめさせ、
目には涙を浮かべ、狂おしい顔つきで、
声はかすれ、仕草全体が、さまざまな形で、
自分の想像に一致するのだ。それも何のためでもない。
ヘキュバのため？　ふん、
ヘキュバが彼にとって何だ、ヘキュバにとって彼は何だというのだ、
あれほどヘキュバのために嘆き悲しむとは。
私ほどの悲しみの動機、
きっかけをあの役者が持っていたら、どういうことになるか？
舞台を涙で満たし、恐ろしい台詞で全観衆の鼓膜を破り、
脛に傷持つものを狂わせ、潔白なものをも震え上がらせ、
無知なものを動転させ、眼や耳のの働きをも
狂わせてしまうだろう。
ところがこの私はどうだ、のろまで、腰抜けで、
寝惚け太郎のようにうろつくだけ、
復讐の手立ても考えられず、口に出せることと言ったら――
何もないのだ。そう、王のためにさえ何も言えずにいる。
王権も、大切な命まで、
あのように非道に奪われた王のためにさえ口をつぐんでいる。
私を録でなしと呼んでくれ、脳天をはたいてくれ、
私の鼻を引っぱって「大うそつきめ！」と
肺の底に響くほど怒鳴りつけるものはおらぬか。さあやれ！
どうだ？　ああ、だめだ。私はそれを甘んじて受けることだろうよ。
私は臆病で、暴虐を憤る意気地さえ持ち合わせてないのだ。
そうでなければ、とっくの昔に、あの悪党のくず肉で
空飛ぶトンビを肥らせてやったはずだ。残忍で好色な人非人め。
鉄面皮で、反逆者で、血も涙もない、女たらしの極悪人め。

おお、復讐せねばならぬのだが！

【注】（数字は行番号）

547　rougue の [r] が弾音、peasant の [p] の保持期間の長さ、slave の [s] の長さに注目。いずれも強調のためである。

548　player の [p] の保持期間がやはり長い。これによってもたらされる意味は「役者であって、真実の体験をしている物でないのに」。

549　but = only。

550　conceit　想像力。

551　her は前行の soul を受ける代名詞。wann'd 当時の英語では過去形・過去分詞形の –ed には –e- で表される母音を発音する場合としない場合の双方が混在していた。発音されないことを示すには e の代わりに ['] を用いる。

552　's = his。as`pect 現代英語ではこの単語の強勢配分は [ǽspèkt] だが、当時は [æ̀spékt] だった。

555　本来のテクストでは For Hecuba? とあるだけで、これだと「ヘキュバのためだろうか？」という単純な疑問とも解しうるが、ここでは「ヘキュバのためのはずはない」と一笑に付している解釈にした。ヘキュバはトロイの老王の妃。旅役者たちは老王の死後のヘキュバの哀れな有様を描く芝居を演じたのである。

559–563　drown から Yet I 直前に至るまで、強勢と最高ピッチの程度が次第に高まって行くことに注意。

561　Make mad the guilty = Make the guilty mad。

563　この行の Yet I から 566 の nothing まで、自分の不決断を嘆く沈鬱さが、ゆっくりとしたテンポと声域の狭さなどによって表現されている。

556　この行の no 以降、父の不幸を憤り、何とか自分に決断をさせたいという気持ちが、速いテンポ、声域の広さ等々によって表現されている。

558　damn'd defeat　この両語の [d] の保持期間が長く、かつ「咽頭緊縮」を用いて発せられていることに注意。咽頭緊縮は文字どおりのどを緊張させて発する音で、日本語でも「ずーっと昔」の下線部を強調する場合などに用いられることがあるが、英語での咽頭緊縮は、この場合のように憎悪感・嫌悪感を表すのに使われる。

573　Tut は舌打ちの音。Swounds [zwuːnz] は無念さ、悔悟の念を表す間投詞。God's wounds から来ている。教会にあるキリスト像には、磔刑の際に受けたいくつもの傷が刻まれている。

573–574　it cannot be but ~　～以外ではあり得ない。

574　pigeon-liver'd　当時、肝臓（liver）は勇気・胆力の宿るところとされた。その肝臓がハトのそれのように小さければ、勇気は無いに等しい。

575　ere = before。

576　この行の I から region までの連続した低平板調には必死に抑え込まれた怒りが現れている。region は「空（そら）」の意。

577　ˌbloody, ˌbawdy, ˌvillain には低平板調を表す [ˌ] が連続して使われているが、前行の場合と異なり、実はこの 3 つの単語のピッチは、段階的に（つまり坂を上るようにではなく、階段を上るように）高くなっている。これは感情がだんだんと抑え切れなくなっていることを表す。次行の Reˌmorseless, ˌtreacherous, ˌlecherous, ˌkindless についても同様。

578　ˋO ˋVengeance! の発音に際しては、軟口蓋が異常に高く持ち上げられており、これによって発声が嗚咽に近くなっている。もしこれを普通の発声で発したとすれば、あたかもハムレットが「さあ、復讐だ！」という決意を表明したように聞こえてしまう。だが実際にはハムレットはまだ決意をしていない。そこで嗚咽に近い発声をするのだ。その事情を「復讐せねばならぬのだが！」という訳文に反映させたつもりである。

『オセロウ』第 5 幕第 2 場

ヴェニス政庁に仕えるムーア人の勇猛な将軍 Othello [əθéləʊ] は、ヴェニス貴族の娘である美しく清純な Desdemona [dèzdɪməʊnə] と結ばれる。オセロウの部下、イアーゴウは陰険邪悪な人物で、奸計を巡らし、オセロウに、妻デズディモウナの貞節に対する疑いを抱かせることに成功する。オセロウは煩悶の末、「デズディモウナの名誉を守るため」と自分に言い聞かせ、彼女を扼殺してしまう。

ほどなくイアーゴウの悪企みが暴露され、オセロウは自分の恐るべき過誤を悟るが、時すでに遅い。オセロウは、寝台に横たわるデズディモウナの亡骸を前に嘆き悲しみ、激しく自らを責める。

81　Othello

Othello: ˋNow, ˈhow ˍdost ˈthou ˍlook ˋnow? O ˈill-wench!
ˈPale ˍas thy ˈsmock! ˈWhen ˋwe shall ˋmeet at ˈcompt,
ˈThis ˋlook of ˋthine will ˋhurl my ˋsoul from ˋheaven,
And ˋfiends will ˎsnatch at it. ˋCold, ˋcold, my girl!
ˋEven like thy ˎchastity. ˋO ˋcursed ˌslave!
ˋWhip me ˌye ˋdevils,
From the posˋsession of this ˋheavenly ˈsight!
ˋBlow me aˌbout in ˌwinds! ˋroast me in ˋsulphur!
ˋWash me in ˋsteep-down ˋgulfs of ˋliquid ˋfire!
ˋO ˋDesdeˋmona, ˋDesdeˋmona! ˋdead!!

【訳】

オセロウ：ああ、そなたは何という姿に！運の無いおなごよ。
そなたの下着と同じ蒼白な顔色。最後の審判でそなたに会うとき、
そなたのこの姿を思えば、我が魂は天から投げ落とされ、
悪魔どもが我が魂めがけて飛びかかるに違いない。我が妻よ、肌のこの冷たさ。
そなたの操も、このように冷厳であったのに。ええい、この人非人！
悪鬼ども、わしを鞭打て。
そして、この神のような麗しい姿の魅力の及ばぬところに、わしを追いやってくれ！
強風でわしを翻弄してくれ。硫黄の中でわしを焼き尽くしてくれ。
燃えたぎる炎の海の深さ知れぬ淵（ふち）に浸してくれ。
おお、デズディモウナ、デズディモウナ、死んでしまったのだ。

【注】

272–273　出だしから smock まで、軟口蓋が著しく上昇し、口腔後部が通常より広くなっている。これは嗚咽ないしそれに近い発声の特徴である。O から wench には平板調のみで、上昇・下降いずれの調子も使われていない。下降調の持つ意味の

一つである「断定」も、上昇調の持つ「判断保留」もないということが、オセロウの「やり場のない気持ち」を表現している。なおシェイクスピア時代のwench は単に「女子（おなご）」を意味し、その後の時代のように「売春婦」の意味はなかった。

274–275　heaven に始まる咽頭緊縮は、snatch で極度に達している。自分に対する強い憎悪の表れ。

275–276　Cold から chastity まで再び嗚咽に近い発声があり、cursed slave にはこれも再び咽頭緊縮が現れている。

『マクベス』第５幕第５場

スコットランドの勇将 Macbeth [məkbéθ] は、野心から王・ダンカンを謀殺し、自ら王位に就く。しかしこの悪行はやがて人々に知れわたり、イングランドに亡命していたダンカンの子息やスコットランド貴族たちが、イングランド軍の助力のもとに兵を起こし、マクベスに叛くものが続出する。完全に包囲された城の中のマクベスの許に、かねてから乱心していたマクベス夫人の死が報じられる。

暗澹たる未来、無意味を嘆ずるこの数行は、短いがもっとも有名な独白の一つである。

82　Macbeth

Macbeth: Toˈmorrow, _and toˈmorrow, _and toˈmorrow,
ˈCreeps in ˌthis ˇpetty ˚pace _from ˈday to ˎday
ˌTill the ˈlast ˇsyllable _of reˈcorded ˎtime.
And ˈall our ˇyesterdays _have ˈlighted ˋfools
The ˈway to ˋdusty ˈdeath. ˋOut, ˋout, ˋbrief ˏcandle!
ˈLife's ˌbut a ˈwalking ˋshadow, _a ˈpoor ˋplayer
That ˈstruts and ˈfrets _his ˈhour upon the ˋstage
And ˈthen _is ˈheard ˈno ˋmore: it is a ˈtale
ˈTold by an ˋidiot, ˈfull _of ˈsound _and ˇfury,
ˇSignifying ˋnothing.

【訳】

マクベス：明日、また明日、そしてまた明日が、
　　　　こうして一日ずつ、ゆっくりした足取りで忍び寄って来、
　　　　時の記録のお終いまで続くのだ。
　　　　そして昨日という日々はすべて、愚か者たちが
　　　　塵と化す死への道を歩む足下を照らしてきたのだ。消えよ、消えよ、束(つか)の間の灯。
　　　　人生は歩む影に過ぎぬ、哀れな役者のようなもので、
　　　　自分の出る場だけは、舞台の上を威張って歩いたりわめいたりするものの、それが終われば誰の耳にも残らない。
　　　　人生は白痴の語る物語だ。騒々しい怒号に満ちてはいるが、
　　　　意味することといえば、何もないのだ。

【注】

・全体としてテンポが非常に緩く、ピッチの幅も狭い。『オセロウ』の上記引用部分のような声の張りや咽頭緊縮による感情のほとばしりがない。マクベスはいわば悟りの境地に達しているのだ。

19　平板調のみが使われている。諦観の表れ。

21　till the last syllable　最後の最後に至るまで。

23　brief candle　古くは小説家・評論家 Aldous Huxley の小品集 *Brief Candles* (1930)、もう少し後では Manning Coles の小説 *Brief Candles* (1954)、新しいところではイギリスのヴォウカル・グループ The Zombies の歌 *Brief Candles* といった作品の題名に使われている。

27　sound and fury　アメリカの小説家でノーベル文学賞受賞者 William Faulkner の作品 The Sound and Fury (1929) の題名となっている

28　nothing の前の言いよどみに注意。「意味することと言ったところで、どう考えても、何もないのだ」の下線部のような気持ちの表れである。

『ヘンリー五世』第 4 幕第三場

イギリスとフランスの間には、昔、百年戦争というものがあった。普通 1337–1453 年の 116 年間を指す。といっても、年がら年中闘っていたわけではなく、勝ったり負けたり、休戦条約を結んだり、といった過程だったわけ

だが、それはともかく1415年、フランス北部Agincourtの戦いではイギリスが勝った。このとき英軍を率いたのがヘンリー五世である。英軍の兵力は6,000人。しかもそれまでの戦いと長い行軍によりかなり疲弊していた。対する仏軍は総勢20,000。装備も良く、体力も消耗していない。

いよいよ出陣の時が迫る。英軍の劣勢を嘆くWestmorland [wésmələnd] 伯爵を王はたしなめ、居並ぶ将兵に向かって熱弁を振るい、彼らの志気を高める。これまで3つの悲劇的台詞を聞いてきた。今度はこの景気のいい勇ましい名演説に耳を傾けよう。

劣勢だったはずの英軍は仏軍を粉砕して敗走させ、英仏関係はその後しばらくイギリスに有利に展開する。このため、ヘンリー五世は歴代の王の中でもイギリス国民にとって最高の英雄の1人であり、シェイクスピアのこの作品も、第一次・第二次大戦中上演されると大いに人気を博したという。1998年に筆者もロンドンでこの芝居を見たが、観客の中でアルコールの入っている連中はフランス側の登場人物が出てくると、それだけでブーイングをしていた。

83 King Henry V

Westmorland: ˈO ˍthat we ˈnow ˈhad ˇhere
But ˈone ˈten ˇthousand ˍof ˈthose men in ˏEngland,
That ˈdo no ˋwork toˊday!
King Henry: ˋWhat's he that ˊwishes so?
ˉMy ˏcousin ˏWestmorland? ˋNo, my ˌfair ˋcousin:
ˋIf we are ˋmarked to ˇdie, ˋwe are eˏnow
To ˋdo our ˋcountry ˋloss: and ˎif to ˏlive,
The ˎfewer ˏmen, the ˏgreater ˈshare of ˋhonour.
ˉGod's ˎwill, ˋI ˎpray thee ˋwish not ˈone ˈman ˋmore.
ˉBy ˎJove, ˋI am not ˌcovetous for ˇgold,
ˎNor ˌcare I ˌwho doth ˏfeed upon my ˋcost
It ˋyearns me ˈnot if ˈmen my ˏgarments ˈwear;
ˈSuch ˇoutward things ˈdwell not in my deˎsires.
ˋBut ˉif it be a ˋsin to ˋcovet ˋhonour,

I am the ˋmost ofˈfending ˈsoul aˎlive.
ˈNo, ˋfaith, my ˎcoz, ˋwish not a ˌman from ˏEngland:
ˈGod's ˎpeace, I ˈwould not ˇlose ˈso ˈgreat an ˇhonour,
As ˈone ˈman ˇmethinks would ˋshare from me,
For the ˋbest ˋhope I ˎhave. ˈO ˋdo not ˈwish ˋone more:
ˈRather proˎclaim it ˌWestmoreland, ˈthrough my ˎhost,
That ˈhe that hath ˈno ˈstomach to ˈthis ˏfight,
ˈLet him deˎpart, his ˈpassport shall be ˌmade,
And ˈcrowns for ˈconˏvoy ˈput into his ˎpurse:
ˈWe would not ˇdie in ˈthat ˈˈman's ˇcompany
That ˈfears his ˇfellowship to ˈdie ˋwith us.
ˈThis ˈday is ˌcalled the ˈfeast of ˋCrispian:
ˈHe _that outˋlives ˈthis ˏday, and ˈcomes ˈsafe ˏhome,
Will ˈstand a ˈˈtipˋtoe when this ˌday is ˏnamed,
And ˋrouse him at the ˌname of ˏCrispian.
ˈHe _that outˋlives ˈthis ˏday, and ˈsees ˈold ˏage,
Will ˈyearly on the ˋvigil ˋfeast his ˎneighbours,
And ˋsay, "Toˊmorrow is Saint ˋCrispian."
ˈThen will he ˈstrip his ˎsleeve and ˈshow his ˋscars,
And ˋsay, "ˈThese ˎwounds I ˏhad on ˋCrispin's day."
ˈOld ˋmen forˎget; yet ˈall shall be forˎgot,
But ˉhe'll reˋmember, with adˇvantages,
ˈWhat ˎfeat he did ˌthat ˏday. ˈThen ˌshall ˈour ˎnames,
Faˈmiliar in his ˎmouth as ˈhousehold ˎwords,
ˈHarry the ˋking, ˋBedford and ˋExeter,
ˈWarwick and ˈTalbot, ˈSalisbury and ˎGloucester,
Be ˈin their ˈflowing ˈcups ˈˈfreshly reˎmembered.
ˈThis ˈstory _shall the ˈgood man ˈteach his ˎson:
And ˈCrispin ˈCrispian _shall ˈne'er go ˎby,
From ˈthis ˈday _to the ˈending of the ˎworld,
But we in it ˌshall be reˎmembered;
ˈWe ˎfew, ˈwe ˎhappy ˌfew, ˈwe ˈband of ˎbrothers:

For ˈhe to╱day that ˈsheds his ˈblood with ˌme
ˈShall be my ╲brother: be he ˈne'er so ∨vile,
ˈThis ˈday _shall ˈgentle his con╲dition.
And `gentlemen in `England ╲now a-╲bed
Shall `think them`selves ac`curs'd they were ˌnot ˌhere:
And ˈhold _their ˈman_hood `cheap, while ˈany ╲speaks
That ˈfought ˈwith `us upˈon Saint `Crispin's ˌday.

【訳】

ウェスマランド：ああ、いまここに、
　　今日の戦いに加わらずイギリスにいる連中のうち
　　せめて１万人がいたらばなあ。
ヘンリー王：そんなことを願っているのは一体誰かね？
　　何と、我が友ウェスマランドか？　これはしたり、我が友、
　　もし我々が討ち死にする運命にあるとすれば、国の損失となるものの数は
　　我々だけで十分だ。また、もし生き残る運命ならば、
　　人数の少ない方が名誉の分け前もそれだけ大きいというものではないか。
　　とんでもない、１人でも多かれなどと願わんでほしい。
　　ジョウヴにかけて言うが、私は金など欲しておらんし、
　　私の費用で誰が食を満たそうといっこう構わぬ。
　　他人が私の衣服を着ても一切痛痒を感ぜぬ。
　　そんなうわべのことは、私の願望の中にはないのだ。
　　だがもし、名誉を欲するのが罪であるならば、
　　私ほど罪深い者はまたとなかろう。
　　いかんいかん、ウェスマランド、１人だってイギリスからきてほしいなどと願ってくれるな。
　　神も照覧あれ、このように偉大な名誉を、一兵でも増すことで
　　私の手から減らすなどとは、我が最大の希望にかけて
　　御免蒙る。さあ、１人でも余計になどと願わぬがよい。
　　それより、我が軍全体に布告をだし、こう言ってやるがよい。

この戦さに立ち向かう勇気のない者は
帰してやろう。旅券も出してやるし、
帰りの護送に必要な金も財布に入れてやろう：
そんな、我々と共に死ぬのを恐れるような男と
一緒に死ぬのは御免だと言ってやれ。
今日はクリスピアン祭と呼ばれる日だ。
今日の戦いに生き残り無事帰国した者は
この日の名前が出てくるたびに爪先立ちし、
クリスピアンの名を聞くたびに立ち上がるだろう。
今日の戦いに生き残り、老いを迎える者は、
毎年この祭の前夜祭に隣人たちを饗応して
「明日は聖クリスピアン祭だ」と言うことだろう。
そして袖をまくり上げ、数々の傷跡を見せ、
「この傷はクリスピアン祭に受けたんだぞ」と言うだろう。
年寄りは忘れっぽい。だが、他のことは全部忘れても、
この日の自分の武勲ばかりは、
ますますはっきりと思い出すだろう。その時、我々の名前は、
その老勇士の口から、何度も言い慣れた言葉として、
ハリー王、ベッドフォド、エクシタ、
ウォリックにトールバット、ソールズベリにグロスタとほとばしり、
隣人たちのなみなみと注がれた盃の中に更に新しく思い起こされよう。
この物語を、その名誉ある男は、我が子に聞かせることになろう。
そしてクリスピアン祭が来れば必ず、
今日のこの日からこの世の終わりまで
我々の名は思い出されることとなる。
我々は数少ない。数少ないゆえに幸いなのだ。我々は皆兄弟なのだ。
何となれば、今日私と共に血を流す者は
とりもなおさず我が兄弟。たとえその身分は卑しくとも、
この日の栄光がその身分を高めるのだ。
そして身分の高い者どもでも、今イギリスで眠りに就いている者は、
我々と共に聖クリスピアン祭の日に戦った者のうち、

誰の話を聞いても、自分たちが今日
この場にいなかったことを悔やみ、男として恥じるに違いない。

【注】

15　O that ~　~だったらなあ。

19　cousin と Westmorland の双方に置かれた低上昇調は驚き・意外の念を表している。cousin は、厳密に従兄弟でなくとも、親密に感じる相手に対しての呼びかけとして用いられる。

20　enow=enough

22　ˏgreater ˈshare of ˋhonour　上昇下降調が、「数が少ない方が名誉の分け前が多くなる」という意表をつく「算術」を強調している。

23　wish not = do not wish

30　coz = cousin

42　a ˈˈtip ˋtoe 本来の発音では –tip- に第一強勢があるが、強調のため –toe の部分に最も際立つ音調である高下降調が置かれている。

52　household words　Charles Dickens が編集した週刊雑誌（1850 年創刊）の誌名 *Household Words* はここから採られた。

63–64　Harry　Henry の愛称。Bedford, Exeter, Warwick, Talbot, Salisbury, Gloucestor いずれもヘンリー五世麾下の将軍（王族ないし貴族）。

66–67　while 以降最後までのテンポがゆっくりになっているのは、演説の締めくくりだからである。

6.3　コクニー

コクニー（Cockney）とは、本来ロンドンの労働者階級が話す方言であり、文法や語彙だけでなく発音面でも RP とは（そしてもちろん GA とも）大きく隔たっている。さらに 1970 年代から、コクニー的要素を多分に含んだ方言が、ロンドン以東のテムズ川河口に、それまでの地域方言を駆逐して広まり始め、河口（estuary）に因んで Estuary English と呼ばれるようになった。Estuary English は、地域的にだけでなく、社会階層的にも広まって、たとえば筆者が留学した 1950 年代の旅行代理店などでは店員がまがりなりにも RP を使っていたので何の不便も感じなかったが、1990 年代にサバティカルで一年間ロンドンに滞在したときは、旅行代理店の店員が言うことを時々聞き返す必要があった。イギリスを訪れるアメリカ人が They don't speak English in England! と嘆いたり憤慨したりするのはこのためだろう。オーストラリア・ニュージーランドでは、教養の高い人を除いて、町なかで話される英語の発音は、コクニーのそれに近いものを持っている。ここでこの節でコクニー発音に触れておけば、ロンドンの下町ことばだけでなく、今や多くの日本人が訪れるオセアニアの英語を聴き取る上で実際の役に立つと言えよう。

ただ一つ、注意すべき重要な点がある。コクニー的発音（Estuary、オセアニア発音を含む）については、あくまでも聴き取り用の知識として持つにとどめ、決して自分が使ってはならない、ということだ。こうした発音は、純言語学的に見れば RP や GA のそれに劣っているわけではない。だが RP・GA の使用者は、こうした「非標準的」発音の使用者を、教育的、いや人格的にも劣った人々だと見なすことが多いのだ。偏見であるのは確かだが、他人が、しかも外国の他人が持っている偏見をなくそうとするのは不可能に近い。あなたが仮にオーストラリア人であって、「中・下層の人々が使うオーストラリア英語こそ我々のアイデンティティーの証だ」という信念からあくまでその発音を使うというなら、それは一つの見識である。しかし外国人たる我々が、RP・GA の使用者が持つ偏見にわざわざ身をさらしてもあまり意味があるとは思えない。

さて RP とコクニー発音との対応を下に示す。矢印の左側が RP、右側がコクニー発音である。

[iː] → [əɪ]	語末の [ə] → [ʌ]
[eɪ] → [æɪ]	[h] → 消失
[ʌ] → [a]	暗い [l] → [o]
[ɔː] → [oʊ]	[θ] → [f]
[aɪ] → [ɒɪ]	語頭以外の [ð] → [v]

このほか、saw it（RP [sɔː ɪt]）など、r の綴り字が無いところに、r を挿入して [soʊrɪt] と発音したり、本来存在しない h を「創造」したり（ever → [hévʌ]）、声門閉鎖音を多用する特徴がある。

これを踏まえて、ミュージカルと童謡的ポピュラーソングからの例を楽しんでみよう。

『マイ・フェア・レイディ』から

ミュージカル『マイ・フェア・レイディ』の花売り娘イライザの父親、アルフィーはロンドンのごみ掃除人夫で、当然コクニーの使い手である。大の飲んだくれで、娘に飲み代をねだったりする。おまけにイライザの母親の死後は、別の女と同棲している。設定されている時代(前世紀初頭)からすれば、正式に結婚せずに女と暮らすというのは、とんでもなく不道徳なことである。ところがアルフィーはこれを少しも恥じていない。「俺たちにゃ道徳的になるためのお銭(ぜに)がねえんだよ」とばかり、中産階級によくある偽善をハナから無視している。この天衣無縫ぶりが音声学者ヒギンズのいたく気に入るところになるのだが、それはともかく、つぎに紹介するのは、アルフィーが自分の「人生哲学」を語っている歌である。舞台でも、また映画でもStanley Hollowayがこの役を演じ、素晴らしいコクニーを聞かせてくれた。(ついでながら、舞台でイライザを演じたJulie Andrewsの歌は素晴らしかったが、コクニーは下手くそだった。)訳を付けるほどのことはあるまい。1番の大意は「酒というものは、人間が誘惑に背を向けられるかどうかを試すために神様がお作りになった。だけどちょっとした風の吹き回しで、人間て奴はその誘惑に出逢うとすぐに乗っかっちゃうんだ」で、2番のそれは「女というものは結婚して亭主の面倒を見るためにこしらえあげられたんだろう。だけど男も運がいいと、全部サービス(含セックス)してもらって、しかも結婚なんていう首かせをはめられずに済む(not get hooked)ことだってあるのさ」、3番のそれは「自分の子供の面倒を見るのは当然の義務さ。神様の思し召しだ。けどよ、やっぱし風の吹きまわしで、子供の方から出ていってこっちの面倒を見てくれることもあらあ」(イライザのわずかな稼ぎから飲み代を巻き上げていることに言及している)である。まず普通の綴りで書いた歌詞を挙げ、つぎに音声記号による表記を示そう。

84　With a Little Bit O'Luck.

【通常の綴り版】

The Lord above made liquor for temptation,
To see if man could turn away from sin.
The Lord above made liquor for temptation – but
With a little bit of luck,
With a little bit of luck,
When temptation comes you'll give right in!

The gentle sex was made for man to marry,
To share his nest and see his food is cooked.
The gentle sex was made for man to marry – but
With a little bit of luck,
With a little bit of luck,
You can have it all and not get hooked.

A man was made to help support his children,
Which is the right and proper thing to do.
A man was made to help support his children – but
With a little bit of luck,
With a little bit of luck,
They'll go out and start supporting you!

With a little bit, with a little bit,
With a little bit o'blooming Luck!

【音声記号版】

ðə loʊd əbav mæɪd lɪkʌ fə temptæɪʃn,
tə səɪ ɪf mæn kʊd tɜːn əwæɪ frəm sɪn.
ðə loʊd əbav mæɪd lɪkʌ fə temptæɪʃn – baʔ
wɪv ə lɪʔo bɪʔ ə laʔ,

wɪv ə lɪʔo bɪʔ ə laʔ,
wen temptæɪʃn kamz jʊl gɪv rɒɪʔ ɪn!

ðə dʒento seks wəz mæɪd fə mæn tə mæri:
tə ʃɛər ɪz nesʔ ən səɪ ɪz fu:d ɪz kʊʔ.
ðə dʒento seks wəz mæɪd fə mæn tə mæri: – baʔ
wɪv ə lɪʔo bɪʔ ə laʔ,
wɪv ə lɪʔo bɪʔ ə laʔ,
ju: kən æv ɪʔ oʊl ən nɒʔ geʔ ʊʔ.

ə mæn wəz mæɪd tə elp səpɔ:ʔ ɪz tʃʊldrən,
wɪtʃ ɪz ðə rɒɪʔ ən prɒpʌ fɪŋ tə du:.
ə mæn wəz mæɪd tə elp səpɔ:ʔ ɪz tʃʊldrən – baʔ
wɪv ə lɪʔo bɪʔ ə laʔ,
wɪv ə lɪʔo bɪʔ ə laʔ,
ðæɪl gæʊ ɑʊʔ ən stɑ:ʔ səpɔ:ʔɪn ju:!

wɪv ə lɪʔo bɪʔ, wɪv ə lɪʔo bɪʔ,
wɪv ə lɪʔo bɪʔ ə blu:mɪn laʔ!

Rudolph, the Red-nosed Reindeer

日本でも『赤鼻のトナカイ』として、メロディーと、少なくとも訳詞はお馴染みだろう。アメリカの歌であり、コクニーで歌われた版があるわけではない。コクニー発音で歌えばこうなるはずだ、ということで、筆者が作詞ならぬ「作音」をしたものである。今度は普通の綴りと発音表記とを交互に記してみた。

85 Rudolph, the Red-nosed Reindeer

Rudolph, the red-nosed reindeer
[ru:dö:f ðə red næʊzd ræɪndɪə]
Had a very shiny nose.

[æd ə verɪ ʃɒɪnɪ næʊz]
And if you ever saw it,
[ənd ɪf jʊ hevə soʊr ɪt]
You woud even say it glows.
[jʊ wʊd iːvn sæɪ ɪʔ glæʊz]

All of the other reindeer
[öːl əv ðɪ ʌvə ræɪndɪə]
Used to laugh and call him names.
[juːstə lɑːf ən koʊö ɪm næɪmz]
They never let poor Rudolph
[ðæɪ nevə leʔ pɔː ruːdöːf]
Join in any reindeer games.
[dʒɔɪn ɪn enɪ ræɪndɪə gæɪmz]

Then one foggy Christmas Eve
[ðen wʌn fɒgɪ krɪsməs əɪv]
Santa came to say,
[sæntə kæɪm tə sæɪ]
“Rudolph, with your nose so bright,
[ruːdöːf wɪv jə næʊz sæʊ brɒɪt]
Won’t you guide my sleigh tonight?”
[wæʊntʃuː gɒɪd maɪ slæɪ tənɔɪt]

Then how the reindeer loved him,
[ðen æʊ ðə ræɪndɪə lʌvd ɪm]
As they shouted with glee,
[əz ðeɪ ʃæʊtɪd wɪv gliː]
“Rudolph the red-nosed reindeer,
[ruːdöːf ðə red-næʊzd ræɪndɪə]
You’ll go down in history!”
[juːl gæʊ dæʊn ɪn ɪstoːri]

☆ history [híst(ə)rɪ] の (h) が落ちているのはコクニーだからだが、-o- で表わされている母音が長母音になっているのは音譜からの影響で、RP で歌っても [hɪstɔːrɪ] となる。

6.4 口直し？ 耳直し？

標準的英語発音を習得してもらうのが目的のこの本が、コクニーで終わってしまうのも少々困る。そこで再び『マイ・フェア・レイディ』から主人公 Henry Higgins の歌（と言ってもほとんど台詞だが）を紹介しよう。

ヒギンズ教授は、極端な RP 賛美者である。コクニーはもちろん、スコットランド英語やアイルランド英語は、できるならば撲滅したいと思っているし、アメリカ英語などはそもそも英語だと思っていない。このミュージカルの笑い種の一つはヒギンズ教授のこの頑固さにある。

ブロードウェイ、ロンドンでの初演、そして映画でもヒギンズを演じたレックス・ハリスンの英語はもちろん典型的 RP である。ヒギンズのモデルとされる音声学者ダニエル・ジョウンズの孫弟子たる筆者の発音をヒギンズがどう評価してくれるか知りようがないが、ともかく発音習得の材料として用いるだけでなく、歌（？）の内容も楽しんでほしい。

86 Why Can't the English

An Englishman's way of speaking absolutely classifies him.
The moment he talks he makes some other Englishmen despise him.
One common language I'm afraid we'll never get.
Oh, why can't the English learn to set
A good example to people whose English is painful to your ears?
The Scotch and the Irish leave you close to tears.

There even are places where English completely disappears.
Well, in America, they haven't used it for years!
Why can't the English teach their children how to speak?
Norwegians learn Norwegian; the Greeks are taught their Greek.

In France every Frenchman knows his language from A to Zed.
But the French don't care what they do, actually, as long as they pronounce it properly.

Arabians learn Arabian with the speed of summer lightning.
And the Hebrews learn it backwards, which is absolutely frightening.
But use proper English, you're regarded as a freak.
Oh, why can't the English,
Why can't the English learn to speak?

【注】

・「歌と言うより台詞」とはいうものの、韻文なので get と set、ears と tears のような「脚韻」に注目。

3　get の目的語 one common language が文頭に移されて、get/set の押韻が可能になっている。

4–5　set a good example to ~　~に良い手本を示す。

8　このミュージカルはアメリカのものであり、ヒギンズにこう言わせているのもアメリカ人作詞者である。

12　pronounce 「発音する」と「宣言する」の双方の意味で使っている。「フランスという国は、勝手な宣言をして外国に迷惑をかけている」という次第だ。客観的に見ればイギリスも同罪だが。

解答

練習 2C　4.

① [di:p] deep　② [dɪp] dip　③ [lɪp] lip　④ [li:p] leap
⑤ [sli:p] sleep　⑥ [slɪp] slip　⑦ [si:t] seat　⑧ [sɪt] sit
⑨ [si:k] seek　⑩ [sɪk] sick

練習 3D

① [bɪd] bid　② [bed] bed　③ [sti:l] steel　④ [sædn] sadden
⑤ [stɪl] still　⑥ [sʌdn] sudden　⑦ [bi:d] bead　⑧ [bʌd] bud
⑨ [sed] said　⑩ [mʌd] mud

練習 5B

① [kʌp] cup　② [dɑl] doll　③ [bɑks] box　④ [bʌm] bum
⑤ [kɑp] cop　⑥ [bʌks] bucks　⑦ [dʌl] dull　⑧ [bɑm] bomb
⑨ [kʌd] cud　⑩ [kɑd] cod

練習 15F

① [bɔ:t] bought　② [pəʊz] pose　③ [rəʊz] rose　④ [nəʊz] nose
⑤ [kɔ:t] caught　⑥ [tʃɔ:k] chalk　⑦ [bəʊl] bowl　⑧ [səʊl] soul
⑨ [sɔ:t] sought　⑩ [pɔ:k] pork

練習 18C

① [mɛə] mare　② [hɪə] here　③ [mɪə] mere　④ [pɛə] pair
⑤ [rɛə] rare　⑥ [ʃɪə] sheer　⑦ [bɛə] bare　⑧ [bɪə] beer
⑨ [dɛə] dare　⑩ [tʃɪə] cheer

練習 32C

① [bérɪ] berry ② [vɪə] veer ③ [vérɪ] very
④ [bɪə] beer ⑤ [kɜːb] curb ⑥ [kənsɜ́ːv] conserve
⑦ [kɜːv] curve ⑧ [dʒaɪv] jive ⑨ [əbáɪd] abide
⑩ [dɪváɪd] divide ⑪ [ɪnváɪt] invite ⑫ [ɪnbríːd] inbreed

練習 33B

① [bles] bless ② [síəriːz] series ③ [θɔː] thaw
④ [breθ] breath ⑤ [θíərɪz] theories ⑥ [sɔː] saw
⑦ [θrɒŋ] throng ⑧ [θɔːn] thorn ⑨ [slɪŋ] sling
⑩ [θrəʊ] throw ⑪ [brɒθ] broth ⑫ [maʊs] mouse

練習 34C

① [zen] Zen（禅） ② [zíːbrə] zebra ③ [ðen] then
④ [ðɛə] their ⑤ [briːð] breathe ⑥ [siːz] sees
⑦ [siːð] seethe ⑧ [tiːz] tease ⑨ [briːz] breeze
⑩ [tiːð] teethe

練習 36B

① × *[dʒiːl] ② ○ [zéfə] ③ ○ [brəzíl]
④ × *[dzuː] ⑤ ○ [ziːl] ⑥ ○ [zuː]
⑦ × *[rəʊds] ⑧ × *[dzed] ⑨ ○ [rəʊz]
⑩ ○ [zed]

練習 38B

① [lédʒə] ledger ② [léʒə] leasure ③ [pléʒə] pleasure
④ [plédʒə] pledger ⑤ [víʒʊəl] visual ⑥ [ɪndʒɔ́ɪ] enjoy
⑦ [dɒ́dʒə] dodger ⑧ [méʒə] measure ⑨ [bʌ́dʒɪt] budget
⑩ [bʊ́əʒwàː] bourgeois

練習 47D

① [reɪn] rain ② [raɪt] right ③ [liːd] lead ④ [leɪn] lane

⑤ [rəʊd] road　⑥ [blaɪt] blight　⑦ [laɪt] light　⑧ [braɪt] bright
⑨ [riːd] read　⑩ [ləʊd] load

INDEX

む

ゆ

よ

り

れ

【著者紹介】

今井 邦彦（いまい くにひこ）

〈略歴〉1934年東京生まれ。1957年東京大学文学部英文学科卒業。1957–59年ロンドン大学留学。この間、University College 音声学科における1年間の研修の後、同科および国際音声学協会による検定試験を受け、その結果、前者から英語発音技能第一級証明書を、後者から音声学技能第一級証明書をそれぞれ授与される。東京都立大学教授、学習院大学教授を経て、現在は東京都立大学名誉教授。文学博士。

〈主な著書〉『ことばの意味とはなんだろう—意味論と語用論の役割』(共著、岩波書店、2012年)、『なぜ日本人は日本語が話せるのか—「ことば学」20話』(大修館書店、2004年)、『英語の使い方』(大修館書店、1995年)、『Essentials of Modern English Grammar』(共著、研究社出版、1995年)、『新しい発想による英語発音指導』(大修館書店、1989年)、『英語学大系 第2巻 音韻論II』(共著、大修館書店、1971年)など多数。

ファンダメンタル音声学

発行	2007年5月31日　初版1刷 2019年12月12日　5刷
定価	2400円＋税
著者	© 今井邦彦
発行者	松本功
装丁	大崎善治
印刷製本所	三美印刷株式会社
発行所	株式会社 ひつじ書房 〒112-0011 東京都文京区千石2-1-2　大和ビル2F Tel.03-5319-4916　Fax.03-5319-4917 郵便振替 00120-8-142852 toiawase@hituzi.co.jp　http://www.hituzi.co.jp/

ISBN978-4-89476-279-4

日本音楽著作権協会（出）0704234-701号